Comer y Curar

Nota del editor

Los redactores de FC&A han tomado cuidadosas medidas para garantizar la exactitud y utilidad de la información que aparece en este libro. Si bien se realizaron todos los esfuerzos posibles para garantizar la exactitud, puede haber errores. Aconsejamos a los lectores revisar cuidadosamente y comprender las ideas y consejos presentados, y consultar con un profesional calificado antes de llevarlos a la práctica. El editor y los redactores renuncian a toda responsabilidad (que incluye lesiones, daños o pérdidas) provocada por el uso de la información que aparece en este libro.

El propósito de la información sobre salud que aparece en este libro es sólo informativo y no pretende constituir una guía médica para el autotratamiento. La información no constituye asistencia médica y no debería interpretarse como tal ni utilizarse en lugar de la asistencia médica de su propio medico.

Dícele Jesús: Yo soy la resurrección y la vida: el que cree en mí, aunque esté muerto, vivirá. Y todo aquel que vive y cree en mí, no morirá eternamente. ¿Crees esto?

- Juan 11:25-26

FC&A Medical Publishing®
103 Clover Green
Peachtree City, GA 30269

Produced by the staff of FC&A

ISBN 978-1-932470-73-4

Índice

· · · · · · · · · ·

Componentes básicos nutricionales para mejorar la salud

• •

Cinco ingredientes para una dieta saludable

¿Cómo elige los alimentos que come? Si usted es como la mayoría de las personas, el sabor, el precio, la facilidad para prepararlo y la nutrición juegan un papel importante.

Pero es muy probable que a usted le importe más comer alimentos nutritivos. Ya sabe que elegir correctamente los alimentos puede ayudar a evitar muchos problemas de salud, como la obesidad, la cardiopatía, la diabetes y el cáncer. Pero si escucha tanta información confusa, ¿cómo sabe que está eligiendo los alimentos correctos?

Es bueno comenzar con las cinco características de una dieta saludable que presentan las expertas en nutrición la médica cirujana Frances Sizer, y la doctora Eleanor Whitney, autoras del libro, *Nutrition Concepts and Controversies (Conceptos y controversias sobre la nutrición)*.

- ◆ **Suficiencia.** Asegúrese de que su dieta le proporcione suficientes vitaminas, minerales y otros nutrientes para reemplazar los que usa todos los días.

- ◆ **Equilibrio.** No se sacie con alimentos que son ricos en algunos nutrientes ni ignore otros que son igualmente importantes. Por ejemplo, ingerir hierro adicional no compensará una pequeña cantidad de calcio.

- ◆ **Control de calorías.** No consuma más calorías de las que necesita. Aquellas calorías que no quema quedan almacenadas como grasa, lo cual puede causar obesidad y otros problemas de salud.

- ◆ **Moderación.** Limite ciertos alimentos — como aquellos que contienen grasa, colesterol y azúcar. Sizer y Whitney afirman que

1

"Algunas personas interpretan que nunca deben darse el gusto de comer un delicioso bistec o un helado bañado con caramelo caliente, pero no están bien informados — la clave es la moderación y no la abstinencia total".

◆ **Variedad.** Coma muchos alimentos diferentes. No sólo obtendrá todos los nutrientes que necesita, sino que también disfrutará más a la hora de comer. Además, muchos alimentos contienen pequeñas cantidades de toxinas y agentes contaminantes que el cuerpo no detecta a menos que coma gran cantidad de esos alimentos. Deje pasar unos días antes de repetir un alimento para reducir las probabilidades de cualquier peligro.

En este libro, encontrará la información necesaria para planificar comidas que cumplan con estos cinco requisitos que mencionamos. Aprenderá sobre los nutrientes básicos — como las vitaminas, los minerales, las proteínas, los carbohidratos, las grasas y el agua, y también sobre los fitonutrientes y la fibra.

Además, encontrará más de 50 capítulos sobre alimentos curativos individuales que lo ayudarán a agregar variedad a sus comidas. Los otros capítulos lo ayudan a comprender de qué manera se pueden prevenir o tratar ciertas afecciones específicas con ciertos alimentos.

"Examine visualmente" un plato nutritivo

Tal vez usted aprendió a ignorar las descabelladas afirmaciones sobre las dietas de moda, pero a veces resulta difícil comprender los consejos de las fuentes confiables. Por ejemplo, la pirámide alimenticia del Departamento de Agricultura de los Estados Unidos (USDA) puede ser confusa, en especial, si se olvida que es en tres dimensiones — que incluye altura, ancho y profundidad. La base de la pirámide representa mucho más arroz, pan, granos y pasta que lo que podría imaginarse si la observa como un triángulo que sólo tiene altura y ancho.

Mantener la ración diaria recomendada (RDA), ahora conocida como consumo diario recomendado (DRI), los grupos de alimentos y los tamaños de las porciones es suficiente para renunciar — o buscar un paquete de papas fritas.

Imagine su plato. Para mostrarle de un vistazo en qué consiste realmente una disposición saludable de los alimentos en el plato, los nutricionistas del Instituto Americano para la Investigación del Cáncer (AICR) crearon un plan alimentario llamado *El nuevo plato americano.*

Las verduras, las frutas, los granos integrales y las alubias ocupan dos tercios o más de este plato. Esto se debe a que una dieta que se basa principalmente en alimentos de origen vegetal disminuye el riesgo de contraer muchas enfermedades. Asegúrese de incluir porciones abundantes de diferentes frutas y verduras. No llene todo ese espacio con pastas y panes de granos integrales.

La carne, el pescado, la carne de ave o los productos lácteos reducidos en grasas cubren sólo un tercio del *nuevo plato americano.* Limítese a una porción recomendada de no más de 3 onzas de carne y combínela con verduras, granos y alubias salteadas, en estofados o en guisos.

Evalúe una porción simple. Lo que usted cree que come y lo que realmente come pueden ser bastante diferentes. Una encuesta del Departamento de Agricultura de los Estados Unidos (USDA) comparó lo que las personas decían que comían — con lo que realmente comían. La mayoría calculaba cantidades más pequeñas de algunos alimentos y exageraba las cantidades de otros alimentos.

Esta confusión probablemente se debe a que las personas no conocen la cantidad de alimento que realmente contiene una porción. Para ser más claro, el AICR recomienda medir porciones estándares de alimentos y colocarlas en su tazón o plato normal. Por ejemplo, una taza es la porción estándar para la mayoría de los granos. Se puede sorprender al ver cómo queda su tazón. Lo que usted considera una porción puede acercarse a dos porciones.

También préstele atención a los tamaños de las porciones cuando sale a comer. Muchos restaurantes han cambiado del tradicional plato de 10 pulgadas por un plato de 12 pulgadas, pero no es necesario que usted lo llene. Le contamos otra idea saludable — rechace las cantidades más grandes en las ofertas de comida rápida, como "menú especial" y "súper grande". A todo el mundo le gusta ahorrar mucho dinero, pero la salud no se negocia.

Manténgase delgado con un plan alimenticio para toda la vida. *El nuevo plato americano* no está diseñado como una dieta para perder peso. "Pero les muestra a las personas cómo disfrutar todos los alimentos en porciones razonables," dice Melanie Polk, Directora de Educación Nutricional del AICR. "De esta manera, fomenta un peso sano como característica de un estilo de vida sano".

Polk cree que si usted se olvida de las dietas de moda y sigue este plan, no se deberá preocupar por la obesidad. "Todas las dietas de moda que incluyen las indicaciones rica en proteínas, reducida en azúcar y reducida en carbohidratos", agrega, "han confundido a las personas con respecto a algunos principios básicos".

Ignore toda dieta que le indique reducir la cantidad de frutas y verduras que ayudan a evitar las enfermedades crónicas. No quiere poner en riesgo su salud a largo plazo por perder peso a corto plazo.

Además de elegir alimentos sanos, preste atención a las calorías que ingiere. "Una vez que adapta las porciones a sus necesidades", dice Polk, "le resultará más fácil mantener un peso sano durante toda su vida".

Tamaños de las porciones simplificados

Una manera de que sea más fácil recordar cómo debería ser una porción es comparándola con algo familiar. Estos ejemplos podrían ayudar.

Una porción individual de:	es aproximadamente del tamaño de:
vegetales crudos	su puño
vegetales cocidos	la palma de su mano
pastas	una cucharada de helado
carne	un mazo de cartas
pescado asado	una chequera
manteca, margarina, manteca de maní o queso crema	su pulgar (desde la articulación hasta la punta)
bocadillos (pretzels, papas fritas)	un puñado
fruta picada	una pelota de tenis
manzana	una pelota de béisbol
patata	un mouse de computadora
arroz al vapor	el envoltorio de un pastel pequeño

Los pequeños cambios pueden lograr grandes diferencias. "Al elegir la hamburguesa normal en lugar de la hamburguesa de un cuarto de libra," señala Polk, "ahorra 160 calorías".

Si quiere una copia gratis del folleto sobre *El nuevo plato americano*, llame al 800-843-8114, interno 22. Puede encontrar más información disponible en el sitio Web del AICR en <www.aicr.org>.

Un menú para una vida larga y sana

"Seguir la dieta correcta puede literalmente agregarle años a su vida", dicen los médicos Ronald Klatz y Robert Goldman en su libro, *Stopping the Clock (Detener el reloj)*. Si está buscando el mejor plan alimenticio para poder llegar a los 100 años, asegúrese de que cumpla con los tres requisitos:

◆ No debe ser tóxica.

◆ Debe proporcionar la suficiente cantidad de nutrientes y combustible para cubrir sus necesidades diarias.

◆ Debe estar constituida por alimentos que sean fáciles de digerir y eliminar.

Hay una cosa que tiene que recordar — la comida no es el fin de la historia. Si quiere celebrar su cumpleaños número 100, debe hacer mucho ejercicio y dormir mucho, reducir el estrés, no fumar, limitar el alcohol, conducir de manera segura y colocarse el cinturón de seguridad.

Los alimentos reales desplazan a las pastillas

Los comprimidos y suplementos de vitaminas no son la respuesta para una vida larga y saludable. "Todos sabemos que consumir una dieta saludable ofrece protección más efectiva contra las enfermedades que la que podría ofrecer cualquier comprimido," dice Melanie Polo, nutricionista de AICR.

Las pastillas pueden parecer más convenientes, pero comer alimentos nutritivos también puede ser simple. "las personas tienen que comprender", dice Polk, "que una comida saludable no es necesariamente una comida elaborada. Un salteado rápido de verduras o una simple ensalada pueden llevarle sólo minutos en la cocina.

Carbohidratos

· ·

¿Tuvo la suficiente energía para hacer una caminata enérgica esta mañana? Si así fue, puede agradecerles a los carbohidratos, que son la principal fuente de energía del cuerpo. Y si cuenta con agudeza mental y optimismo durante todo el día, los carbohidratos son los responsables de ayudar al cerebro y al sistema nervioso a que funcionen al máximo.

Los carbohidratos son los almidones, las azúcares y las fibras que provienen principalmente de las plantas. Parecen ser algo tan común que es fácil pasar por alto la importancia que tienen. Sin embargo, sin ellos, no sólo le faltaría energía y tendría un cerebro inactivo, sino que además el sistema digestivo no funcionaría sin complicaciones.

Elija carbohidratos enteros y sanos

Los nutricionistas recomiendan ingerir al menos el 55% del total de las calorías en carbohidratos. Existen dos tipos — los complejos y los simples — y una dieta sana contiene muchos más del primer tipo que del segundo.

Carbohidratos complejos. El cuerpo necesita estos importantes almidones y fibras. Los obtiene de los granos, los panes, las pastas y las verduras, como la papa o la batata, el maíz y las alubias secas.

Es importante recordar que el procesamiento comercial elimina muchos nutrientes y fibras. Para una mejor nutrición, elija granos integrales y evite los alimentos hechos con harina blanca. Cuando cocine verduras, no las cocine en exceso. Es mejor saltearlas apenas o cocinarlas al vapor. Y para aumentar la ingesta de fibras, coma también las cáscaras.

Carbohidratos simples. Estos carbohidratos — que son azúcares — le proporcionan energía rápidamente. La leche, las frutas y los jugos contienen carbohidratos simples. Le proporcionan nutrientes, como agua, vitaminas, minerales y, a veces, fibras a su mesa.

El azúcar refinada, presente en los refrescos, las golosinas, los postres y en su tazón de azúcar, también es un carbohidrato simple. Pero no tiene ningún nutriente — sólo un montón de calorías vacías. Y cuando come postres ricos en azúcar, generalmente ingiere también mucha grasa.

Le sorprendería saber la cantidad de azúcar refinada que hay en los alimentos procesados. Se encuentra en todo los alimentos, desde los cereales en caja hasta las salsas para espaguetis en frasco. Cuando está comprando alimentos, lea las etiquetas y evite los alimentos que incluyen el azúcar entre los ingredientes principales. Tenga cuidado con las palabras que terminan en *osa,* que significa "azúcar" o *sacáridos,* que significa "unidad de azúcar."

Grasas

El cuerpo necesita grasas para mantenerse sano. Proporcionan la materia prima para producir las hormonas y la bilis. Otras grasas transportan vitaminas solubles en grasas, como — A, D, E, y K — en el flujo sanguíneo a través de todo el cuerpo.

Aunque las grasas contribuyen al placer de comer porque hacen los alimentos más tiernos, sabrosos y con aroma agradable, comer gran cantidad de grasas ayuda a desarrollar obesidad, cardiopatías, presión arterial alta, cáncer, diabetes y otras enfermedades. Aunque las grasas contribuyen para que usted se sienta satisfecho después de una comida, también estimulan el apetito.

Por eso les debe prestar atención a las recomendaciones de los expertos sobre ingerir como máximo 30% de calorías de las grasas.

Elija las grasas con inteligencia

Casi todos los alimentos contienen rastros de grasa. Los nutricionistas se refieren a la grasa como un alimento con alto contenido de energía. Se debe a que 1 gramo contiene nueve calorías, mientras que 1 gramo de carbohidratos o proteínas contiene solamente cuatro calorías.

Todas las grasas en cuanto a las calorías, pero existen grandes diferencias en la manera en que los tres tipos de grasas — saturadas, poliinsaturadas y monoinsaturadas — afectan la salud.

Grasas saturadas. Estas grasas aumentan el nivel de colesterol. La mayoría de las grasas saturadas provienen de fuentes animales, como la carne, la yema de huevo, la manteca y el queso. También se encuentran en el coco, en el aceite de coco y en el aceite de palma.

Puede reducir la cantidad de grasas saturadas que ingiere eligiendo productos lácteos reducidos en grasas o descremados, y cortes de carne magra. Por ejemplo, quitarle la grasa a una chuleta de cerdo puede reducir las grasas saturadas de 13 gramos a 4 gramos.

Para proteger el corazón, limite las grasas saturadas a menos del 10% del total de calorías.

Grasas poliinsaturadas. Estas grasas reducen el colesterol LDL malo, pero también reducen el colesterol HDL bueno. Es bueno un poco de grasas poliinsaturadas, como el aceite de cártamo y el aceite de girasol, en la dieta, pero no se exceda.

Las mantecas y las margarinas vegetales hidrogenadas, procesadas de grasas poliinsaturadas, actúan como grasas saturadas en el flujo sanguíneo. Cuanto más dura se encuentra una grasa a temperatura ambiente, más perjudicial es para las arterias.

Grasas monoinsaturadas. El aceite de oliva es una de las mejores fuentes del tipo más saludable de grasas — monoinsaturadas. Numerosas pruebas demuestran que disminuye el colesterol LDL y aumenta el colesterol HDL. También ayuda a prevenir la artritis, la presión arterial alta, la diabetes y algunos tipos de cáncer. El aceite de oliva es mejor que otros aceites para ayudarlo a sentirse satisfecho durante más tiempo después de una comida e incluso para estimular la memoria.

El aceite de canola, el aguacate y el maní también son ricos en grasas monoinsaturadas. Utilícelos para reemplazar algunas de las grasas saturadas perjudiciales en su dieta. Las rodajas de aguacate son un buen sustituto del queso en un sándwich vegetariano. En lugar de queso crema, unte sobre su bagel un poco de manteca de maní natural preparada con 100% de maní sin aceites hidrogenados.

Equilibre los ácidos grasos

Los ácidos grasos omega 3, presentes en el salmón de Alaska, en el atún albacora, en la caballa y en las sardinas, evitan que la sangre se adhiera y se formen coágulos, lo cual puede causar cardiopatías y apoplejías. El omega-3 también mantiene el corazón sano ya que disminuye el colesterol malo y los niveles de triglicéridos. Estos pescados de agua fría también ayudan a prevenir la diabetes, la depresión, el cáncer y otras enfermedades.

La Asociación Estadounidense del Corazón recomienda comer dos porciones de pescado — en especial de estos pescados grasosos — todas las semanas. El germen de trigo, las nueces, las semillas de linaza y las verduras de hoja verde también proporcionan un poco de omega 3, pero no tanto como el pescado.

El omega 6, otro ácido graso esencial, es mucho más abundante que el omega 3 en la dieta típica. La mayoría de las personas ingiere entre 10 y 25 veces más de omega 6 — de los aceites vegetales, las carnes, la leche y los huevos — que omega 3.

Algunos expertos en salud creen que el equilibrio entre los dos es más importante que la cantidad que se ingiere de ambos. Esto es particularmente importante si tiene problemas con el dolor crónico o la depresión. Reducir la proporción de omega 6 a omega 3 a una proporción entre 4 a 1 y 10 a 1 podría ayudarlo a sentirse mucho mejor.

El nutricionista Carl Germano, coautor del libro *Nature's Pain Killers (Calmantes de la Naturaleza)* junto con el cirujano ortopédico William Cabot, dice, "no tiene nada que perder y todo por ganar si cambia su dieta para incluir más ácidos grasos omega 3 y menos omega 6."

Una advertencia

La FDA exige que todas las empresas de alimentos informen el contenido de grasas trans en las etiquetas de los alimentos. Una dieta elevada en grasas se relaciona con un aumento en el colesterol malo y una disminución del bueno. La FDA recomienda que la cantidad de grasas trans que se consumen sea la menor posible, y muchos expertos en nutrición creen que cualquier cantidad es demasiado para un corazón saludable. Esté atento a las falencias en las grasas trans que se informan en las etiquetas. Sólo porque la etiqueta de un alimento diga "cero gramos de grasas trans" no significa que el alimento no contiene este obstructor de las arterias. La FDA permite a los fabricantes declarar "0 g" de grasas trans en la etiqueta si el contenido es inferior a 5 gramos por porción. Si usted come cinco porciones de un alimento que tiene .4 gramos de grasas trans cada una, habrá comido 2 gramos de grasas no sanas, aunque la etiqueta diga "0 g". Para asegurarse, busque las palabras "hidrogenado" o "margarina" en la lista de ingredientes para descubrir las grasas trans ocultas.

Si tiene artritis, fibromialgia u otro tipo de dolor crónico, Germano recomienda disminuir la proporción entre 2 a 1 y 4 a 1. Se sentirá mejor y necesitará menos medicamentos antiinflamatorios.

Fibra

• • • • • • • • •

En la década del 40, el Dr. Denis Burkitt comenzó a darse cuenta de lo importante que era la dieta para tener una buena salud. Cuando trabajaba como cirujano en África Oriental, rara vez observó afecciones tales como estreñimiento, hemorroides y apendicitis, que estaban bastante diseminadas en el mundo occidental. Llegó a creer que la cantidad de fibras que las personas comían podría explicar la causa.

La fibra es la parte de las frutas, las verduras y los granos que el cuerpo no puede digerir. Existen dos tipos; ambas son importantes para mantenerse sano. Las fibras solubles se disuelven con facilidad en el agua y se convierten en un gel suave en los intestinos. Las fibras insolubles no cambian, pero ayudan a acelerar el paso de los alimentos por el sistema digestivo.

En su libro, *Eat Right — To Stay Healthy and Enjoy Life More (Coma bien para tener una dieta sana y disfrutar más de la vida)* publicado hace más de 20 años, Burkitt señalaba que las personas de los países en desarrollo tendían a comer alrededor de 60 gramos de fibra por día. En los países occidentales, la cantidad promedio era de alrededor de 20 gramos.

En la actualidad, la ingesta de fibra es aún más baja. De acuerdo con los Institutos Nacionales de Salud, los estadounidenses ingieren solamente entre 5 y 20 gramos de fibra por día. Si se encuentra entre esas personas que ingieren las cantidades más pequeñas, está muy por debajo de los 20 a 35 gramos recomendados. Muchos nutricionistas creen que uno estaría más sano con las grandes cantidades que Burkitt recomienda.

Diez afecciones que se pueden combatir con fibra

Aumentar la fibra en su dieta puede ayudar a evitar estas afecciones — o a tratarlas de una manera más sana.

Diabetes. La fibra ayuda a mejorar la manera en que el cuerpo maneja la insulina y la glucosa. Eso significa que puede reducir el riesgo de contraer diabetes al comer granos integrales en lugar de carbohidratos refinados. El pan de centeno oscuro, las galletas de harina integral, los bagels de varios granos y los pasteles de salvado son buenas opciones.

Cardiopatías y apoplejías. Las fibras solubles en alimentos, como la avena, el quingombó y las naranjas, ayudan a eliminar la mayor parte del colesterol que puede obstruir las arterias y causar una apoplejía o una cardiopatía.

Estreñimiento y hemorroides. "Si la ingesta de fibras fuera la adecuada, casi no se necesitarían laxantes," dice Burkitt. La manzana, la batata, la cebada y las alubias pintas proporcionan este tipo de fibra. Burkitt pensaba que "suavizante" sería el mejor término para la fibra porque mantiene las heces húmedas y blandas para eliminarlas con facilidad.

Apendicitis. Dice Burkitt que "mantener blando el contenido del intestino parece brindar la mejor protección contra el desarrollo de apendicitis". Manjares como los damascos y los duraznos son una sabrosa manera de protegerse.

Diverticulosis. Cuando el cuerpo procesa alimentos fibrosos, como las arvejas, la espinaca y el maíz, se tonifican los músculos intestinales. Esto ayuda a evitar la formación de bolsas, llamadas divertículos, que pueden causar dolor abdominal si se inflaman.

Aumento de peso. La mejor manera de perder peso es comer verduras y granos reducidos en grasa y en calorías. "Mientras más alimentos ricos enfibras que llenan coma", dice Burkitt, "menos grasas consumirá y viceversa". Debido a que las fibras se hinchan, se sentirá satisfecho más rápido. Si tiene lugar para comer postre, elija frutas, como ciruelas o fresas.

Impotencia. Probablemente nunca imaginó que las alubias blancas, los repollitos de Bruselas y los calabacines podrían mejorar su vida amorosa. Pero estas verduras llenas defibra ayudan a mantener fuerte el flujo sanguíneo hacia el pene al reducir el colesterol y al mantener los vasos sanguíneos sin obstrucciones. Además, las alubias contienen L-arginina, proteína que también ayuda a mejorar la potencia sexual.

Cáncer. Burkitt pensaba que una dieta rica en fibras protegía del cáncer de colon y recto de dos maneras. Sus estudios culturales demostraron que mientras más grasa animal había en una dieta, más alta era la incidencia de cáncer de intestino. Finalmente, se dio cuenta de que mientras más alimentos ricos en fibras que llenan comían las personas, menos grasas perjudiciales consumían.

Además, una porción sana de fibras elimina más rápido los compuestos que causan cáncer del sistema digestivo — antes de que puedan causar problemas.

Aunque los expertos todavía discuten sobre cómo funciona todo esto realmente, nadie que llena su plato con granos integrales, legumbres, frutas y verduras frescas puede negar el éxito natural.

Burkitt también consideraba que la fibra protegía de otras afecciones, como la enfermedad de vesícula, las venas varicosas y las hernias de hiato.

Cómo incluir más fibra en su dieta

Ahora que ya conoce numerosas buenas razones para ingerir fibra, tenga en cuenta las siguientes maneras de incluir más fibra en su dieta. Pero no se exceda. Agregar demasiada fibra en su dieta muy rápidamente puede causar desagradables efectos colaterales, como gases, hinchazón, calambres abdominales y diarrea. Su mejor opción es agregar alimentos fibrosos gradualmente.

Comience el día con un tazón de cereales de granos integrales. Lea las etiquetas de los alimentos para encontrar un cereal que contenga al menos 5 gramos de fibra por porción. Agréguele pasas de uva, rodajas de banana o manzana picada.

Coma algunas verduras crudas. Coma bastones de zanahoria o apio y almuerce ensalada de hortalizas crujientes. Cuando cocine verduras, saltéelas o cocínelas al vapor hasta que estén tiernas.

Coma frutas frescas y secas como bocadillo. Siempre que sea posible, coma las cáscaras de las frutas y de las verduras. Es ahí donde encontrará la mayor parte de la fibra.

Sustituya el arroz blanco por arroz integral. Con ese cambio, triplicará la cantidad de fibra. También pruebe algunos granos sin procesar poco comunes, como el trigo burgol, el cuscús, o el kasha, trigo serraceno tostado.

Agregue alubias a las sopas y a los estofados. Reemplace la carne un par de veces por semana por platos tales como burritos de alubias o alubias rojas y arroz. Para evitar los gases y la hinchazón, no cocine las alubias secas en la misma agua en que las remojó.

Beba sorbos de psilio. Algunas veces los problemas dentales hacen que masticar sea difícil y tiene que optar por alimentos blandos reducidos en fibras. En esos casos, puede ser útil complementar la dieta con Metamucil — que está compuesto por la fibra de las semillas molidas de psilio. No es un laxante, pero puede ayudar a los intestinos a que funcionen con normalidad si lo toma diariamente, no sólo cuando tiene estreñimiento.

Fibras en los alimentos del desayuno

Si realmente desea aumentar su ingesta de fibras, comience el día con un desayuno rico en fibras. Al elegir los alimentos correctos, se encontrará en el buen camino hacia su objetivo de consumir entre 20 y 35 gramos de fibra por día.

Desayuno reducido en fibras
1 taza de jugo de naranja = menos de 1 gramo
1 taza de copos de maíz = 1 gramo
1 rebanada de pan blanco = 1 gramo
TOTAL = menos de 3 gramos de fibra

Desayuno rico en fibras
1 naranja entera = 3 gramos
1 taza de salvado con pasas = 8 gramos
1 pastel de salvado = 4 gramos
TOTAL = 15 gramos de fibra

Minerales

• • • • • • • • • • • • • • • •

Cuando piensa en minerales preciosos, probablemente piensa en el oro y en la plata. Pero, en lo que concierne a la salud, otros minerales — como el calcio y el hierro — son mucho más valiosos. Cada uno de estos minerales dietarios es único y lleva a cabo una tarea vivificadora. Los científicos dividen estos nutrientes en dos grupos — minerales principales y minerales traza — según la cantidad del mineral que se encuentra en el cuerpo.

Siete minerales que son indispensables

Los principales minerales se destacan por encima de los otros simplemente porque hay más en el cuerpo. Si pudiera extraer todos los minerales del cuerpo y colocarlos en una balanza, pesarían alrededor de 5 libras. Casi 4 libras de esos minerales serían calcio y fósforo, los dos minerales principales más comunes. Los otros cinco minerales principales completarían la libra restante.

Calcio. Sin duda, el calcio es el mineral más abundante en el cuerpo y hace que los huesos y los dientes sean fuertes y duros. Sin el calcio, serían tan flexibles como las orejas. Imagine cómo sería tratar de caminar.

Sin embargo, el calcio no queda sólo en el esqueleto. Pequeñas cantidades se transportan en la sangre. Es esencial para mantener estable la presión arterial y ayudar a que los músculos se contraigan. Un músculo importante — el corazón — necesita calcio para seguir bombeando.

El calcio es esencial durante la niñez si quiere tener huesos fuertes cuando sea adulto. Sin embargo, no importa la edad que uno tenga, nunca es tarde para ingerir más de este importante mineral.

Fósforo. El segundo mineral más abundante en el cuerpo funciona junto con el calcio para constituir y mantener huesos y dientes fuertes. El fósforo es un ingrediente esencial en el ADN y en las membranas celulares, y ayuda a producir nuevas células sanas en todo el cuerpo. Como broche de oro, el fósforo ayuda a convertir el alimento en energía.

Cloruro. El estómago no funcionaría sin este elemento. El cloruro es uno de los ingredientes principales de los ácidos digestivos en el estómago. También ayuda a garantizar que todas las células del cuerpo obtengan su parte de nutrientes — lo cual no es una tarea insignificante para nada.

Magnesio. Es el mineral principal menos común del cuerpo, pero eso no frena al magnesio. Primero, ayuda a mantener los huesos y los dientes sanos, se asegura de que el calcio, el potasio, la vitamina D y las proteínas cumplan sus funciones. Cuando ejercita los músculos, necesita magnesio para ayudarlos a que se relajen nuevamente.

Potasio. Algunas de las importantes tareas del potasio son mantener estable la presión arterial, equilibrar el ritmo cardíaco, conservar el equilibrio de agua en las células y asegurarse de que los músculos y los nervios funcionen correctamente. De la misma manera que el magnesio, este mineral podría ser esencial para la salud del corazón.

Sodio. Generalmente este mineral tiene mala reputación porque es el principal elemento de la sal. Pero el cuerpo necesita el sodio para mantener el equilibrio de los líquidos. En la actualidad, la mayoría de las personas tratan de limitar la ingesta de la sal, o sodio, por razones de salud. Las personas que son sensibles a la sal están en especial riesgo de sufrir cardiopatías. Pero beneficiaría a todos reducir la ingesta diaria de sodio a 2,400 miligramos o menos.

Sulfuro. Este mineral es el actor secundario más importante. Por sí solo, no hace mucho, pero es parte de otros nutrientes importantes, como la tiamina y la proteína. El sulfuro es especialmente importante en las proteínas porque les da forma y durabilidad. Las proteínas más resistentes del cuerpo — en el cabello, en las uñas y en la piel contienen las mayores cantidades de sulfuro.

Minerales traza — pequeños pero poderosos protectores

Por definición, cada mineral traza constituye solamente un pequeño porcentaje del peso total del cuerpo — menos de una vigésima parte, para ser precisos. Pero esas pequeñas cantidades lo hacen más valioso. Llevan a cabo enormes tareas que son tan importantes como las funciones de cualquier otro nutriente más común.

Yodo. La tiroides utiliza este nutriente para producir sus hormonas. Estos compuestos controlan la temperatura del cuerpo regulando el metabolismo de cada órgano principal. La falta de yodo puede causar estragos en el cuerpo y producir una afección llamada bocio.

Hierro. Sin una cucharadita de este mineral en el cuerpo, no podría respirar. El hierro forma parte de la hemoglobina y de la mioglobina, dos compuestos que transportan el oxígeno por la sangre y los músculos. Es por eso que usted se siente débil y desganado cuando tiene deficiencia de hierro.

Mineral	¿Qué hace?
Principales minerales	
Calcio	fortalece los huesos y dientes, contrae los músculos y nervios, envía mensajes nervioso, controla la presión arterial.
Cloruro	genera fluidos estomacales para la digestión, equilibra los niveles de otros minerales.
Magnesio	fortalece los huesos y dientes, relaja los músculos, genera proteínas, ayuda al cuerpo a utiliza los nutrientes, estabiliza el ritmo cardíaco.
Fósforo	genera nuevas células, produce energía.
Potasio	envía mensajes nerviosos, relaja los nervios, mantiene equilibrios químicos, estabiliza la presión arterial.
Sodio	equilibra los niveles de fluidos, envía mensajes nerviosos.
Sulfuro	genera vitaminas y proteínas, elimina químicos tóxicos.
Minerales traza	
Boro	ayuda al cuerpo a utilizar el calcio, fortalece los huesos y las articulaciones.
Cromo	produce energía, equilibra el nivel de azúcar en sangre.

Señales de deficiencia	Buenas fuentes	Referencias alimenticias Ingestas* (IDR)	
		Mujeres 51+ años	Hombres 51+ años
Principales minerales			
pérdida ósea (osteoporosis)	lácteos, pescados pequeños, legumbres	1,200 mg	1,200 mg
calambres musculares, problemas de concentración, pérdida del apetito	sal	750 mg	750 mg
cansancio, pérdida del apetito, calambres musculares y retortijones, convulsiones, depresión, confusión	frutos secos, legumbres, granos integrales, vegetales de hojas verde oscuro, mariscos	320 mg	420 mg
pérdida del apetito, cansancio, dolor en los huesos	carnes, lácteos	700 mg	700 mg
deshidratación, debilidad, problemas de concentración	frutas y verduras frescas, pescado, legumbres, lácteos	3,500 mg	3,500 mg
calambres musculares, problemas de concentración, pérdida del apetito	sal, alimentos procesados	500 mg	500 mg
n/d	todos los alimentos ricos en proteínas	n/d	n/d
Minerales traza			
pérdida ósea (osteoporosis)	frutas que no sean cítricos, frutos secos, legumbres, vegetales de hojas verde oscuro	n/d	n/d
nivel alto de azúcar en sangre	carnes, frutos secos, queso	20 mcg	30 mcg

*IDR son nuevas herramientas para determinar la cantidad de vitaminas o minerales que debería incluir en su dieta diaria. Reemplazan y suman a las antiguas RDA (raciones diarias recomendadas).

Mineral	¿Qué hace?
Minerales traza	
Cobre	genera glóbulos rojos, produce energía, combate los radicales libres
Fluoruro	protege los huesos y dientes
Yodo	genera hormonas tiroideas, estabiliza el metabolismo
Hierro	transporta oxígeno por todo el cuerpo, produce energía
Manganeso	produce energía, fortalece huesos y articulaciones
Molibdeno	combate los radicales libres
Selenio	genera hormonas tiroideas, combate los radicales libres, fortalece el sistema inmunológico
Zinc	produce energía, fabrica ADN, ayuda al cuerpo a utilizar la vitamina A, combate los radicales libres, cura heridas, estimula el sistema inmunológico

Señales de deficiencia	Buenas fuentes	Referencias alimenticias Ingestas* (IDR) Mujeres 51+ años	Hombres 51+ años
		Minerales traza	
debilidad, piel pálida, heridas sin curar	carnes de vísceras, mariscos, frutos secos, semillas	900 mcg	900 mcg
caries	té, mariscos, agua del grifo	3 mcg	4 mcg
bocio	mariscos, sal, lácteos	150 mcg	150 mcg
debilidad, piel pálida, problemas de concentración	carnes, huevos, legumbres, frutas secas	8 mcg	8 mcg
n/d	frutos secos, legumbres, granos integrales, té	1.8 mcg	2.3 mcg
dolor de cabeza grave, ritmo cardíaco rápido, confusión	lácteos, legumbres, granos integrales	45 mcg	45 mcg
dolor y debilidad muscular, cataratas, problemas cardíacos	carnes, mariscos, granos integrales	55 mcg	55 mcg
diarrea, infecciones, pérdida del apetito, pérdida de peso, heridas sin curar	carnes, mariscos, legumbres, granos integrales	8 mcg	11 mcg

*IDR son nuevas herramientas para determinar la cantidad de vitaminas o minerales que debería incluir en su dieta diaria. Reemplazan y suman a las antiguas RDA (raciones diarias recomendadas).

Recientemente, los expertos descubrieron una relación entre el magnesio y la salud del corazón. Una deficiencia de este mineral podría aumentar el riesgo de sufrir una cardiopatía y presión arterial alta.

Selenio. Actualmente conocido porque previene el cáncer, el selenio también lleva a cabo importantes tareas diarias en el cuerpo. Por ejemplo, ayuda a la tiroides a utilizar el yodo y es importante para tener un sistema inmunológico sano. Una deficiencia de selenio puede causar cardiopatías y enfermedad de tiroides.

Zinc. Este mineral tiene varias funciones. Eliminar los radicales libres, formar células nuevas y producir energía de otros nutrientes son sólo tres de sus funciones. Una deficiencia de zinc puede ser peligrosa y causar problemas digestivos y deficiencia de otros nutrientes.

Los cinco fantásticos. El cromo, el cobre, el fluoruro, el manganeso y el molibdeno son cinco minerales traza que encontrará en alimentos y bebidas comunes. Son responsables de todo, desde tener dientes fuertes (fluoruro) hasta mantener el nivel de azúcar en sangre (cromo). Son tan importantes que los nutricionistas han establecido dosis diarias recomendadas de cada uno de ellos para asegurar que se ingiere lo suficiente.

Los expertos están realizando una investigación también sobre un conjunto de otros minerales para observar la importancia que tienen para el cuerpo. El boro es uno de los minerales que parece ser un ingrediente importante para la salud de los huesos y de las articulaciones.

Cuando demasiada cantidad resulta tóxica

En grandes cantidades, los minerales son más peligrosos que sanos. Por eso, consulte a su médico antes de tomar suplementos minerales, como hierro y selenio.

También debe tener cuidado con los medicamentos de venta libre, como los antiácidos. Contienen magnesio, y una sobredosis puede causar diarrea e incluso dañar los riñones. Las pastillas de zinc para el tratamiento del resfrío también pueden ser peligrosas si toma demasiadas.

Incluso las gaseosas y las comidas de preparación rápida pueden causar problemas debido al alto contenido de fósforo. Demasiada cantidad de fósforo puede interferir con la capacidad del cuerpo para absorber y utilizar el calcio. Como en todos los casos, sea moderado cuando trata de cubrir las dosis diarias recomendadas de minerales. Si tiene una dieta equilibrada, nunca tendrá que preocuparse de ingerir grandes cantidades de minerales.

Fitoquímicos

· ·

Las sustancias químicas naturales en las plantas, llamadas fitoquímicos o fitonutrientes, pueden tener un efecto importante en el cuerpo humano. Presentes en las frutas, las verduras, las hierbas y en las especias, estas decenas de miles de sustancias se han utilizado para tratar y prevenir enfermedades desde la antigüedad.

Muchas culturas, como los chinos y los aborígenes estadounidenses, siempre han tenido en cuenta las plantas para realizar curaciones. Incluso en la actualidad, la Organización Mundial de la Salud reconoce que alrededor del 80% de las personas en el mundo utilizan medicamentos naturales — cuya mayoría incluyen plantas.

Sin embargo, la pasión del hombre moderno por la ciencia y la tecnología de avanzada han inflado el mercado de las pastillas y las cápsulas, reemplazando fuentes completas de nutrición. Por eso, encontrará una gran cantidad de suplementos en las tiendas y en Internet que ofrecen un aporte de fotoquímicos sencillo.

Pero hay muy poca evidencia de que estas sustancias químicas vegetales hagan el mismo trabajo una vez que se las saca de su "paquete original" — posiblemente porque las sustancias químicas necesitan otras partes de la planta para funcionar correctamente. Como siempre, la mejor manera para que usted obtenga los principales beneficios de los fitoquímicos es comer alimentos integrales.

Elija abundante cantidad de frutas, duplique la cantidad de verduras que normalmente come, condimente sus platos con hierbas y especias, y planifique numerosas comidas sin carne que contengan legumbres y granos integrales. Además, cocine las verduras

Tipo de	fitoquímico	Buenas fuentes
Antocianinas	Flavonoide	arándanos azules, fresas, frambuesas, moras, grosellas
Betacaroteno	Carotenoide	zanahorias, batatas, calabazas, mango, cantalupo, damascos, espinaca, brócoli
Capsaicina		chiles
Catequina	Polifenol	té verde, vino tinto, jugo de uvas rojas
Curcumina	Polifenol	cúrcuma, jengibre
Daidzeína	Flavonoide	legumbres, granos de soja*
Ácido elágico	Polifenol	fresas, pomelo, moras, arándanos azules, frambuesas, nueces, granadas
Genisteína	Fitosterol	granos de soja*
Lignanos	Fitosterol	granos integrales, linaza
Limoneno	Monoterpeno	cáscara de naranja y limón, cerezas
Luteína	Carotenoide	hojas de berza, espinaca, col, brócoli, hojas de nabo, calabacín, maíz, kiwi, uvas verdes sin semillas
Licopeno	Carotenoide	guayaba, papaya, pomelo rosado, tomates, sandía, productos de tomate cocidos
Ácido fítico		germen de trigo, granos de soja*

*Advertencia: Una nueva investigación afirma que la soja puede acelerar el envejecimiento cerebral.
Para obtener más información, consulte el capítulo *Pérdida de la memoria*.

Posibles beneficios
Actúa como antioxidante para luchar contra las cardiopatías, protege la vista y combate el cáncer.
Conserva la vista; fortalece el sistema inmunológico; funciona como antioxidante para combatir las cardiopatías, el cáncer, la pérdida de la memoria, la artritis reumatoidea, el síndrome de dificultad respiratoria, las enfermedades hepáticas, el mal de Parkinson y complicaciones de la diabetes.
Regula la coagulación de la sangre.
Protege contra el cáncer, combate las cardiopatías.
Protege contra el cáncer de estómago, mama, pulmón, colon y piel; combate la inflamación.
Protege contra el cáncer de mama, colon, ovario y próstata y contra la osteoporosis.
Funciona como antioxidante para combatir tumores cancerígenos, especialmente de pulmón, hígado, piel y esófago.
Protege contra el cáncer de mama, colon, ovario y próstata; fortalece los huesos y combate los síntomas de la menopausia.
Protege contra el cáncer de mama, colon, ovario y próstata; combate las cardiopatías.
Protege contra el cáncer.
Conserva la vista, protege contra el cáncer.
Protege contra el cáncer de esófago, estómago y próstata; conserva la vista.
Protege contra el cáncer y las cardiopatías.

Tipo de	fitoquímico	Buenas fuentes
Quercetina	Flavonoide	té, cebollas rojas, trigo negro, cítricos
Resveratrol	Flavonoide	uvas rojas, vino tinto
Sulforafano	Isotiocinato	brócoli, repollo, col, coliflor, repollitos de Bruselas, jengibre, cebollas, col china
Taninos		té, cereales de granos integrales
Zeaxantina	Carotenoide	brócoli, uvas, espinaca, hojas de berza, col, hojas de nabo, calabacín, pimientos anaranjados, kiwi, uvas verdes sin semillas, yemas de huevo

*Advertencia: Una nueva investigación afirma que la soja puede acelerar el envejecimiento cerebral.
Para obtener más información, consulte el capítulo *Pérdida de la memoria*.

ligeramente ya que el calor destruye muchas de estas sustancias naturales.

Algunos alimentos contienen literalmente cientos de fitoquímicos y algunos fitoquímicos específicos cumplen más de una función. Aquí se describen los tipos más comunes sobre los cuales puede leer en las noticias.

Carotenoides. Los carotenoides son un grupo de más de 600 tintes que se encuentran en las plantas y que dan colores que van desde el amarillo claro hasta el rojo. Incluyen el betacaroteno, el licopeno, la luteína y la zeaxantina. Los estudios demuestran que los carotenoides funcionan como antioxidantes en el cuerpo y estimulan el sistema inmunológico. Además, las personas que comen muchos alimentos ricos en caroteno tienen menos riesgos de sufrir cardiopatías y cáncer. Además de las frutas y las verduras muy coloridas, otras fuentes de carotenoides son las hierbas de hojas verdes, los escaramujos de la rosa mosqueta y las especias, como el pimentón dulce y el azafrán.

Posibles beneficios
Combate la inflamación, protege sus arterias, combate las alergias, protege contra el cáncer, combate las bacterias.
Combate las cardiopatías, protege contra el cáncer, combate la inflamación.
Protege contra el cáncer.
Protege contra el cáncer.
Conserva la vista.

Flavonoides. Los flavonoides son otro grupo de más de 4,000 pigmentos vegetales que les dan el color amarillo, anaranjado y rojo a muchas flores y hierbas. Los flavonoides más comunes son llamados flavonoles, flavones e isoflavones. Estudios extensos demuestran que las personas que comen regularmente alimentos ricos en flavonoides tienen mucho menos probabilidades de desarrollar cardiopatías o de sufrir una apoplejía que aquellas personas que evitan dichos alimentos. Además, los flavonoides presentes en el té verde han mostrado tener una impresionante capacidad de reducir el riesgo de cáncer.

Compuestos del organosulfuro. El ajo, que es el alimento más conocido que contiene este compuesto, fortalece el sistema inmunológico, destruye los gérmenes y evita que se formen sustancias que causan cáncer. Los isotiocianatos son un tipo de compuesto del organosulfuro que se encuentra en las crucíferas. Estudios en animales y en humanos han demostrado que pueden combatir el cáncer de colon, de mama y del tracto digestivo.

Fitosteroles. Los fitoquímicos de este grupo son similares a las hormonas esteroides que el mismo cuerpo produce. Funcionan como el estrógeno o la progesterona y son importantes para combatir el cáncer de mama, de próstata y de ovarios, la osteoporosis y las cardiopatías. Los lignanos, un ejemplo de estas sustancias químicas vegetales beneficiosas, pueden detener el crecimiento de los tumores de mama.

Polifenoles. Esta categoría de fitoquímicos contiene ácidos fenólicos. Funcionan como antioxidantes que protegen del cáncer, combaten las cardiopatías y matan las bacterias. También presentes en el té verde, pueden evitar que las células en el colon y en el estómago se conviertan en cancerígenas. Además, eliminan las bacterias, los hongos y los virus.

Proteína

La proteína forma parte de cada célula del cuerpo y ningún otro nutriente cumple tantos papeles diferentes para mantener a la persona viva y sana. Es importante en el crecimiento y en la reparación de los músculos, los huesos, la piel, los tendones, los ligamentos, el cabello, los ojos y otros tejidos. Sin la proteína, nos faltarían las enzimas y las hormonas que necesitamos para el metabolismo, la digestión y otros procesos importantes.

Cuando tiene una infección, debe ingerir más proteínas porque ayudan a producir los anticuerpos que el sistema inmunológico necesita para combatir las enfermedades. Si tiene una lesión, tal vez necesite más para ayudar a que la sangre coagule y se repare.

El cuerpo puede utilizar las proteínas para producir energía, si es necesario, pero es mejor comer abundantes carbohidratos para ese fin y ahorrar las proteínas para las tareas más importantes que otros nutrientes no pueden realizar.

Elija la proteína con cuidado. El cuerpo necesita diferentes proteínas para diferentes propósitos. Las produce a partir de alrededor de 20 "componentes básicos" llamados aminoácidos. Nueve de estos aminoácidos son aminoácidos esenciales, lo cual significa que los debe obtener de los alimentos. Los otros son no esenciales. Esto no significa que no los necesita. No necesita ingerirlos porque el cuerpo los produce.

Es más fácil obtener proteína de la carne, el pollo, el pavo, el pescado y de los productos lácteos. La carne cocida tiene aproximadamente entre un 15% y un 40% de proteínas. Los alimentos derivados de fuentes animales proporcionan las proteínas completas, lo cual significa que contienen todos los aminoácidos esenciales.

Luego de la carne, las legumbres — las alubias, las arvejas y el maní — son los alimentos con más proteína. Pero se los denomina proteínas incompletas porque carecen de algunos aminoácidos esenciales. Puede obtener proteínas completas si las combina con alimentos de origen vegetal de una de estas categorías — granos, semillas, frutos secos y verduras. Coma dos o más de cualquiera de estos alimentos de origen vegetal, con o sin alubias, y obtendrá proteínas completas.

No tiene que comer estos alimentos en el mismo plato, ni tampoco en la misma comida. Pero muchas culturas han creado combinaciones que funcionan bien — como el maíz y las alubias en México o el arroz y las arvejas partidas en la India. A muchos estadounidenses les gustan las legumbres y los granos en un sándwich de manteca de maní.

Facilitan la digestión. El cuerpo puede digerir y utilizar la proteína animal con más facilidad que la proteína vegetal. Pero asegúrese de evitar el exceso de grasa eligiendo carnes magras y productos lácteos descremados. Las legumbres son las más fáciles

---

Esté atento a los peligros de una diera rica en proteínas

Si está buscando una manera rápida de perder peso, es fácil comenzar con una dieta rica en proteínas. Lamentablemente, la Asociación Estadounidense del Corazón, la Asociación Americana de Dietética y otras organizaciones de la salud no la recomiendan.

Es común bajar de peso al comienzo de una dieta rica en proteínas, pero se debe principalmente a la pérdida de agua. Estas dietas no funcionan muy bien alargo plazo — ni fortalecen los músculos como dicen. Lo más importante, pueden ser peligrosas, ya que aumentan su riesgo de sufrir cardiopatías, daño renal y arterial y pérdida ósea.

Mientras los alimentos con mayores cantidades de proteínas contienen mucha vitamina B12 y hierro, contienen pocas cantidades de otras vitaminas y minerales. Sólo una dieta con muchas frutas, verduras y granos proporciona los demás nutrientes que lo mantienen saludable.

de digerir después de las carnes magras. Las siguen los granos y otras fuentes vegetales.

Cocinar alimentos ricos en proteínas con calor húmedo en lugar de seco, quizás hervirlos en un guisado en lugar de freírlos, o remojar carne en una marinada con vino, jugo de limón o vinagre facilita la digestión.

Establezca límites sanos. Debido a la importancia que tiene la proteína para la supervivencia del cuerpo, tal vez piensa que debe comer grandes cantidades. Afortunadamente, el cuerpo recicla proteínas de los tejidos que se rompen y las utiliza para producir nuevos tejidos. Entonces no necesita más de un 10% a un 15% del total de calorías en proteínas.

La deficiencia de proteína es más común en países pobres y subdesarrollados. Incluso en países modernos, a veces se presenta en ciertos grupos. De hecho, los vegetarianos deben ser muy cuidadosos con respecto a las combinaciones correctas de alimentos de origen vegetal para obtener las suficientes proteínas completas.

Es mucho más probable que ingiera mucho más proteínas, en especial de la carne. La típica dieta occidental incluye alrededor de 100 gramos de proteínas, mientras que el cuerpo necesita cerca de 50 gramos.

Si es sano, sin problemas de hígado ni riñón, puede eliminar cualquier exceso sin problemas. Sin embargo, la proteína de la carne puede ser costosa y rica en grasas, dos buenas razones para no comer más de lo que el cuerpo necesita.

Vitaminas

Dicho de manera muy simple — uno no puede vivir sin vitaminas. El cuerpo necesita cierta cantidad por día. No ingerir la cuota diaria de vez en cuando no perjudica a nadie. Pero si no consume vitaminas de manera regular, se está poniendo en riesgo.

Afortunadamente, encontrará abundante cantidad de vitaminas en granos, legumbres, frutas, mariscos, carnes magras, verduras y en otros alimentos sanos. Incorpore estos grupos de alimentos a su dieta diaria y estará protegido de una larga lista de enfermedades, incluyendo el cáncer, la cardiopatía, la artritis, las cataratas, la depresión, la pelagra, la anemia, la degeneración macular, la enfermedad de la tiroides y la pérdida de memoria — sólo por nombrar algunas.

Las vitaminas son cruciales para las funciones diarias del cuerpo, como la digestión y el pensamiento. Sin la cantidad suficiente de ellas, el cuerpo no puede completar estas tareas y comienza a fallar. Algunas vitaminas también funcionan como antioxidantes. Son los pequeños soldados del cuerpo, que incansablemente vigilan y combaten las moléculas dañinas llamadas radicales libres. Un radical libre tiene uno o más electrones adicionales que lo hacen inestable, por eso sale y toma un electrón de otra molécula para volver recuperar su estabilidad. Esto causa una reacción en cadena que finalmente da como resultado un daño y una enfermedad del tejido. Las vitaminas antioxidantes llegan al rescate al dejar electrones para estabilizar los radicales libres y ayudar a mantener el cuerpo sano.

Las vitaminas pueden ser — solubles en grasa o solubles en agua. Los dos tipos son igualmente importantes. El cuerpo las utiliza de diferentes maneras.

Cuatro vitaminas solubles en grasa que no puede obviar

El cuerpo absorbe, transporta y almacena vitaminas solubles en grasa con la bilis y la grasa. Por eso tienen ese nombre. También se explica por qué debe evitar ingerir estas vitaminas en grandes dosis, en especial en forma de suplementos. Se acumulan de manera natural en los tejidos adiposos y en el hígado, y los niveles sólo disminuyen gradualmente a medida que el cuerpo las utiliza. Si ingiere demasiado de una vez, el cuerpo no puede eliminar dicho exceso. Eso le puede causar una enfermedad importante.

Obtener estas cuatro vitaminas provenientes de fuentes de alimentos es la mejor manera de obtener la cantidad correcta.

Vitamina A. Esta vitamina soluble en grasa es la más famosa por proteger la vista, pero la vitamina A también tiene otras funciones. Lo mantiene sano al asegurarse de que las células se dividen correctamente para formar nuevas células. Es muy importante para las células de la piel y el recubrimiento del tracto digestivo. La vitamina A también es conocida por estimular el sistema inmunológico.

Vitamina D. No se tiene que preocupar por obtener este nutriente que fortalece los huesos si vive en La Florida, en el sur de Italia o en otro lugar soleado. Esto se debe a que la piel puede convertir la luz solar en vitamina D. Para la mayoría de las personas, no es necesario permanecer mucho tiempo al sol para conseguir la cantidad que necesitan. Ya sea que la obtenga del sol o de los alimentos, la vitamina D controla los niveles de calcio y de fósforo en el cuerpo. Es la clave para mantener un esqueleto fuerte.

Vitamina E. Respirar es una propuesta peligrosa sin esta vitamina soluble en grasa. Acciones naturales como ésta producen radicales libres, compuestos inestables que atacan las células y los nutrientes del cuerpo. En el proceso, fabrican más radicales libres, lo cual comienza una reacción en cadena que puede causar cáncer, cardiopatía y otras enfermedades crónicas. La vitamina E detiene estos problemas antes de que surjan.

Vitamina K. Esta vitamina no se encuentra en ninguna etiqueta de alimentos, pero es importante. Sin la vitamina K, la sangre no puede coagularse. También ayuda al cuerpo a utilizar el calcio y se asegura de que los huesos sean fuertes.

Combata las enfermedades con las vitaminas B y C.

En el cuerpo, las vitaminas solubles en agua flotan libremente en la sangre o en líquidos acuosos entre las células. No se quedan por mucho tiempo. El cuerpo no las almacena, sino que las utiliza y las elimina a través de los riñones. Esto significa que no tiene que preocuparse si ingiere grandes cantidades de vitaminas solubles en agua. Pero no necesita reemplazarlas con frecuencia.

Vitaminas B. Estos nutrientes generalmente ayudan al cuerpo a realizar las tareas diarias aunque cada una es importante por razones especiales. Por ejemplo, la tiamina (B1) y la riboflavina (B2) convierten los alimentos en energía. El folato participa en la fabricación del ADN, los genes en cada una de las células. Con la ayuda de la B6 y de la B12, el folato también fabrica los glóbulos rojos, que transportan el oxígeno alrededor del cuerpo. Las vitaminas

B se aseguran de que cada parte del cuerpo, desde el cerebro hasta el dedo gordo del pie, funcione sin problemas. Al mantener el cuerpo fuerte y sano, estas vitaminas lo ayudan a combatir afecciones y enfermedades.

Vitamina C. Es probablemente la vitamina más famosa de todas, conocida por curar el resfrío, combatir el cáncer y destacarse como antioxidante. La vitamina C merece toda la atención. Lo protege de los radicales libres y también está a cargo de la fabricación de colágeno. Esta sustancia ayuda a mantener unidas todas las células y los tejidos del cuerpo, incluyendo los ligamentos, los tendones y el tejido cicatrizante. También forma parte de los huesos y los dientes.

Conozca su dosis diaria recomendada

RDA, DRI, UI, RE — son maneras de medir las vitaminas. Puede ser confuso si no sabe lo que significan estos términos. Los debe comprender para asegurarse de que su dieta incluye todas las vitaminas.

La DRI (ingesta dietética de referencia) es una pauta nueva que reemplaza la RDA (ración diaria recomendada) que probablemente usted conoce. La DRI incluye la RDA pero también tiene en cuenta nuevas investigaciones realizadas sobre la prevención de enfermedades, los límites superiores que puede ingerir de manera segura y el promedio de nutrientes necesarios para las personas sanas a nivel mundial. La DRI no es un requisito mínimo, sino una recomendación sobre las mejores y más seguras cantidades para cada grupo etario. Los expertos creen que la DRI muestra de manera más precisa la dosis diaria recomendada para una persona.

Para comprender las recomendaciones de la DRI, recuerde que todo lo que termina en "gramos" es una medida de peso. El microgramo (mcg) es la unidad más pequeña y se necesitan 1,000 mcg para formar 1 miligramo (mg). De la misma manera, se necesitan 1,000 mg para formar 1 gramo. Las vitaminas solubles en grasa a veces se miden en UI (unidades internacionales). Puede encontrar RE (equivalente retinol) o RAE (equivalente de actividad del retinol) utilizados para medir la vitamina A. Todas estas medidas indican la cantidad de vitamina que está ingiriendo. Asegúrese de que entren dentro de las pautas que se mencionan en el siguiente cuadro.

| Vitamina | Ingesta dietética de referencia* (DRI) | | ¿Qué hace? |
	Mujeres 51+ años	Hombres 51+ años	
Vitaminas solubles en grasa			
A (Retinol)	700 RAE o 2,300 IU	900 RAE o 3.000 IU	Controla la vista, genera nuevas células, protege la piel y las membranas mucosas, combate las infecciones y los radicales libres.
D (Calciferol)	10-15 mcg o 400 600 IU	10-15 mcg o 400 600 IU	Fortalece los huesos, controla los niveles de calcio y fósforo en su cuerpo.
E (Tocoferol)	15 mg o 22 IU	15 mg o 22 IU	Combate los radicales libres.
K (Filoquinina)	90 mcg	120 mcg	Forma coágulos de sangre, controla los niveles de calcio.
Vitaminas solubles en agua			
B1 (Tiamina)	1.1 mg	1.2 mg	Produce energía, envía mensajes nerviosos, abre el apetito saludable.
B2 (Riboflavina)	1.1 mg	1.3 mg	Produce energía, ayuda a la vista, genera nuevas células.
B3 (Niacina)	14 mg	16 mg	Produce energía, genera ADN.
Folato (Ácido fólico)	400 mg	400 mg	Genera y repara el ADN, elimina la hemocisteína de la sangre.
B12 (Cobalamina)	2.4 mg	2.4 mg	Genera nuevas células (especialmente glóbulos rojos), protege los nervios.

*IDR son nuevas herramientas para determinar la cantidad de vitaminas o minerales que debería incluir en su dieta diaria. Reemplazan y suman a las antiguas RDA (raciones diarias recomendadas).

Buenas fuentes	Porciones diarias recomendadas
Vitaminas solubles en grasa	
hígado, lácteos, huevos	1/3 onza de bistec de hígado *o* 6 tazas de leche descremada
leche fortificada, huevos, hígado, sardinas	4 tazas de leche descremada *o* 9 onzas de camarones *o* 4 onzas de salmón
aceites vegetales, vegetales de hojas verde oscuro, frutos secos y semillas, germen de trigo	2-1/2 onza de germen de trigo *o* 5 cucharadas de aceite de canola *o* 1 onza de semillas de girasol
vegetales de hojas verde oscuro, crucíferas	1/2 taza de brócoli *o* 1 taza de repollo
Vitaminas solubles en agua	
granos integrales, frutos secos, legumbres, cerdo	2-1/2 tazas de alubias negras o arvejas cocidas*o* 5 rodajas de sandía
lácteos, vegetales de hojas verde oscuro, granos integrales	2 tazas de leche descremada *o* 2 tazas de salvado con pasas
alimentos ricos en proteínas, lácteos, pescado, frutos secos, granos integrales	1 lata (6 onzas) de atún *o* 4 onzas de pechuga de pollo
vegetales de hojas verde oscuro, legumbres, semillas, panes enriquecidos y cereales	2 tazas de alubias negras cocidas o espinaca congelada cocida *o* 1-1/4 tazas de germen de trigo tostado
carnes, pescado, lácteos, huevos	2 tazas de queso cottage reducido en grasas *o* 1-1/2 onzas de salmón

B6 **(Piridoxina)**	1.5 mg	1,7 mg	Genera glóbulos rojos, produce proteínas, regula el azúcar en sangre, produce químicos cerebrales, protege el sistema inmunológico.
Biotina	30 mcg	30 mcg	Produce energía, ayuda al cuerpo a utilizar otras vitaminas B.
B5 **(Ácido pantoténico)**	5 mg	5 mg	Produce energía.
C **(Ácido ascórbico)**	75 mg	90 mg	Produce colágeno para el esqueleto y la piel, combate los radicales libres, estimula el sistema inmunológico, ayuda a su cuerpo a absorber hierro.

*IDR son nuevas herramientas para determinar la cantidad de vitaminas o minerales que debería incluir en su dieta diaria. Reemplazan y suman a las antiguas RDA (raciones diarias recomendadas).

Agua

• • • • • • • • •

Cuando uno piensa en una dieta sana, es fácil pasar por alto el nutriente más importante de todos — el agua. Es el "jugo" que permite que se realicen los procesos químicos del cuerpo. Disuelve los minerales, las vitaminas y otros nutrientes y los transporta hacia donde hacen falta. Ayuda a formar la estructura de las células, los tejidos y los órganos.

Antes de nacer, el agua protegía todo el cuerpo de los golpes del exterior. Ahora, protege las articulaciones y la columna vertebral. El agua ayuda a regular la temperatura del cuerpo, a lubricar el tracto digestivo y a mantener controlada la presión.

vegetales de hojas color verde oscuro, mariscos, legumbres, granos integrales, frutas y verduras	3 bananas *o* 3 patatas *o* 6 onzas de bistec de hígado
hígado, yemas de huevo, legumbres, frutos secos, coliflor	3 onzas de manteca de maní *o* 3-1/2 onzas de avena
granos integrales, carnes de vísceras, brócoli, aguacates	2 tazas de germen de trigo *o* 6 onzas de salvado
cítricos, vegetales de hojas verde oscuro, crucíferas, frutas y verduras de colores brillantes	1 taza de fresas or brócoli crudo *o* 1 naranja o pomelo entero

Reemplace lo que perdió. Necesita beber diariamente la misma cantidad de líquido que pierde con la transpiración y la excreción. De lo contrario, el cuerpo se deshidrata. Si pierde el 5% de los líquidos corporales y no los reemplaza, puede sentir dolores de cabeza, fatiga, falta de concentración y una frecuencia cardiaca elevada. Si pierde grandes cantidades, tiene riesgo de sufrir desconcierto, shock, convulsiones, coma e incluso la muerte.

Beba agua durante el día. No espere sentir sed para beber un vaso de agua. La sed, en especial cuando uno envejece, puede no ser un indicador confiable de las necesidades del cuerpo. Podría tener dos tazas menos antes de sentir sed.

Beba más agua cuando hace calor. Cuando hace calor y el tiempo está seco, o si hace más ejercicio que lo normal, necesitará más agua. Si toma mucha sopa o come frutas y verduras jugosas, puede necesitar beber menos agua. La mayoría de las personas necesitan entre 8 y 12 tazas de líquido por día.

No incluya el alcohol o las bebidas con cafeína, como el café, las bebidas cola o el té, en su cuenta. Estos son diuréticos que lo hacen eliminar agua más rápido de lo normal. Si bebe cualquiera de estas bebidas, necesita beber más agua para reemplazar lo que perdió. Los tés de hierbas y los jugos son buenos sustitutos cuando quiere beber otra cosa que no sea agua.

Alimento + tecnología = ¿una ventaja o la perdición?

Incluso antes de que el primer tractor pasara por un campo de maíz, la agricultura y la tecnología ya eran socias — cada vez que se usaba una azada de madera, un sistema de irrigación o un análisis computarizado del suelo. Con cada avance moderno, los cultivos se han agrandado, los campos se han vuelto más productivos y los estantes de las despensas se ven más completos. Sin embargo, en la actualidad a muchas personas les preocupa que la alta tecnología que manipula el suministro de alimentos sea perjudicial.

Los alimentos modificados genéticamente (GM) o los alimentos que contienen organismos modificados genéticamente (GMO) han estado en el mercado durante muchos años. Probablemente ha comido dichos alimentos sin saberlo. A los productores no se les exige que identifiquen estos alimentos aunque la Administración de Drogas y Alimentos recientemente propuso que se etiqueten de manera voluntaria. Entre los cultivos de alimentos modificados genéticamente encontramos la soja, el maíz, la papa, la calabaza, la canola y la papaya.

Uno de los objetivos que persiguen los científicos con la modificación genética es cambiar la composición del ADN de las plantas para que sean más resistentes a los insectos y las malezas. De esta manera, los productores pueden utilizar menos insecticidas o herbicidas químicos.

Para cambiar un alimento de esta manera, un científico primero introduce un gen adicional en una planta. Este gen puede provenir de una especie completamente diferente. Por ejemplo, a menudo se agrega un gen de una bacteria en una planta de maíz para que ésta pueda crear su propio insecticida. Estas plantas modificadas luego se reproducen con plantas comunes para crear nuevas variedades.

Muchas personas creen que si uno come alimentos de estas plantas, esos genes adicionales podrían permanecer en el cuerpo y activar virus o incluso desarrollar cáncer. Otros expertos argumentan que casi la mitad de los cultivos de soja y aproximadamente un cuarto de los cultivos de maíz están compuestos en la actualidad de plantas modificadas genéticamente. Las personas comen estos alimentos desde hace un tiempo sin sufrir efectos negativos.

El debate sobre la seguridad de los "alimentos Frankenstein" continuará sin duda, con numerosas leyes para prohibir o regular los alimentos modificados genéticamente. Si este tema le preocupa, elija productos que tengan la etiqueta "sin GMO (organismos modificados genéticamente modificados)" siempre que sea posible.

Nuevo etiquetado del USDA definen lo orgánico

La etiqueta dice "orgánico," pero ¿eso significa saludable? Quizá no en el pasado, pero pronto una nueva norma del USDA terminará con años de confusión sobre los alimentos que dicen ser naturales.

Estas nuevas normas nacionales para los alimentos orgánicos les proporcionan a los granjeros pautas claras sobre producción, manipulación y procesamiento, y a usted, como consumidor, información precisa sobre lo que compra.

Por ejemplo, los productores de alimentos orgánicos ya no pueden utilizar ingeniería genética, radiación, aguas residuales como fertilizantes ni pesticidas sintéticos o fertilizante. Además, los animales que se utilizan para la producción de carne, leche, huevos, etc., no pueden recibir hormonas ni antibióticos.

Acerola

· · · · · · · · · · · · · ·

Cerezas de Barbados, cerezas o acerolas de cualquier manera que las denomine, esta fruta tropical es un manjar raro. Por fuera, luce como una cereza roja, pero cuando le da un mordisco, se encuentra con una sorpresa. Muchas personas dicen que sabe como una manzana ácida, aunque su pulpa es suave y jugosa. A diferencia de una manzana o una cereza, la acerola es muy rica en vitamina C. Solamente una taza de este pequeño fruto tiene casi 30 veces la ración diaria recomendada. Eso es más que todos los otros alimentos en el mundo — excepto por el incluso más raro camu camu.

Encontrará la acerola en suplementos naturales de vitamina C, en productos de belleza y en jugos. Desafortunadamente, es difícil conseguir la fruta entera principalmente porque no resiste muy bien el traslado. Si la deja afuera durante unas pocas horas, se echa a perder.

La acerola crece en climas cálidos desde el sur de Texas y California, en México y en el Caribe, y hasta en América del Sur. Si desea probar una acerola y vive lejos de estas zonas, sólo visite el mercado de granja más cercano y pregunte por — "A-ce-ro-la." Vale la pena probarla. Si tiene suerte de encontrarla, tendrá entre sus manos una fruta muy valorada en América Latina por tratar la diarrea, la fiebre e incluso la hepatitis. Además, obtendrá una buena explosión de antioxidantes contra el cáncer, la cardiopatía y los problemas de la piel.

Tres maneras en que la acerola lo mantiene sano

Dificulta el desarrollo de cardiopatías. Una diminuta acerola tiene más de 80 miligramos de vitamina C. La misma cantidad que tiene un pomelo entero. Según los principales estudios médicos, esa cantidad es suficiente para reducir el riesgo de sufrir cardiopatías, apoplejías y presión arterial alta. La vitamina C combate los radicales libres, hace que los vasos sanguíneos sean más flexibles, disminuye la presión arterial y le da más energía a otro antioxidante importante, la vitamina E. Todo esto ayuda a que el corazón funcione sin problemas.

Anula el cáncer. Si quiere reducir el riesgo de contraer cáncer, coma alimentos ricos en antioxidantes. Una vez que se encuentran en el cuerpo, los antioxidantes eliminan los radicales libres del camino antes de que causen daño celular mientras que otros antioxidantes reparan el daño causado por los radicales. De cualquiera de estas formas, los antioxidantes trabajan duro para ahuyentar el cáncer. Debido a que las acerolas tienen dos de las principales sustancias que combaten los radicales libres — la vitamina C y el betacaroteno — por su propio bien, debe buscar estos tesoros tropicales.

Fortalece el sistema inmunológico. Comer alimentos ricos en vitamina C quizás no pueda curar el resfrío común, pero puede ayudar a fortalecer las defensas contra molestas bacterias y virus. La investigación demuestra que la vitamina C estimula el sistema inmunológico para que haga todo lo necesario para combatir a los enemigos — tal como lo hace un ejército. Con la ayuda de la vitamina C, el cuerpo envía los glóbulos blancos para que persigan y devoren literal-mente los gérmenes.

> ## Camu-camu — el campeón de la vitamina C
>
> De las profundidades de la selva tropical del Río Amazonas en América del Sur proviene una fruta salvaje que desplaza a la poderosa acerola como campeona mundial de vitamina C. Es el camu-camu — una baya pequeña, violácea y pulposa que empresas de alimentos en Japón y Francia ya utilizan para fabricar jugos, jaleas y otros manjares dulces.
>
> En muchos países, encontrará el poder del camu-camu en suplementos naturales de vitamina C. La fruta se está volviendo tan popular que los granjeros están plantando campos de camu-camu en el medio de la selva. Quizá vea y escuche más y más sobre ellos en el futuro.

Indicadores de despensa

Su mejor opción para encontrar acerolas es el mercado de granja que comercializa alimentos exóticos. Si no las encuentra ahí, busque en una tienda de alimentos chinos y pregunte si venden "haw flakes", que es una especie de galleta de acerola en forma de disco. Estas galletas son obleas dulces hechas con acerolas secas. Son ácidas, deliciosas y nutritivas. La tienda de alimentos naturales de la zona puede vender bebidas de frutas con jugo de acerola y también suplementos naturales de vitamina C hechos con esta fruta.

Antes de comprar los suplementos que contienen acerola, tenga en cuenta estos datos:

◆ Los suplementos pueden ser costosos, en especial los de marca.

◆ Pueden no producir los efectos que promocionan. Los médicos no están seguros de que los suplementos funcionen de la misma manera que los nutrientes provenientes de las frutas y verduras frescas.

◆ Las dosis elevadas de vitamina C superiores a 2 gramos por día pueden causar efectos secundarios, como diarrea, cálculos de riñón y problemas para digerir otros nutrientes.

◆ Muchos gobiernos no regulan los suplementos, por lo que no se puede conocer con exactitud la cantidad y el grado de nutrientes que se incluyen.

Siempre es una buena idea consultarle a su médico antes de tomar cualquier suplemento.

Un remedio antiguo para el envejecimiento de la piel

En la medicina tradicional Latinoamericana, la acerola es un reconocido astringente y un arma poderosa contra la tiña y otras infecciones fúngicas. Y ahora, la Academia Americana de Dermatología sugiere que hay otra manera en que la cereza de Barbados puede curar la piel. Las cantidades abundantes de vitamina C en la acerola pueden curar cortes, borrar las arrugas y eliminar otras marcas producidas por el envejecimiento. De hecho, muchas cremas antienvejecimiento dicen tener acerola. La próxima vez que compre una crema para la piel, busque la acerola en los ingredientes y pruébela usted mismo.

Mal de Alzheimer

• • • • • • • • • • • • • • • •

"Recientemente me dijeron que soy uno de los millones de estadounidenses que sufrirán de mal de Alzheimer," El ex presidente de los Estados Unidos, Ronald Reagan, anunciaba en noviembre de 1994: "Quiero vivir los últimos años que Dios me da sobre esta Tierra haciendo las cosas que siempre he hecho", declaró. "Desafortunadamente, a medida que el mal de Alzheimer avanza, la familia a menudo soporta una pesada carga. Sólo deseo que hubiera una manera de aliviar a Nancy de esta dolorosa experiencia".

En su mensaje, Reagan resumía la tragedia del mal de Alzheimer (AD). Aquellas personas que sufren este mal enfrentan la realidad de perder contacto con su pasado. La familia y los amigos se ven forzados a ver cómo un ser querido se convierte lentamente en víctima de esta horrible enfermedad.

Los científicos no conocen con exactitud qué se esconde detrás del mal de Alzheimer. Algunos sospechan que un gen determinado — alelo E4 de la apolipoproteína (Apo E4) — tiene un papel importante en el deterioro del cerebro. Otros expertos creen que los años de estrés oxidativo también son parte de la raíz del problema.

Lo que sea que cause el mal de Alzheimer ataca la parte del cerebro que controla el habla, el pensamiento y la memoria. La persona gradualmente pierde la capacidad de recordar el pasado y la capacidad de desarrollar su vida diaria. El mal de Alzheimer afecta a personas de 65 años y mayores, y el riesgo aumenta con cada año que pasa.

Sin embargo, detrás de esta nube oscura, aparece una luz de esperanza. Según expertos en el mal de Alzheimer, como la Dra. Grace Petot, profesora en la Universidad de Case Western Reserve, las personas pueden cambiar su estilo de vida para disminuir el riesgo. En primer lugar, aumente la ingesta de frutas y verduras. En su investigación, Petot descubrió que muchas de las personas con el mal comieron pocas frutas y verduras cuando eran adultos.

Sugiere que la ciencia también señala una conexión entre la cardiopatía y el mal de Alzheimer. Entonces, seguir una dieta saludable para el corazón también puede protegerlo. Eso implica consumir muchos alimentos ricos en fibra y reducidos en grasa. También es una buena idea ejercitar la mente y los músculos. "Mantener activos el cerebro y el cuerpo", dice Petot, "es beneficioso desde muchos puntos de vista".

Nuevos descubrimientos nutricionales que combaten el mal de Alzheimer

Antioxidantes. Gracias a investigaciones de avanzada, los expertos ahora tienen esperanzas de que el mal de Alzheimer pueda algún día prevenirse. Los antioxidantes, esas poderosas sustancias que protegen del cáncer y de la cardiopatía, también podrían proteger al cerebro de los radicales libres. Los antioxidantes parecen detener — e incluso revertir — la pérdida de memoria causada por el daño de los radicales libres.

Los suplementos generalmente contienen sólo un antioxidante; por eso coma una amplia variedad de frutas y verduras para obtener los mejores beneficios. Las frutas y las verduras son ricas en muchos antioxidantes — no sólo contienen betacaroteno o vitamina C, sino también flavonoides. Los flavonoides logran hacer milagros para preservar la memoria a partir de bocadillos, como arándanos azules, fresas y espinaca.

Vitaminas B. También necesita alimentos ricos en vitaminas B para ayudar a proteger el cerebro del mal de Alzheimer. Al menos dos estudios demuestran que las personas que padecen Alzheimer tienen niveles más bajos de folato y B12 que sus pares sin el mal. Según numerosos estudios, los bajos niveles de vitamina B parecen causar resultados bajos en los tests de inteligencia y de memoria.

La vitamina B12 ayuda al cuerpo a fabricar neurotransmisores, sustancias químicas que ayudan a transportar los mensajes entre los nervios y el cerebro. Otra vitamina B, la tiamina, ayuda a que las señales nerviosas viajen desde el cerebro a las diferentes partes del cuerpo. Estas importantes tareas podrían ser la razón por la cual la falta de vitamina B podría afectar la salud del cerebro.

Para incluir más folato en su dieta, pruebe verduras de hojas verdes oscuras, como el brócoli, las remolachas, las alubias y el quingombó. La carne, el huevo y los productos lácteos son buenas fuentes de B12. Para los adultos mayores, que pueden tener problemas para absorber la vitamina B12, los expertos recomiendan comer cereales fortificados en el desayuno. El germen de trigo, los frutos secos, las alubias y el arroz le dan el suministro diario de tiamina completo.

Omega 3. Recurra a los mariscos para obtener ayuda contra el mal de Alzheimer. El pescado es la mayor fuente de ácidos grasos omega 3. Estas moléculas grasas protegen de la cardiopatía y la inflamación y pueden atacar el mal de Alzheimer también. Una de las posibles causas del mal de Alzheimer es la placa beta amiloide, macizos de proteína que se acumulan en el cerebro de la víctima. Los expertos creen que el beta amiloide podría estar relacionado con la inflamación de los vasos sanguíneos del cerebro. Entonces tiene sentido que los ácidos grasos omega 3 antiinflamatorios puedan ayudar.

Es buena idea comer la mayor cantidad de pescado que pueda. Los expertos recomiendan comer al menos dos porciones de salmón, atún, caballa u otro pescado de agua fría por semana. Para los que creen que el pescado es para los pájaros, puede obtener el omega 3 de la linaza, de las nueces y de las verduras de hojas verdes oscuras. Mientras aumenta el omega 3, limite su ingesta de ácidos grasos omega 6. Los ácidos grasos omega 6

Una advertencia

Diga no a los alimentos ricos en grasas saturadas. Eso es lo que descubrió la investigadora en mal de Alzheimer Grace Petot después de examinar la dieta de más de 300 personas mayores. El estudio sugería que consumir una dieta con niveles elevados de grasas aumentaba enormemente el riesgo de sufrir mal de Alzheimer en personas con el gen Apo E4. Los expertos, durante algún tiempo, han observado una relación entre las cardiopatías, la grasa y el mal de Alzheimer. No saben exactamente por qué, aunque sospechan que la grasa atrae a más radicales libres dañinos.

"Las grasas están expuestas a la oxidación", explica Petot, "lo que genera radicales libres que luego pueden causar daño a las paredes celulares y al ADN". Ya sea que usted tenga o no el gen del mal de Alzheimer, siempre es bueno reemplazar los bocadillos grasos y la comida rápida por granos integrales, pescado, frutas y verduras.

"Nunca es demasiado tarde para que las personas mejoren   sus estilos de vida", afirma Petot.

compite con omega 3 y puede causar inflamación. Los alimentos ricos en omega 6 incluyen los alimentos fritos y las comidas rápidas, los aderezos para ensaladas y los alimentos horneados.

Manzanas

. . . .

No hay forma más fácil de agregar una dosis de nutrición a su día que comiendo una sabrosa manzana. Probablemente probó este increíble sabor por primera vez cuando era bebé, cuando el puré de manzana lo introdujo al mundo de los verdaderos alimentos. Ya sea una Granny Smith, una McIntosh, o una Red Delicious, las manzanas son como viejos amigos. Las manzanas, que se cultivan en todo el mundo, son ricas en fibra, vitaminas, minerales y antioxidantes. No tienen grasa, ni colesterol y son reducidas en sodio. En pocas palabras, comer manzanas es una decisión inteligente en un estilo de vida sano.

Seis maneras en que las manzanas lo mantienen sano

Regulan el día. Ya no tiene que preocuparse de tener regularidad. Si tiene problemas por visitar el baño muy seguido o no lo suficiente, las manzanas pueden ayudarlo.

Un investigador británico, el Dr. D.P. Burkitt, cree que una de las maneras más fáciles de prevenir todo tipo de enfermedades es evitar el estreñimiento. Denomina "enfermedades por esfuerzo" a las enfermedades causadas por estreñimiento crónico. Enfermedades, como apendicitis, enfermedades diverticulares, hemorroides, hernias de hiato e incluso venas varicosas, pueden ser causadas por tratar de eliminar heces pequeñas y duras.

Una manzana sola con cáscara contiene entre 4 y 5 gramos de fibra el nutriente más importante para mantener a los intestinos funcionando como una máquina bien lubricada. Mantener una regularidad sin tener que depender de laxantes dañinos podría ser tan fácil como reemplazar las papas fritas o las galletas con chispas por una deliciosa manzana. Piense en las calorías que ahorrará. La manzana promedio tiene alrededor de 80 calorías a diferencia de una porción de papas fritas que tiene 150 calorías y de algunas galletas que tiene 200 calorías.

Pero eso no es lo único que pueden hacer las manzanas. También son buenas para curar la diarrea, gracias a un ingrediente llamado pectina. Este carbohidrato tiene un efecto solidificador en los intestinos que ayuda a que las heces se solidifiquen y vuelva a la normalidad. El puré de manzanas es en realidad el mejor producto de la manzana para la diarrea ya que no contiene la cáscara rica en fibra. Pero tenga cuidado con el azúcar adicional. Algunas marcas de puré de manzana colocan grandes cantidades de endulzantes en un alimento que de lo contrario es sano y demasiada azúcar refinada podría empeorar la diarrea.

Mantienen el cuerpo joven. En este punto sabe que los antioxidantes pueden protegerlo de numerosas enfermedades que parecen ser parte del proceso de envejecimiento. De hecho, son tantas las personas que toman suplementos para obtener protección de los antioxidantes que se ha convertido en una industria de miles de millones de dólares. Pero cada vez hay más evidencia que demuestra que los alimentos integrales ayudan más que las pastillas.

Cuando los científicos compararon un suplemento de vitamina C de 1,500 miligramos con una manzana pequeña, los resultados fueron increíbles — los valores de antioxidantes eran iguales. Eso significa que una manzana fresca tiene 15 veces más poder antioxidante que la dosis diaria recomendada de vitamina C. Y eso es un buen comienzo. Los investigadores también descubrieron que una manzana común podía detener el crecimiento de las células del cáncer de colon y de hígado en los tubos de ensayo. Las manzanas con cáscara eran especialmente efectivas. La pregunta que debe hacerse es: ¿por qué gastar dinero en suplementos sin sabor cuando puedo obtener un antioxidante mejor de una fruta dulce y crujiente?

Disminuyen el riesgo de cardiopatías. A veces resulta difícil recordar qué alimento es bueno para cada parte del cuerpo. La próxima vez que tome una manzana, revísela con cuidado. Tiene forma de corazón — y eso le ayudará a recordar que la manzana es buena para el corazón.

El magnesio y el potasio en la manzana ayudan a regular la presión arterial y a mantener estable el ritmo cardíaco, y la quercetina del flavonoide, un antioxidante que se produce de manera natural, evita que las paredes de las arterias se dañen y permite que la sangre fluya sin problemas.

De hecho, está comprobado científicamente que agregar alimentos ricos en flavonoides, como la manzana en la dieta disminuye el riesgo de contraer cardiopatías. Esto se comprobó en un estudio realizado en mujeres japonesas que comían alimentos ricos en quercetina. Tenían menos probabilidades de contraer cardiopatías coronarias que otras mujeres y tenían niveles más bajos de colesterol total y LDL, o malo.

Combaten la apoplejía. Las manzanas son incluso una mejor opción porque ayudan a evitar la apoplejía. Los científicos no están seguros de qué ingrediente en esta fruta de varias facultades es el responsable, pero la conexión es clara — las personas que regularmente comen manzanas tienen menos probabilidades de sufrir de apoplejía que aquellas personas que no comen manzanas.

Protegen las articulaciones. En los lugares del mundo donde las frutas y las verduras son una parte importante de la dieta, muy pocas personas sufren de artritis. Si se compara con países modernos, donde las frutas y las verduras se reemplazan por alimentos procesados de rápida preparación, descubrirá que el 70% de la población sufre de algún tipo de artritis. ¿Acaso es sólo una coincidencia? Según los expertos en nutrición, no lo es. Relacionan esta tendencia en parte con el boro, un mineral traza que muchas plantas, incluyendo las manzanas, absorben del suelo.

Si come como la mayoría de las personas, recibe entre 1 y 2 miligramos (mg) de boro por día, la mayor parte de frutas que no son cítricos, de verduras de hoja y de frutos secos. Sin embargo, los expertos creen que uno necesita entre 3 y 10mg por día para modificar el riesgo de artritis. Para aumentar la ingesta de boro hasta este nivel, tendría que comer más de nueve manzanas por día.

Es probablemente una cantidad poco razonable para la mayoría de las personas, pero no se desespere. Mezcle una manzana con otros alimentos ricos en boro, como unas cucharadas de manteca de maní y un puñado grande de pasas y no sólo tendrá un bocadillo delicioso para la tarde sino también cubrirá al mismo tiempo la cuota de boro que ayuda a las articulaciones.

Ayudan a respirar profundo. Todos los días los pulmones se ven afectados por el humo del cigarrillo, la contaminación del aire, el polen y otras cosas desagradables que hay en el aire. Además tal vez sufra de asma, enfisema o alguna afección pulmonar similar. Si desea poder respirar profundo, elija una manzana.

En un estudio de cinco años realizado a 2500 hombres en Gales, se descubrió que aquellos que comían cinco o más manzanas por semana podían llenar los pulmones con más aire que aquellos hombres que no comían manzanas. Los expertos creen que quizás reciba un poco de protección especial de la quercetina antioxidante. Desafortunadamente, comer manzanas no puede revertir una afección pulmonar que ya tenga, pero puede agregar una nueva línea de defensa contra daño adicional.

Indicadores de despensa

Compre manzanas que no estén magulladas, sean firmes y tengan buen color. Sáquelas de la bolsa de plástico y almacénelas en el refrigerador — dejarlas sueltas en el cajón para verduras o en una bolsa de papel es mejor. Debido a que absorberán los olores, manténgalas lejos de alimentos con fuerte olor, como el ajo y las cebollas.

Una advertencia

Antes de que lleve a casa una botella de cidra del huerto o del puesto a la orilla de la carretera, escuche esto. La cidra o el jugo de manzanas no pasteurizados contienen *E. coli* una bacteriadañina. Quizá piense que está comprando algo natural y sano pero, en este caso, el procesamiento implica un producto más saludable.

Por otro lado, trate de comprar manzanas — cultivadas de forma orgánica, que son las que se producen son químicos. Debido a que a los productores de manzanas la ley no les exige que informen que rociaron su fruta, podría estar comprando más que lo que pretende. Algunas manzanas aún contendrán grandes cantidades de pesticidas que son especialmente dañinos para los niños. Si no encuentra manzanas orgánicas, lave bien la fruta o sacrifique esa cáscara llena de fibras antes de comerla.

Damascos

· · · · · · · · · · · · · · · · · ·

Beneficios

Combaten el cáncer

Controlan la presión arterial

Salvan su vista

Retardan el proceso de envejecimiento

Protegen contra el mal de Alzheimer

Alejandro Magno se enamoró de esta sorprendente fruta en Asia, donde descubrió que crecían de manera silvestre. Cuando regresó a Europa de sus expediciones militares, llevó algunos damascos.

Los antiguos romanos llamaron al damasco con una palabra — del latín que significaba "precoz" — porque el damasco era la primera fruta que maduraba en la temporada. El nombre permaneció y el damasco se expandió por todos lados, desde Europa hasta América y llegó hasta Australia.

El damasco es una fruta fantástica — llena de betacaroteno, hierro, fibras, vitamina C, y numerosas vitaminas B. Si seca un damasco, sus nutrientes terminan más concentrados, lo cual convierte a los damascos secos en un bocadillo estupendo.

Comer damascos, ya sean secos o frescos, lo ayudará a combatir los efectos de envejecimiento, a proteger la vista, a prevenir el cáncer y a evitar cardiopatías.

Cuatro maneras en que los damascos lo mantienen sano

Combaten el cáncer. Si le causan indigestión los productos del tomate — la principal fuente de licopeno — tenemos muy buenas noticias para usted. Los damascos, en especial los damascos secos, son otra fuente de licopeno, el increíble carotenoide que puede ayuda a prevenir el cáncer de próstata, de mama y otros tipos de cáncer. Aunque los damascos no llegan a ser una buena fuente de licopeno — alrededor de 30 damascos secos tienen la misma cantidad que un tomate — ir comiendo damascos durante todo el día puede aumentar el licopeno más rápido de lo que usted cree.

Los damascos también son una buena fuente del carotenoide más famoso de todos — el betacaroteno. Este poderoso antioxidante reduce el riesgo de contraer algunos tipos de cáncer intestinal y de estómago. Para obtener estos beneficios, los expertos recomiendan ingerir al menos 5 miligramos de betacaroteno por día. Eso equivale a aproximadamente seis damascos frescos.

Paran las cardiopatías. Comer damascos secos como bocadillos puede aumentar los niveles de hierro, potasio, betacaroteno, magnesio y cobre. Estos importantes nutrientes ayudan a controlar la presión arterial y a prevenir cardiopatías. Además, tan sólo cinco damascos secos pueden brindar hasta 3 gramos de fibra, que elimina el colesterol del sistema antes de que pueda obstruir las arterias.

Previenen las cataratas. Los alimentos que uno come pueden afectar la vista. El Dr. Robert G. Cumming, el principal investigador en el estudio Blue Mountains, dice, "Nuestro estudio confirma la importancia de la vitamina A para la prevención de las cataratas". Además agrega, "Nuestra conclusión general es que se necesita una dieta bien equilibrada para tener ojos sanos".

Debido a que los damascos son una buena fuente de betacaroteno, que el cuerpo convierte en vitamina A, y numerosos otros nutrientes, los damascos pueden ser lo que está buscando.

Contribuyen a alargar la vida. Créase o no, algunas personas declaran que los damascos son el secreto para vivir hasta los 120 años de edad. Obtuvieron esta idea de los Hunzas, una tribu que vive en las Montañas del Himalaya en Asia. Problemas de salud comunes, como el cáncer, la cardiopatía, la presión arterial alta y el colesterol alto, no existen entre los Hunzas. Los investigadores se preguntan si los damascos, una parte importante de su dieta, son en parte responsables de esto. Los Hunzas comen damascos frescos durante la temporada y el resto secos durante el invierno largo y frío.

Una advertencia

Muchos damascos secos se conservan con sulfitos. Si bien esos conservantes no afectan a la mayoría de las personas, pueden provocar una reacción alérgica que podría poner en riesgo la vida en algunas personas que sufren de asma.

Si usted sufre de asma, esté atento a las advertencias sobre sulfitos en los paquetes de damascos secos. Es mejor estar seguro — compre los que no son procesados o consuma damascos frescos.

Aunque comer damascos no le garantiza que tendrá una larga vida, una investigación reciente sugiere que la pequeña fruta lo podría ayudar a tener una mejor vida. Las vitaminas B que se encuentran en los damascos secos pueden protegerlo del mal de Alzheimer y de problemas mentales relacionados con la edad, como la pérdida de memoria.

Indicadores de despensa

Desde junio hasta agosto, los mejores damascos frescos aparecen en el supermercado desde el estado de California hasta el estado de Washington. Busque los damascos más sabrosos del montón. Tienen una hermosa cáscara anaranjada brillante y lucen carnosos. Evite los damascos con matices amarillentos o verdosos y los que sean duros, pequeños o estén magullados.

De la misma manera que su primo el durazno, los damascos pueden madurar en la mesada de la cocina a temperatura ambiente. Cuando se sientan maduros, colóquelos en una bolsa de papel y almacénelos en el refrigerador. Permanecerán frescos durante varios días.

Durante los meses de invierno, satisfaga sus antojos de damascos con frutas importadas de América del Sur o disfrute los damascos en latas, las mermeladas, los productos untables y los néctares de damasco.

Alcachofas

• • • • • • • • • • • • • • • • •

Las alcachofas se han utilizado desde hace mucho tiempo. Son originarias de lugares alrededor del Mar Mediterráneo y los antiguos romanos las utilizaban para tratar la mala digestión. En algún momento de la historia, los romanos se dieron cuenta de que las alcachofas eran también buenos entremeses y desde entonces han formado parte de la comida tradicional italiana.

Beneficios

Favorecen la digestión

Reducen el colesterol

Estabilizan el azúcar en la sangre

Protegen su corazón

Protegen de las enfermedades hepáticas

El nombre en latín para esta verdura verde y morada es *Cynara scolymus*. En las tiendas de alimentos, se vende la flor de la planta que a veces es llamada alcachofa francesa o globo. Pero no la confunda con la alcachofa de Jerusalén, que es realmente un tubérculo que se cultiva en América del Norte.

Una alcachofa mediana proporciona el 20% de vitamina C que uno necesita por día. Con sólo 60 calorías, es también una buena fuente de potasio y magnesio, los cuales son importantes para la salud del corazón. Tal como la mayoría de las frutas y las verduras, la alcachofa está llena de antioxidantes que combaten enfermedades de las cuales hablan los nutricionistas.

Tres maneras en que las alcachofas lo mantienen sano

Aumentan la digestión. Teniendo en cuenta como resultó, los antiguos romanos ya sabían algo con respecto a las alcachofas y a la digestión. Un ingrediente en las hojas de la alcachofa ayuda al hígado a formar bilis — elemento necesario para tener una buena digestión. Si el hígado no produce suficiente bilis, los alimentos no se descomponen correctamente y usted termina sufriendo dolores estomacales e indigestión.

Si siente un malestar estomacal, se siente lleno y tiene dolor abdominal después de comer una comida de tamaño normal, puede sufrir de dispepsia — un nombre elegante para la mala digestión.

Numerosos estudios científicos demostraron dramáticas mejoras en personas con dispepsia después de ser tratadas con extracto de alcachofas. También puede conseguir ayuda para su digestión de la manera en que lo hacían los antiguos romanos — comiendo una deliciosa alcachofa con su cena.

Eliminan las cardiopatías. La bilis que proviene del hígado tiene otras funciones además de ayudar en la digestión de alimentos. También ayuda a destruir el colesterol de la grasa que come. Pero un hígado que no produce suficiente bilis deja que demasiado colesterol pase — tal como ese capítulo de *Yo amo a Lucy* en el que la línea de montaje con el chocolate comienza a moverse tan rápido que Lucy no puede mantener el ritmo. Las personas con problemas hepáticos pueden tener un colesterol elevado aunque tengan una dieta reducida en grasa.

En este momento es cuando las alcachofas entran en escena. Debido a que pueden ayudarlo a producir más bilis, usted puede bajar el nivel de colesterol al incluirlas en su dieta. Un estudio en Alemania demostraba que si se tomaba extracto de alcachofa durante seis semanas, el colesterol LDL, el malo, bajaba más del 22%. Como beneficio adicional, las alcachofas también podrían bloquear parte de colesterol nuevo que se forma en el hígado.

Bajan el azúcar en la sangre. El hígado tiene más funciones de las que usted cree. Además de destruir los alimentos grasosos, también almacena la glucosa adicional (azúcar) en forma de glucógeno y lo convierte nuevamente en glucosa cada vez que la sangre avisa que los niveles son demasiado bajos. Es un gran sistema cuando el cuerpo funciona de manera perfecta. Pero en algunas personas no hay buena comunicación, y el hígado funciona todo el tiempo produciendo grandes cantidades de glucosa que la sangre no necesita. Esta sobreproducción de glucosa puede causar diabetes y otros problemas de salud.

En estudios realizados en animales, los investigadores descubrieron que las sustancias en las alcachofas evitaban que el hígado produjera demasiada glucosa. Aunque todavía faltan realizarse muchos estudios, los científicos creen que las alcachofas algún día podrían ser útiles para pacientes no insulinodependientes En el futuro, las personas podrían usar plantas, como las alcachofas, para controlar la producción de azúcar en sangre.

Indicadores de despensa

Elija alcachofas que tengan un color verde uniforme. No compre aquellas que lucen marchitas, secas o podridas. Las cabezas pequeñas y pesadas son las mejores.

Las alcachofas pequeñas son buenos entremeses y las grandes se pueden las puede rellenar con una amplia variedad de empastes y

Una advertencia

Las alcachofas pueden provocar erupciones cutáneas en algunas personas. Si bien es poco usual, algunas personas presentarán una erupción en sus manos después de tocar las alcachofas. Si esto sucede, no se preocupe. La erupción se irá en pocos días, pero quizá deba evitar las alcachofas en el futuro.

servirlas como un plato principal. Asegúrese de cortar alrededor de una pulgada de la parte superior con un cuchillo afilado. Luego corte alrededor de un cuarto de pulgada las puntas de las hojas ya que esta parte no es comestible y es áspera al tacto.

Las alcachofas se pueden cocinar al vapor en una canasta de la vaporera o se pueden hervir en agua. Deben estar tiernas y listas para comer en 30 minutos aproximadamente. Si está apurado, puede cocinarlas más rápido en el microondas. Primero, enjuáguelas con agua para agregarle un poco de humedad. Luego envuélvalas en un envoltorio plástico apto para microondas. En el caso de cuatro alcachofas, cocínelas en el microondas entre 10 y 15 minutos o hasta que la parte carnosa en la base de la alcachofa esté tierna.

Puede servirlas frías o calientes. Algunas personas sirven una salsa para acompañar las alcachofas. Sería una pena arruinar un alimento reducido en grasa con una salsa rica en grasa, por eso pruebe una salsa a base de yogur reducida en calorías.

Si nunca comió alcachofas, puede no saber qué parte es comestible. Las hojas externas son duras y un poco amargas, pero en la base de la hoja, donde se une al tallo, hay una parte aterciopelada y suave de "pulpa" que puede comer sacándola suavemente con los dientes. Después de saborear todas las hojas de esta manera, le queda la mejor parte de la alcachofa — el corazón. Es un centro suave con sabor a nuez que puede comerse completo. Sólo saque la pelusa suave con una cuchara antes de comerlo.

Coma

Naranjas	Brócoli
Repollitos	Germen de
de Bruselas	trigo
Almendras	Tomates
Queso	Aguacates
cottage	Alubias
Ostras	Agua
Café	

Evite

Alimentos específicos que provocan sus ataques de asma

Asma

• • • • • • • • • •

El asma es a menudo mal diagnosticado en adultos mayores ya que existe la creencia popular de que es solamente una enfermedad infantil. Pero según la Asociación Americana del Pulmón, expertos creen que en la actualidad el 10% de las personas con asma son mayores de 65 años de edad.

Algunos adultos con asma han sufrido la enfermedad durante todas sus vidas. Otros tuvieron asma cuando eran niños y ahora la vuelven a sentir después de muchos años sin síntomas. Pero si usted ha desarrollado problemas respiratorios como adulto, no está solo. El asma que aparece tarde es cada vez más común y a menudo se desencadena debido a una infección respiratoria grave.

Las mujeres tienen más probabilidades de verse afectadas que los hombres posiblemente debido a que tienen vías aéreas más pequeñas. Los investigadores creen que las hormonas también tienen parte de responsabilidad en todo esto. Descubrieron que las mujeres que se encuentran en terapia de reemplazo hormonal (TRH) tienen 50% más de probabilidades de desarrollar asma que las mujeres que no están con TRH.

Aunque el asma es una enfermedad grave y potencialmente fatal, usted puede protegerse evitando aquellas cosas que puedan desencadenar un ataque. El humo de cigarrillo, el aire frío, el polvo y el moho son algunos ejemplos de desencadenantes de asma. La investigación demuestra que comer alimentos ricos en ciertos nutrientes puede ayudar a reducir los síntomas de asma.

Nuevos descubrimientos nutricionales que combaten el asma

Vitamina C. Los investigadores dicen que las vitaminas de los antioxidantes podrían tener un papel importante en la prevención del asma o en el control de los síntomas. La vitamina C es el ejemplo perfecto. Los estudios han demostrado que la vitamina C mejora los síntomas del asma y además ayudan a evitar la enfermedad. Para una protección de primera contra el asma, prepare una ensalada de frutas con naranjas, piñas, fresas, kiwis y papayas. Luego llene su plato con verduras ricas en vitamina C, como el brócoli, los pimientos rojos y verdes, los repollitos de Bruselas, la calabaza y las arvejas.

Vitamina E. Otra de las fuentes de antioxidantes que pueden reducir el riesgo de asma es la vitamina E. En un estudio en Arabia Saudita se descubrió que los niños que comían menos vitamina E en sus dietas tenían tres veces más probabilidades de sufrir de asma. La investigación también demostraba que la vitamina E ayudaba a protegerlos del desarrollo de esta afección como adultos. Para tener una protección adicional para los pulmones, esparza un poco de germen de trigo, almendras, maní o semillas de girasol llenas de vitamina E en las ensaladas o en los alimentos horneados.

Vitamina A. Esta vitamina completa el trío de antioxidantes que combatenel asma. Los estudios descubrieron que las personas que comen alimentos ricos en vitamina A tienen las vías aéreas más abiertas, lo cual facilita la respiración. Encontrará la vitamina A en la carne y en los productos lácteos, en especial en el hígado de la vaca y del pollo, en el queso cottage, en la ricota y en la yema de huevo.

Licopeno. Piense en el color rosa — o en rojo — para ayudar a evitar los síntomas de asma. El licopeno, el carotenoide que le da a los alimentos el color rosado o rojizo, puede protegerlo del asma, según un pequeño estudio reciente. Los investigadores les dieron a las personas con asma inducida por el ejercicio 30 miligramos de licopeno todos los días durante una semana. Al terminar la semana, más de la mitad de las personas mostraron una protección significativa contra los síntomas de asma.

Siempre es mejor obtener los nutrientes directamente de los alimentos y, en este caso, puede darle doble protección. Muchos alimentos que contienen licopeno, como los tomates, el pomelo rosado y la sandía, son también ricos en vitamina C.

Magnesio y selenio. Estos minerales pueden ser el dúo dinámico de los mineralesque combaten el asma. El magnesio funciona como un broncodilatador, lo cual significa que ayuda a abrir las vías aéreas, y facilita la respiración. El poder del selenio contra el asma puede provenir de las capacidades antioxidantes. Los estudios demuestran que las personas con bajos niveles de selenio tienen más probabilidades de tener asma. Encontrará selenio en carnes y en mariscos, en verduras y en granos que se cultivan en suelos ricos en selenio. Las fuentes nutritivas de magnesio incluyen los aguacates, las ostras y las alubias. El brócoli es una buena fuente de ambos minerales.

Agua. Un vaso grande de agua podría ser su aliado si es asmático. Investigadores en la Universidad de Buffalo (UB) descubrieron que los síntomas de las personas con asma inducida por el ejercicio empeoraban antes y durante el ejercicio, cuando no bebían suficiente agua.

El Dr. Frank Cerny destaca la importancia de beber agua, en especial si tiene asma. "El mensaje sigue siendo: 'beba líquidos cada vez que

---

Una advertencia

Un paso importante para controlar su asma es identificar y evitar los desencadenantes. Mientras que una buena nutrición puede aliviar sus síntomas, comer los alimentos incorrectos puede provocar un ataque. Prácticamente cualquier alimento puede desencadenar un ataque de asma, pero los más comunes son los huevos, los maníes, la leche, el trigo, la soja y los cítricos.

pueda'" dice Cerny, jefe del Departamento de de Fisioterapia, Ejercicio y Ciencias de la Nutrición la UB. "Si tiene asma, la deshidratación puede empeorarlo, en especial durante el ejercicio".

El cuerpo necesita agua mucho antes de que usted sienta sed. Por eso, no espere hasta sentirse sediento para hidratarse. Asegúrese de beber al menos seis vasos llenos de agua por día — más cuando hace ejercicio.

Cafeína. Comience su día con una aromática taza de café y podrá aliviar su asma. La cafeína está relacionada químicamente con la teofilina, droga utilizada para tratar el asma. Cuando tiene un ataque de asma, los músculos alrededor de las vías aéreas se tensan y los pasajes se inflaman, lo cual dificulta la respiración. La cafeína ayuda a relajar los conductos bronquiales para que las vías aéreas permanezcan abiertas. La investigación demuestra que la cafeína puede ayudar a mejorar los síntomas hasta cuatro horas.

Aterosclerosis

• • • • • • • • • • • • • • • • • • • •

Imagínese cientos de autos tratando de pasar por una carretera de ocho carriles. Un carril desaparece y luego otro hasta que la misma cantidad de autos comienzan a marchar por una carretera de un solo carril.

Coma

Salmón	Atún
Linaza	Ajo
Té	Zanahorias
Batatas	Germen de
Aceite	trigo
de oliva	

Evite

Alimentos que contengan un elevado nivel de grasas saturadas, tales como las carnes rojas y los productos lácteos enteros

Eso es semejante a lo que sucede cuando sufre de ateroesclerosis. Las arterias, las autopistas de la sangre, se endurecen y estrechan y la misma cantidad de sangre tiene que pasar por un lugar mucho más estrecho. El atascamiento de tráfico en las arterias causa todo tipo de problemas, incluyendo cardiopatías y apoplejías.

La ateroesclerosis se produce cuando el colesterol, la grasa y otras sustancias en la sangre se acumulan en las paredes de las arterias. El proceso puede comenzar cuando uno es niño, pero puede convertirse en un problema cuando se llega a los 50 o a los 60 años de edad. A medida que esto se acumula en las arterias, se forman placas. La placa puede obstruir o bloquear por completo las arterias y cortar el flujo de sangre hacia el corazón o el cerebro. En ese momento se produce la cardiopatía o la apoplejía.

Demasiada cantidad de colesterol y triglicéridos — tipos de grasa, en la sangre, la presión arterial alta y el cigarrillo pueden causar el mayor daño en las arterias. Otros factores de riesgo para la ateroesclerosis incluyen la diabetes, una historia familiar de la afección, el estrés, la obesidad y un estilo de vida sedentario. En general, los hombres tienen más riesgo, como las personas que tienen el cuerpo con forma de "manzana" — con la grasa que se acumula en la zona abdominal en lugar de las caderas y los muslos.

Puede luchar contra la ateroesclerosis eligiendo correctamente los alimentos. Reduzca las grasas saturadas y el colesterol de la carne y de los productos lácteos de leche entera y busque los siguientes alimentos que reducen el colesterol, bajan la presión arterial y mantienen la sangre fluyendo sin problemas.

Nuevos descubrimientos nutricionales que combaten la ateroesclerosis

Pescado. Consiga pescados grandes y grasosos y combata la ateroesclerosis. Los ácidos grasos omega 3, el tipo poliinsaturado presente en pescados grasosos, como el atún, la caballa y el salmón, evitan que las arterias se dañen.

Primero, el omega 3 elimina los triglicéridos, las grasas que se acumulan en las paredes arteriales. También evita que las plaquetas en la sangre se acumulen. De esa manera, la sangre permanece suave en lugar de pegajosa. La sangre pegajosa puede coagularse y bloquear el flujo de sangre. Por último, el omega 3 puede bajar la presión arterial.

Por eso tantos estudios demuestran que comer pescado puede reducir el riesgo de cardiopatías. La Asociación Estadounidense del Corazón recomienda comer al menos dos comidas con pescado por semana.

Puede encontrar una forma de omega 3 llamada ácido alfa linolénico en nueces, el cual reduce el colesterol. Otras fuentes de omega 3 son la linaza, el germen de trigo y las verduras de hoja verde, como la col, la espinaca y la rúcula.

Ajo. Todo lo que puede hacer el pescado lo hace también el ajo. El compuesto de sulfuro en esta impresionante hierba no sólo baja el colesterol y los triglicéridos sino también combate el LDL o colesterol "malo" y deja el HDL o colesterol "bueno" solo.

El ajo también puede bajar la presión arterial para que las arterias no tengan que bombear tanta cantidad de sangre. Gracias a una sustancia llamada ajoene, el ajo evita que la sangre se acumule y se coagule. Un estudio incluso demostró que el ajo ayuda a la aorta, la arteria principal del cuerpo, a permanecer elástica a medida que uno envejece.

Los expertos recomiendan agregar 4 gramos de ajo — alrededor de un diente — en su dieta todos los días.

Fibra. Durante el transcurso del día, debe comer entre 25 y 35 gramos de fibra. Si lo hace, mejorará su salud general y le dará batalla a la ateroesclerosis.

Ciertos tipos de fibra soluble, como el tipo presente en la avena, cebada, manzana y otras frutas, reducen los niveles de colesterol. Funciona al reducir la velocidad con la que el alimento pasa por el estomago y el intestino delgado para que el colesterol bueno tenga más tiempo de llevar el colesterol al hígado y fuera del cuerpo. Comer más de 25 gramos de fibra cada día también puede reducir el 25% el riesgo de desarrollar presión arterial alta.

La fibra trae un beneficio adicional — lo llena. Después de una comida rica en fibra, se sentirá lleno. Entonces, es menos probable que coma demasiado y sume libras no deseadas. Debido a que el sobrepeso aumenta el riesgo de ateroesclerosis y otros problemas cardíacos, comer fibra podría ser parte de una efectiva estrategia para proteger las arterias.

Encontrará fibra en las frutas y verduras, y en los panes y cereales de harina integral.

Antioxidantes. Un intruso desarmado es menos amenazante que uno con un arma. Al evitar que los radicales libres oxiden el colesterol LDL, los antioxidantes eliminan gran parte del peligro. Una vez que se oxida, el colesterol LDL se va derechito a las paredes arteriales mucho más rápido. De hecho, algunos científicos creen que el colesterol LDL sólo causa daño una vez que se oxida.

La vitamina C, la vitamina E y el betacaroteno son antioxidantes. Los pimientos, las naranjas, las fresas, el cantalupo y el brócoli proporcionan vitamina C mientras que las zanahorias, las batatas, la espinaca, el mango y las hojas de berza están llenas de betacaroteno. Entre las fuentes de vitamina E encontramos el germen de trigo, los frutos secos, las semillas y los aceites vegetales.

Cuando coma estas frutas y verduras, obtendrá el beneficio adicional de sustancias antioxidantes llamadas flavonoides. El resveratrol en las uvas, las antocianinas en el jugo de arándanos y la quercetina en las cebollas, las manzanas y en el té son algunos de los flavonoides que ayudan al corazón y a las arterias.

Grasa monoinsaturada. Para que la sangre continúe fluyendo sin problemas, quizás necesite cambiar el tipo de aceite que utiliza. El aceite de oliva, la principal fuente de grasa en la dieta mediterránea saludable para el corazón, tiene mayormente grasa monoinsaturada. Este tipo de grasa

---

Explote estos minerales para una mejor circulación

La presión arterial alta y la aterosclerosis van de la mano. Cuando tiene presión arterial alta, la fuerza de la sangre contra las paredes arteriales provoca daños que contri-buyen a la aterosclerosis. Y cuando tiene aterosclerosis, su corazón debe trabajar con más fuerza para bombear sangre a las arterias, lo que provoca la presión arterial alta.

Por lo tanto, si está preocu-pado por la aterosclerosis, comience a pensar en su presión arterial. Asegúrese de que consume grandes canti-dades de potasio, magnesio y calcio — minerales que pueden reducir la presión arterial. Una dieta rica en frutas, verduras, granos integrales y lácteos reducidos en grasas debería aportarle gran cantidad de estos minerales. Asimismo, si es sensible a la sal, reduzca la cantidad de sal — o sodio — que consume, ya que podría aumentar su presión arterial.

elimina el colesterol "malo" sin dañar el colesterol "bueno". También evita que se formen coágulos, lo cual le brinda incluso mayor protección a las arterias. De la misma manera que la fibra, la grasa monoinsaturada también lo hace sentir lleno. Por eso, es menos probable que coma demasiado.

Considere cambiar el aceite de soja o de maíz por el aceite de oliva. Después de todo, los griegos — aunque tenían una dieta rica en grasa — rara vez sufrían de ateroesclerosis.

Además del aceite de oliva, los aguacates, los frutos secos y el aceite de canola también son fuentes de grasa monoinsaturada.

Jengibre. Con esta especia ancestral puede agregarle sabor a sus comidas y tener arterias más saludables. El jengibre contiene fitoquímicos llamados gingerol y shogoal, los cuales le dan ese poder antioxidante.

Estudios en animales demuestran que el jengibre además de reducir el colesterol LDL y los triglicéridos, evitan que el LDL se oxide. Lo más importante es que el jengibre evita que la sangre se coagule al reducir la adherencia de las plaquetas.

Aguacates

• • • • • • • • • • • • • • • • •

Beneficios
Reducen el colesterol
Controlan la presión arterial
Ayudan a detener las apoplejías
Luchan contra la diabetes
Combaten el cáncer
Suavizan la piel

Según la leyenda, una princesa maya comió el primer aguacate en 291 a.C. Afortunadamente, no tiene que pertenecer a la realeza para obtener los beneficios de esta sabrosa fruta tropical.

Los aguacates, o también llamados "peras de cocodrilo" debido a su exterior con prominencias, se encuentran en diferentes variedades. Algunos tienen un recubrimiento verde. Otros son de color morado oscuro o casi negro. Algunos son suaves mientras que otros tienen prominencias. Algunos son pequeños y otros llegan a pesar 4 libras. Sin embargo, cuando los abre, todos tienen la misma deliciosa carne con sabor a nuez y de color verde claro.

El aguacate recibe su nombre de la antigua palabra azteca para designar el "testículo". Por eso, quizás en algún momento los hombres pensaron que comer aguacates les aumentaría la virilidad.

En la antigüedad, la pulpa del aguacate se utilizaba como crema para el cabello para estimular el crecimiento del cabello y para ayudar a sanar las heridas. Los nativos americanos trataban la disentería y la diarrea con sus semillas. Incluso en la actualidad, se puede encontrar el aceite en muchos cosméticos.

Pero el aguacate probablemente recibió su nombre de la palabra azteca para "corazón", si tenemos en cuenta que puede ayudar a este órgano vital. El aguacate, que contiene grasa monoinsaturada, potasio, fibra y antioxidantes, combate el colesterol alto, la presión arterial alta, las cardiopatías y las apoplejías.

Pero eso no es todo. La "pera de cocodrilo" también protege de la diabetes y el cáncer.

Seis maneras en que el aguacate lo mantiene sano

Vence el colesterol. El aguacate es rico en grasa — 30 gramos por fruta, pero es en su mayoría grasa monoinsaturada. Esta grasa ayuda a proteger el colesterol HDL bueno y elimina, al mismo tiempo, el colesterol LDL malo que obstruye las arterias. Esto significa que reduce el colesterol malo y además mejora la proporción del colesterol HDL bueno al colesterol total.

Pero no sólo trabaja la grasa monoinsaturada. Un aguacate contiene 10 gramos de fibra y también una sustancia química vegetal llamada betasitosterol. La fibra y el betasitosterol ayudan a reducir el colesterol Agréguele las vitaminas C y E — poderosos antioxidantes que evitan que los peligrosos radicales libres reaccionen con el colesterol en la sangre — y logrará mejorar su salud.

De hecho, un estudio en Australia demostró que comer entre medio aguacate y un aguacate y medio por día durante tres semanas podría reducir más del 8% del colesterol total sin bajar el colesterol HDL.

Durante el mismo estudio, una dieta rica en carbohidratos y reducida en grasa también redujo el colesterol total de los participantes, pero disminuyó drásticamente casi un 14% el colesterol "bueno".

Ataca la presión arterial alta. Probablemente escuchó que las bananas son una buena fuente de potasio. Pero probablemente no sabe que el aguacate, con más de 1,200 miligramos de potasio por fruta, contienen dos veces y media más la cantidad de potasio que tiene una banana. Esto es importante porque muchos estudios demuestran que el potasio ayuda a bajar la presión arterial.

El magnesio, otro importante mineral presente en el aguacate, podría ayudar a bajar la presión arterial también. Algunos investigadores creen que el magnesio relaja los vasos sanguíneos y les permiten abrirse más. Esto le da a la sangre más espacio para fluir libremente y así reducir la presión arterial. Pero los resultados se han mezclado. Algunos estudios demuestran que el magnesio baja la presión arterial mientras que otros no muestran ningún efecto.

Arremete contra la apoplejía. Cuando se trata de enfrentar a una asesino mortal como la apoplejía, se deben conseguir todas las armas posibles. Ataque en pandilla a la apoplejía con los tres matones pesados del aguacate, el potasio, el magnesio y la fibra.

En el estudio de seguimiento de profesionales de la salud, que incluyó a más de 43,000 hombres, los investigadores descubrieron que los hombres que tenían la mayor cantidad de potasio en la dieta tenían 38% menos de probabilidades de tener una apoplejía que aquellos que ingirieron menos potasio. Los resultados eran más bajos para la fibra (30%) y el magnesio (30%).

Les da una paliza a las cardiopatías. Al controlar el colesterol y la presión arterial, los aguacates pueden ayudar a reducir el riesgo de cardiopatías.

Pero los aguacates brindan mayor protección. Si aumenta 10 gramos la ingesta diaria de fibra, la cantidad en un aguacate, reduce el 19% el riesgo de cardiopatías. La vitamina C, el potasio y el folato, parte de la familia de la vitamina B, también están relacionados con el bajo riesgo de cardiopatías.

El folato también ayuda al corazón al evitar que la homocisteína se acumule hasta llegar a niveles peligrosos. La homocisteína, un subproducto del metabolismo de la proteína, puede dañar las arterias y aumentar las probabilidades de sufrir una cardiopatía o una apoplejía.

Según la Comisión californiana del aguacate, el aguacate tiene más folato por onza que cualquier otra fruta.

Protege contra la diabetes. Si tiene diabetes, probablemente busca la manera de reemplazar la grasa saturada en su dieta por más carbohidratos.

En vez de hacer eso, considere sustituir la grasa monoinsaturada con algunos carbohidratos, como el tipo que obtiene de los aguacates. Además de bajar el colesterol LDL sin bajar el colesterol HDL, también pueden reducir la cantidad de triglicéridos, otro tipo de grasa, en la sangre. Un nivel alto de triglicéridos puede ser una señal de advertencia de una cardiopatía.

Comer alimentos ricos en fibra, como los aguacates, puede resultar beneficioso para personas con diabetes tipo 2 de diferentes maneras. Un estudio publicado en la revista *The New England Journal of Medicine* descubrió que una dieta rica en fibra (50 gramos por día) reducía los niveles de colesterol, triglicéridos, glucosa e insulina.

Los aguacates se han ganado el respaldo de la Asociación Americana de Diabetes, la cual incluyó a los aguacates en su colección de recetas recomendadas.

> ## Obséquiese un tratamiento facial con aguacates
>
> Dicen que la belleza es sólo superficial. Afortunadamente, el aguacate posee un poder humectante que ayuda a mantener su piel más hermosa.
>
> Durante años, se ha utilizado el aguacate como tratamiento facial natural, especialmente para pieles secas. Es fácil de hacer en su hogar. Simplemente quítese el maquillaje y lave su cara con agua tibia y jabón, o con su limpiador preferido. Pise un poco de aguacate, mézclelo con leche o avena y aplíquelo sobre su cara. Déjelo durante 10 minutos y luego enjuáguelo con mucha agua.
>
> Si tiene piel seca, o si sólo desea mimarse, busque un aguacate — la fruta abollada que suaviza su piel.

Controla el cáncer. Otra razón para comer abundante cantidad de fibra es su posible efecto protector contra ciertos tipos de cáncer, en especial el cáncer de colon y de mama.

Investigadores que analizaban los datos del Estudio de los siete países llegaron a la conclusión recientemente que agregar 10 gramos de fibra a la dieta diaria podría reducir un 33% el riesgo de morir de cáncer de colon en 25 años.

Aunque algunos pocos estudios han descubierto que la fibra no es efectiva para proteger del cáncer, muchos expertos aún recomiendan comer abundante cantidad de alimentos ricos en fibra.

El arsenal de poderosos antioxidantes del aguacate — el glutatión y la vitamina C — también ayuda a combatir el cáncer al neutralizar los radicales libres que pueden dañar las células. El glutatión puede proteger del cáncer de boca y de garganta y la vitamina C está relacionada con los bajos índices de cáncer de boca, de mama, de pulmón, de estómago y de cuello uterino.

Y no se olvide del betasitosterol y del folato. Pueden protegerlo del cáncer de colon y de mama también.

Indicadores de despensa

Los aguacates maduros deben ser lo suficientemente suaves para resistir una presión suave. Si no puede encontrar un aguacate maduro en el supermercado, elija uno pesado y de color brillante y deje que se madure en una bolsa de papel durante algunos días a temperatura ambiente.

Para abrirlo, corte el aguacate a lo largo, alrededor de la semilla y gire las mitades para separarlas. Con una cuchara, saque la semilla y luego la carne.

Cuando entra en contacto con el aire, el aguacate se decolora rápidamente así que utilícelo lo antes posible. Agregar jugo de limón o lima exprimido a un aguacate cortado ayudará a evitar la decoloración.

Karen Duester, vocera de The Food Consulting Company en Del Mar, California, dice: "El aguacate proporciona más nutrientes que 20 de las frutas más comunes. Incluir el aguacate en una dieta común se puede considerar una manera sana y sabrosa de variar las comidas".

Si quiere aprovechar los beneficios de esta fuente nutritiva, pruebe las siguientes sugerencias de Duester:

◆ Pise la fruta suave y mézclela con salsa.

◆ Agregue cubos de aguacate en un tazón de sopa de tomate caliente.

◆ Esparza aguacate con mermelada en una bagel.

◆ Tueste un taco de tortilla enrollada con aguacate.

◆ Pise patatas con un aguacate pelado y sin semilla.

◆ Agregue trozos de aguacate encima de galletas.

◆ Rellene mitades de claras cocidas con guacamol para preparar unos nuevos huevos duros con salsa picante.

También puede agregar rodajas de aguacate a ensaladas o a sándwiches o comer los aguacates como una fruta. Como una alternativa sana de mayonesa, manteca o queso crema, pruebe aguacate pisado.

Bananas

Beneficios

Protegen su corazón

Controlan la presión
  arterial

Fortalecen los huesos

Detienen la diarrea

Calman la tos

Antes de pelar esa banana, tómese un momento para apreciar todas las maravillosas sanas cualidades. Cada banana está llena de potasio, folato y vitamina B6 para el corazón y los huesos y vitaminas A y C para protección antioxidante. Está llena de fibra para tener regularidad y melatonina para ajustar el reloj interno. De hecho, la banana es uno de los alimentos elegidos para llevar el sello de aprobación de la Asociación Estadounidense del Corazón — lo cual significa que cumplen con los estándares de la AHA de grasa saturada y colesterol.

La banana probablemente sea la fruta más barata en la tienda de alimentos y viene en 500 variedades. Puede encontrar la banana "Cuban Red", la banana "Ice Cream (Blue Java)", el quimbombó, la banana "Orinoco" o la banana "Manzana". Los botánicos creen que la banana es originaria de Asia y probablemente tuvo semillas en algún momento. Pero en algún lugar en la línea, una variedad sin semillas se expandió para el placer de los monos y de las personas en todos lados.

Tiene una fruta sana y barata que se obtiene en su propio envoltorio a prueba de gérmenes. Con solo 100 calorías, la banana es una fruta que puede comer sin culpa.

Cinco maneras en que las bananas lo mantienen sano

Combaten las cardiopatías con fuerza. La próxima vez que visite a su médico, controle los niveles de homocisteína en la sangre. Si están altos, tiene riesgo de sufrir cardiopatías. Aunque puede ser una condición hereditaria, podría también tener deficiencia de vitaminas. Es fácil reducir la homocisteína y reducir las probabilidades de desarrollar cardiopatías al obtener folato adicional.

Coma una banana y recibirá 22 microgramos de este importante nutriente. Es evidente que tendría que comer más de un racimo de bananas para obtener la cantidad suficiente de folato solamente de bananas. Pero con sólo incluirlas en una dieta equilibrada, podría decirle adiós a las cardiopatías.

Bajan la presión arterial. Si sufre de cardiopatías, es probable que restrinja la sal y la grasa para mantener baja la presión arterial. Pero allí no termina la historia. Tal vez pueda reducir drásticamente los números de la presión arterial si come abundante cantidad de frutas y verduras. El calcio presente en las verduras de hojas verdes y el potasio en las frutas, como las bananas parecen lograr la diferencia.

Frank M. Sacks, médico y profesor de nutrición en la Facultad de Salud Pública de Harvard, cree que la conexión del potasio es importante. "Las personas deben comer más frutas, como las bananas, las naranjas y las verduras de hojas verdes para ayudar a evitar la presión arterial alta," dice. "Si ya sufre de presión arterial alta, debe seguir una dieta rica en potasio o tomar suplementos". La mayoría de los expertos le dicen, sin embargo, que consulte a su médico antes de tomar cualquier suplemento.

Fortalecen mejor los huesos. Tal vez no cree que una fruta suave y curva pueda ayudar a mantener los huesos derechos y fuertes. Pero las bananas pueden hacer eso gracias al alto contenido de potasio contenido — mineral que el cuerpo necesita para absorber el calcio.

> ### Escoja unos buenos plátanos
>
> **Para darse otro gusto saludable, pruebe el familiar exótico de las bananas, el plátano. Esta fruta larga roja amarronada se parece a una banana, pero dice tratar y hasta prevenir las úlceras.**
>
> **En estudios en animales, los plátanos provocaron el crecimiento del recubrimiento del estómago. En realidad se engrosó lo que previene la formación de nuevas úlceras y cubre las úlceras existentes, permitiéndoles curarse — algo así como poner una pomada sobre un corte.**
>
> **Puede comprar plátanos en la mayoría de las tiendas de alimentos, pero no los coma como una banana — es necesario cocinarlos. Se pondrán oscuros en tres o cuatro días y eso significa que están listos para preparar. Muchas personas fríen los plátanos en aceite, pero ¿por qué arruinar un alimento sin grasas? Pruebe hervirlos, hornearlos o pisarlos como hace con las patatas.**

Así es como funciona. El calcio necesita potasio, como Fred Astaire necesitaba a Ginger Rogers. Si no tiene suficiente potasio, el calcio se siente solo y abandona la pista de baile. Incluso si bebe mucha cantidad de leche y come muchos productos lácteos, sin el suficiente potasio, puede no estar obteniendo todo el calcio que necesita.

Los investigadores han descubierto que las personas mayores que ingieren mucho potasio — un promedio de 3,000 miligramos por día — tienen una densidad mineral ósea mayor, medida del fortalecimiento óseo. Esto significa que tienen menos probabilidades de desarrollar osteoporosis, enfermedad que hace que los huesos sanos luzcan como queso suizo. Si puede ingerir cinco porciones de alimentos ricos en potasio todos los días, tendrá huesos más fuertes. Consuma patatas, leche, jugo de naranja y bananas y deje que ellos hagan su trabajo.

Combaten la diarrea. Cuando sufre de diarrea, el cuerpo pierde líquidos y minerales vitales. Si se siente débil y mareado, es una señal de que perdió cantidad suficiente para deshidratarse. Una diarrea grave puede llegar a afectar el corazón. Sin embargo, beber solo un par de vasos de agua no normalizará el sistema — necesita algo más. Según la Escuela Estadounidense de Gastroenterología, las bananas son el alimento perfecto después de un ataque de diarrea. El potasio comienza a funcionar para ayudar a controlar el equilibrio de agua en las células.

Alivian la tos. Si tiene una tos que no termina y una sensación de ardor en la garganta después de las comidas, puede sufrir de acidez y de reflujo ácido. Para obtener una solución calmante natural, coma una banana o tome polvo de banana — una forma en polvo seco de la fruta que puede encontrar en tiendas de alimentos naturales.

Indicadores de despensa

Compre sus bananas verdes, ya que algunos productores en América del Sur utilizan químicos para ayudar a la maduración de la fruta. Simplemente colóquelas en la mesada durante algunos días hasta que tomen una buena coloración amarilla.

Una advertencia

Si sufre de una enfermedad renal, su médico puede haberle dicho que no consuma muchas bananas. Algunas personas con daños en los riñones desarrollan una afección llamada hipercalemia — que es el exceso de potasio en su sangre. La acumulación de potasio es grave y puede provocar debilidad y parálisis, y puede causar insuficiencias cardíacas.

Cebada

• • • • • • • • • • • •

¿Qué tienen Espartaco y Budweiser en común? La cebada — el grano saludable que comían los gladiadores para adquirir fuerzas y que las cervecerías utilizan para fabricar cerveza.

La popularidad de la cebada y su posición como alimento saludable data de miles de años. Los griegos la cultivaban en el año 7000 a.C. y los antiguos chinos, egipcios y romanos la convirtieron en una parte importante de sus dietas. Las personas también utilizaban la cebada para tratar forúnculos, problemas estomacales e infecciones del tracto urinario.

En la actualidad, la cebada se utiliza principalmente en sopas, fibras, cerveza y alimentos para animales. Pero su capacidad de combatir las cardiopatías, el cáncer y la diabetes debería adjudicarle un lugar mucho más importante en su dieta. Después de todo, la cebada prácticamente desborda de fibras y contiene minerales esenciales, como el potasio, fósforo, magnesio y hierro.

Llenarse con sopas y fibras que contienen cebada no es la única manera de obtener más de este excelente grano. La próxima vez que cocine, pruebe tamizar un poco de harina de cebada en el recipiente de mezcla. O agregue un poco de cebada en su arroz para crear una comida más rica en fibras.

Imagínese que ingresa al ruedo a combatir a los enemigos de la buena saluda.

Cinco maneras en que la cebada lo mantiene sano

Reduce el colesterol. Detrás de cada alimento saludable hay un ingrediente saludable. En el caso de la cebada, el secreto es una forma de fibra soluble llamada betaglucano. Con el poder del betaglucano, la cebada ha demostrado una y otra vez que puede reducir el colesterol. Y recuerde, cuando reduce el colesterol que obstruye las arterias, también

70

disminuye su riesgo de sufrir cardiopatías. Incluso en sus diversas presentaciones, como la harina de cebada, granola o pasta, los resultados son los mismos.

A medida que los alimentos se desplazan dentro de su cuerpo, partículas de lipoproteína de baja densidad (LDL, por su sigla en inglés) transportan el colesterol a las células, donde puede provocar daños. Las partículas de lipoproteína de alta densidad (HDL, por su sigla en inglés) recogen el colesterol y lo transportan hacia el hígado, quien lo convierte en bilis y lo elimina. Este proceso se denomina "transporte inverso del colesterol".

La Dra. Barbara Schneeman, investigadora en el Servicio de Investigación Agrícola del USDA y profesora de ciencias agrícolas y ambientales en la Universidad de California-Davis, cree que la cebada afecta los niveles de colesterol por medio de su viscosidad o adhesividad.

Debido a que el betaglucano es viscoso, retarda el movimiento de los alimentos en el estómago e intestino delgado. Esto les da más tiempo a las partículas de HDL de recoger el colesterol, lo que reduce las posibilidades de se absorba después. "Retarda la absorción de lípidos y brinda más tiempo para que se produzca el transporte inverso de colesterol", explica Schneeman.

Equilibra la presión arterial. Este grano saludable contiene potasio, un mineral que mantiene la presión arterial bajo control. Junto con las fibras y el magnesio, el potasio — que también se encuentran en la cebada — puede disminuir las posibilidades de que sufra una apoplejía. De hecho, la Administración de Drogas y Alimentos (FDA) decidió recientemente permitir que los alimentos que cumplen con requisitos específicos en relación con el potasio, sodio y colesterol publiciten que reducen el riesgo de sufrir de hipertensión arterial y apoplejías. Es posible que vea un anuncio como este en su próximo paquete de avena.

Controla el peso. La obesidad aumenta seriamente su riesgo de sufrir una variedad de problemas, incluida la cardiopatía. Pero las fibras de la cebada pueden ayudarlo a perder peso. Así es cómo:

Cierta hormona en sus intestinos, la colecistoquinina (CCK), está relacionada con la sensación de saciedad. Cuando las personas siguen una dieta baja en grasas, sus niveles de CCK aumentan y luego vuelven a la normalidad, o nivel de ayuno. Cuando comen cebada, su CCK aún aumenta después de la comida, pero nunca regresa completamente al nivel de ayuno. Esto significa que probablemente sentirá mayor saciedad después de una comida con cebada. Y si se siente lleno, es menos probable que coma en exceso y aumente de peso.

"La ingesta de fibras no produce la pérdida de peso. La restricción de energía es lo que provoca la pérdida de peso", enfatiza Schneeman. "El desafío para la mayoría de las personas es controlarse entre las comidas. Si algo como las fibras estimulan una pequeña sensación de saciedad, puede ayudar en esa fase.

Controla el cáncer de colon. Cuando se trata de montañas rusas, cuanto más grandes y rápidas, mejor. Si quiere protegerse contra el cáncer de colon, comience a pensar de esta manera sobre sus heces.

Es la fibra en la cebada la que puede brindarle esta protección. Agrega volumen a sus heces y acelera su paso a través del intestino grueso. De hecho, un estudio liderado por la Dra. Joanne Lupton de la Universidad A&M de Texas demostró que comer harina de cebada integral aumentó el peso de las heces en aproximadamente 50 gramos y redujo el tiempo de tránsito en 8 horas.

> ## Pocos aplausos para la cerveza
>
> Si está pensando en obtener los beneficios de la cebada bebiendo cerveza, busque en otro lugar. Es cierto que las cervecerías utilizan cebada, pero eliminan la mayor parte del betaglucano para que el material viscoso no se adhiera a las máquinas. Por lo tanto, no obtendrá fibras de un jarro escarchado.
>
> Sin embargo, puede obtener algunos beneficios para la salud. Un estudio reciente de la Revista médica británica afirma que los hombres que beben una cantidad moderada de cerveza diariamente son menos propensos a sufrir una cardiopatía que aquellos que nunca beben. Sin embargo, las probabilidades de sufrir una cardiopatía aumentan enormemente si beben dos veces por día o más.
>
> Conclusión: Si no bebe cerveza, no vale la pena adquirir el hábito. Pero si ya bebe, limítese a aproxima-damente una cerveza diaria.

Sin embargo, no se confunda. La cebada retarda el paso de los alimentos por su estómago e intestino delgado — lo que ayuda con los niveles de colesterol. Pero los alimentos generalmente permanecen diez veces más en su intestino grueso, lo que absorbe los agentes que provocan el cáncer. Esto significa que las heces con más volumen y más rápidas son menos propensas a permanecer en el intestino y causar problemas.

La cebada también podría combatir el cáncer de colon mediante la modificación de los pequeños organismos que se encuentran en su intestino grueso. Cuando estos organismos reaccionan con beta glucano, podrían producir compuestos que protejan el tejido de su colon.

"Ponga en práctica cualquiera de estos mecanismos", dice Schneeman. "Por sí sola, no es suficiente para establecer una relación entre las fibras y el cáncer. De hecho, pueden ser varios factores juntos. Pero usted necesita de todo esto para conservar un intestino saludable. No se olvide de que al tratar de evitar las enfermedades, también trata de mantener su intestino saludable".

Vence la diabetes. Debido al efecto de la cebada en el colesterol y en otros problemas cardíacos, debe haber imaginado que sería buena para los diabéticos. Los expertos recomiendan específicamente una dieta rica fibras, tanto solubles como en cereales. La cebada cumple con todos los requisitos.

Schneeman apunta nuevamente a la viscosidad como un posible factor. En lugar de glucosa desplazándose rápidamente por la sangre, y demandando insulina a la vez, se infiltra a paso de tortuga. Esto afecta la demanda de insulina al "retardarla y esparcirla un poco", explica.

Indicadores de despensa

La cebada puede ser una fuente importante de fibras, pero no todos los tipos poseen la misma cantidad. Con más de 31 gramos de fibras por taza, la cebada de grano integral le ofrece la mayor protección. La cebada perlada, el tipo más común, es más refinada — lo que significa que se eliminan algunos nutrientes. Una taza de cebada perlada cocida contiene aproximadamente 5 gramos de fibra. Esto equivale a casi un quinto de la

---

Una advertencia

Si padece la enfermedad esprúe celíaca, aléjese de la cebada. Al igual que la mayoría de los granos, la cebada contiene gluten, una mezcla de proteínas que pueden dañar las paredes intestinales. Tenga cuidado también si sufre de alergia a los alimentos con gluten, en cuyo caso la cebada podría provocar calambres, diarrea y otros problemas.

Nuevas investigaciones también sugieren que la cebada y otros alimentos ricos en lecitinas, un tipo de proteína vegetal, podrían aumentar el riesgo de sufrir artritis reumatoidea (AR) en personas cuyos genes las hacen susceptibles a esta enfermedad. La teoría afirma que las lecitinas incitan el sistema inmunológico para atacar las articulaciones del cuerpo, y provocan inflamación. Si ya sufre de AR, intente eliminar los cereales de granos como la cebada, la avena y el trigo de la dieta. Los síntomas pueden mejorar.

cantidad que los expertos recomiendan consumir todos los días. La harina o la papilla de cebada, por otro lado, contienen aproximadamente 15 gramos de fibra por taza.

Otras variedades incluyen la cebada escocesa comúnmente molida y sémola de cebada. Al igual que la cebada de grano integral, encontrará éstas en la mayoría de las tiendas de alimentos naturales.

Alubias

● ● ● ● ● ● ● ● ● ● ● ●

Beneficios

Previenen el estreñimiento

Ayudan a las hemorroides

Reducen el colesterol

Combaten el cáncer

Mantienen la función
sexual

Estabilizan el azúcar
en la sangre

A las alubias, un miembro conocido de la familia de las legumbres, algunas veces se las llama "comida de pobres" por ser una forma barata de obtener proteínas.

Además de ser ricas en proteínas, casi no contienen grasas. Y éste es otro gran beneficio <\m> están llenas de fibras para ayudarlo a mantener la regularidad y a mantener sus niveles de colesterol y azúcar en sangre bajos. Incluso contienen grandes cantidades de fotoquímicos — antioxidantes que pueden ayudar a prevenir el cáncer.

A pesar de su altísima calidad, muchas personas evitan las alubias. De hecho, cuanto más moderno es un país, menos probabilidades hay de que su población coma alubias. El consumo de alubias a menudo se relaciona directamente con los ingresos, y las personas más adineradas consumen menos. Y como probablemente usted sepa, por la rima que entonaba en su niñez, las legumbres son famosas por su capacidad de provocar gases. Entre su imagen como alimento para pobres y el problema de los gases, las alubias presentan un problema grave para las relaciones públicas.

Pero los nutricionistas están intentando difundir la noticia de que puede comer alubias y tener amigos al mismo tiempo. Puede reducir fácilmente la cantidad de gases que producen las legumbres si cambia el agua algunas veces mientras las hierve. Otra alternativa es agregar un producto llamado Beano a las legumbres después de cocinarlas. Unas pocas gotas es todo lo que se necesita para quitarles su olorosa capacidad.

Cuatro maneras en que las alubias lo mantienen sano

Reduce el estreñimiento y cura las hemorroides. El estreñimiento no sólo es incómodo sino que puede provocar hemorroides y diverticulosis, un debilitamiento de las paredes de los intestinos provocado por las heces compactas y los esfuerzos. Con el tiempo, las paredes de las pequeñas bolsas que atrapan los alimentos digeridos se debilitan y pueden infectarse. Esto puede provocar un dolor muy fuerte y dejar tejido cicatricial que conduce a aún más estreñimiento.

Las hemorroides se forman cuando la presión hace que sus venas se estiren demasiado. Las venas varicosas también se relacionan con el estreñimiento, ya que el estiramiento para dejar pasar heces secas puede ejercer presión suficiente en las venas de sus piernas como para que sufran derrames. En las sociedades modernas, todos estos problemas son comunes. Muchas personas viven con estreñimiento crónico y nunca se dan cuenta de que un cambio en la dieta podría liberarlos del problema para siempre.

Pero en partes del mundo donde las personas consumen alimentos de origen vegetal, como legumbres, el estreñimiento y las enfermedades que éste provoca son poco comunes. Esto ocurre porque las paredes celulares de las plantas no pueden digerirse, lo que significa que habrá muchas fibras que mantendrán las heces listas para una salida rápida e indolora. Agregar una comida deliciosa de arroz y alubias o una sopa de alubias negras a su menú semanal podría ayudarlo a mantenerse alejado del estreñimiento y las enfermedades que éste provoca.

Elimina el colesterol. Las alubias son buenas para su corazón. Si come alubias en lugar de una comida grasosa, reducirá notablemente su ingesta diaria de colesterol. Y lo mantienen satisfecho sin aportar grandes

Sirva vitamina C con alubias

Las alubias son una buena fuente de hierro, pero las personas no absorben fácilmente el tipo de hierro — no hemínico. Consumir alimentos ricos en vitamina C, como cítricos, vegetales de hojas verde oscuro y tomates, puede ayudarlo a absorber más hierro. Además, es una excelente manera de incluir más frutas y verduras en su dieta.

cantidades de calorías — sólo 225 calorías en una porción de una taza. Un estudio de hombres saludables demostró que cuando comían aproximadamente dos tazas y media de alubias por día, ingerían mucha menos grasa y reducían sus niveles totales de colesterol. Otro estudio halló que cuantas más alubias enlatadas comían los hombres con colesterol alto, menos colesterol tenían. Y, si bien los hombres ingerían la misma cantidad de calorías que consumían habitualmente, perdían peso.

Pero el trabajo inteligente que hacen las alubias en favor del corazón no termina allí. Las fibras en las legumbres son como un trampolín para algunas partículas grandes de colesterol malo. Algunos de estos matones salen despedidos antes de que puedan provocar algún daño a sus arterias o corazón.

Resucita las erecciones. Si usted es un hombre que ha estado pensando en probar Viagra, quizá quiera probar primero con las alubias. Las alubias contienen una proteína llamada L-arginina que puede aumentar el flujo sanguíneo a su pene para lograr mejores erecciones. En un estudio pequeño reciente, se le administró a un grupo de 27 hombres con disfunción eréctil 5 gramos de L-arginina diariamente — lo que equivale a 5 tazas de alubias cocidas. Después de seis semanas, aproximadamente un tercio de ellos pudieron tener erecciones nuevamente. Quizá no pueda comer cinco tazas de alubias por día, pero sí puede agregar algunas porciones y observar si nota una diferencia.

Reduce el riesgo de contraer cáncer. Lo que usted come podría ser una decisión de vida o muerte. Esto se debe a que la diera está relacionada con más del treinta por ciento de los cánceres en América del Norte. Pero la dieta es algo que puede controlar. Las investigaciones demuestran que las personas que comen carnes rojas pueden disminuir su riesgo de sufrir cáncer de colon si comieran legumbres tres veces por semana o más. Aún es necesario llevar a cabo más investigaciones, pero los científicos se están concentrando en las sustancias de las legumbres

---

Ensalada de alubias negras

1 lata de 15 onzas de alubias negras

1 lata de 15 onzas de maíz

1/4 de taza de pimientos verdes picados

3 cebollas verdes picadas

1 cucharadita de ajo picado en trocitos

3 cucharadas de aceite de oliva

1/4 de taza de vinagre balsámico

Escurra y enjuague las alubias y el maíz. Mézclelos con los otros ingredientes.

Déjela descansar durante al menos una hora. Rinde de 4 a 6 porciones.

llamadas lignanos y en los fitoquímicos — que son combatientes naturales del cáncer.

El Dr. Richard Rivlin del Centro contra el cáncer Memorial Sloan-Kettering en Nueva York cree que los fitoquímicos serán la clave para prevenir los cánceres en el futuro.

"El producto final de esta investigación sobre fitoquímicos serán herramientas precisas y poderosas para reducir la incidencia del cáncer", dijo Rivlin en una conferencia en 1999. "Ante un individuo con riesgo de sufrir un tipo de cáncer específico, podremos recetar determinados alimentos y, quizá, suplementos que, al consumirse conjuntamente, reducirán notablemente ese riesgo".

Indicadores de despensa

Las alubias crudas son fáciles de encontrar en la tienda de comestibles y las bolsas que las contienen poseen instrucciones de cocción. Sólo recuerde cambiar el agua en la que las hierve algunas veces. Las alubias enlatadas son igualmente nutritivas y sólo tiene que calentarlas. Pero tienen una desventaja — la sal agregada. Puede eliminar parte de esa sal si enjuaga las alubias en un colador antes de calentarlas.

Pruebe combinar diferentes tipos de alubia en una ensalada fría. Las alubias negras quedan bien con alubias Great Northern y con forma de riñón. Agregue una vinagreta reducida en calorías para obtener una riquísima ensalada de verano.

Una advertencia

Muchas variedades de alubias, especialmente las alubias rojas con forma de riñón, son venenosas crudas. Las alubias contienen fitohemaglutinina, que es tóxica para humanos y animales. Pero al remojar las alubias en agua durante al menos cinco horas y al cocinarlas en agua dulce durante aproximadamente 10 minutos, se destruirán las toxinas.

Tenga la precaución de cocinar las alubias en ollas que no se calientan lo suficiente como para hervir el agua. Algunas alubias son más tóxicas si se las calienta a aproximadamente 175 °F (79,4 °C), pero no se las hierve.

Los síntomas de la intoxicación incluyen vómitos, diarrea y dolor estomacal en el plazo de una a tres horas después de haberlas comido. Si bien la mayoría de las personas se recuperan en un día, podría ser necesario hospitalizar a algunas para reemplazar los fluidos.

Remolachas

• • • • • • • • • • • • • • • • • • • •

La próxima vez que tenga antojos de algo dulce, pruebe con las remolachas. Son el vegetal con mayor contenido de azúcar. De hecho, el cuarenta por ciento del azúcar refinada del mundo proviene de la remolacha. Sin embargo, a diferencia de los postres azucarados, esta raíz de color brillante es baja en calorías y rica en nutrientes.

Aunque no lo crea, desde las personas de la antigua Grecia hasta las del Renacimiento italiano desechaban la hermosa raíz de la remolacha. En su lugar, sólo comían las hojas verdes de la remolacha. Recién a fines del siglo dieciocho las personas comenzaron a consumir la raíz y a cosechar los beneficios.

Las remolachas están cargadas de potasio, magnesio, betacaroteno y folato, una de las vitaminas B. La parte más nutritiva de la planta — las hojas — son una buena fuente de potasio, magnesio, calcio, folato y betacaroteno. Estos nutrientes pueden ayudar a conservar la buena salud del corazón y la fortaleza de los huesos. Incluso pueden prevenir el cáncer.

Cinco maneras en que las remolachas lo mantienen sano

Detienen el cáncer. Si usted es una mujer que bebe alcohol todos los días — incluso pequeñas cantidades — es más propensa a sufrir cáncer de mama. Pero, según un estudio de aproximadamente 90.000 mujeres, la ingesta diaria elevada de folato (600 microgramos) puede reducir su riesgo. Las mujeres del estudio que parecían beneficiarse más fueron aquellas que bebían un poco más que una bebida alcohólica por día — como un vaso grande de vino o un jarro de cerveza. Los investigadores dicen que el alcohol interfiere con el transporte y metabolismo del folato. Esto significa que menos cantidad de folato llega a los tejidos de su cuerpo.

Y no olvide el betacaroteno. Varios estudios sugieren que una dieta rica en carotenoides, como el betacaroteno, puede prevenir el cáncer de pulmón y de próstata.

Evitan las cardiopatías. El folato también es conocido por ser un nutriente saludable para el corazón, ya que reduce el nivel de homocisteína en la sangre. La homocisteína, un subproducto del metabolismo de las proteínas, puede dañar y estrechar sus arterias, lo que puede provocar cardiopatías y apoplejías.

Reducen la presión arterial alta. Comer algunas remolachas — y otros alimentos ricos en potasio, como damascos secos y aguacates — puede ayudar a controlar su presión arterial alta. Los expertos dicen que al conservar sus niveles de potasio elevados ayuda a mantener su presión arterial baja.

Ayudan a perder peso. Los alimentos ricos en fibras controlan el apetito mediante la absorción de agua y el retardo de la digestión. Esto le da sensación de saciedad durante más tiempo y lo ayuda a comer menos. Una taza de rodajas de remolacha posee aproximadamente la misma cantidad de fibra que una taza de avena cocida y sólo suma 75 calorías a su lista diaria.

Fortalecen sus huesos. Si le preocupa la osteoporosis, relájese comiendo remolachas. Las raíces rojas son ricas en tres nutrientes — potasio, magnesio y betacaroteno que los expertos afirman que mantienen sus huesos fuertes.

> ### Las subestimadas y a menudo ignoradas hojas
>
> **Las hojas de remolacha— especialmente cuando son pequeñas, crujientes y frescas son deliciosas y nutritivas. En lugar de echarlas a la basura, corte la parte dura del tallo que cuelga debajo de la hoja. Luego caliente un poco de aceite de oliva en una sartén, agregue sus condimentos preferidos y añada las hojas de remolacha lavadas. Despúes e rehogarlas hasta que estén blandas, disfrútelas.**

Indicadores de despensa

Ahora que está listo para comprar algunas remolachas, tiene que tomar una decisión — ¿enlatadas o frescas? Las remolachas enlatadas son más fáciles de preparar y tienen casi el mismo sabor que las frescas. Pero considere esto — las remolachas frescas poseen el doble de potasio y folato que las enlatadas.

No deje que las remolachas frescas lo intimiden. Son fáciles de cocinar. Pruebe hornearlas como una patata. Así es como debe hacerlo:

◆ Corte el tallo y deje sólo una pulgada. Esto mantendrá todos los nutrientes y humedad en la raíz.

◆ Refriegue la remolacha suavemente debajo del agua y tenga cuidado de no quitarle la piel.

◆ Envuelva cada remolacha en papel de aluminio y hornéelas a 375 grados durante aproximadamente una hora o hasta que estén tiernas.

¿No tiene mucho tiempo? Cocínelas en su microondas. Corte cuatro o cinco remolachas medianas y colóquelas en un plato cubierto con un cuarto de taza de agua durante 10 minutos. Manténgalas cubiertas y déjelas otros cinco minutos.

Beneficios

Combaten el cáncer

Protegen su corazón

Estabilizan el azúcar en la sangre

Estimulan la memoria

Combaten las infecciones del tracto urinario

Previenen el estreñimiento

Arándanos azules

• • • • • • • • • • •

De vez en cuando aparece un alimento excelente que no sólo sabe bien sino que también es bueno para usted. Los arándanos azules son dulces, jugosos, bonitos y deliciosos y están cargados de todo tipo de beneficios sorprendentes para la salud — como vitamina C, fibra, calcio y hierro. Y cuando se trata de obtener protección antioxidante, no hay nada mejor que una porción de arándanos azules.

No importa lo saludable que sea, las moléculas llamadas radicales libres se crean en su cuerpo cada vez que las células convierten el oxígeno en energía. Y esas moléculas están decididas a destruir las células saludables. Con el tiempo y las oportunidades necesarias, los radicales libres provocan todo tipo de enfermedades — incluso cardiopatías y cáncer. Afortunadamente, la naturaleza ofrece un antídoto delicioso en los arándanos azules.

Cada pequeña fruto contiene el pigmento antiocianina, que es el que le da al arándano el color azul — como un colorante comestible. Pero la antiocianina también es un potente antioxidante que persigue y destruye los radicales libres. Los científicos del Centro de Investigación para la Nutrición Humana en el Envejecimiento del ARS del USDA descubrieron una manera de medir la cantidad total de antioxidantes en los alimentos. Los arándanos azules se ubicaron entre los primeros de la lista. Hallaron que los arándanos azules son tan buenos que una porción de media taza tiene la misma cantidad de antioxidantes que cinco porciones de alimentos como las arvejas, zanahorias, manzanas, calabaza o brócoli.

"Los arándanos azules proporcionan una fuente relativamente concentrada de antioxidantes", dice el Dr. Ronald L. Prior, uno de los investigadores. "Junto con otras frutas y verduras, los arándanos azules proporcionan una manera de aumentar la ingesta de antioxidantes, lo que puede brindar beneficios para la salud a largo plazo".

Encontrará miembros de la familia de los arándanos azules en toda Europa y Asia, incluida Inglaterra, donde cultivan un primo lejano llamado mirtillo. Pero más de 40 variedades son originarias de América del Norte. Sin embargo, no los confunda con los arándanos Huckberries, que lucen similares pero tienen grandes semillas.

Seis maneras en que los arándanos azules lo mantienen sano

Ponen un freno al cáncer. El cáncer generalmente es el resultado del descontrol de los radicales libres. Pero puede poner en corto circuito a esos asesinos con poderosos antioxidantes como los que se encuentran en los arándanos azules. Estudios recientes que se llevaron a cabo en Alemania descubrieron que los alimentos ricos en antioxidantes, como la antiocianina, parecían proteger a las personas contra el cáncer. Cuantos más antioxidantes de este tipo comían las personas, menos propensas eran a desarrollar cáncer.

Combate las cardiopatías. Desde hace años, los médicos saben que los radicales libres atacan sus arterias, les dejan cicatrices y facilitan que los depósitos grasos las obstruyan. Cuanto más tiempo ocurra esto, mayores son los riesgos de sufrir cardiopatías y apoplejías. Pero también saben que ciertos antioxidantes combaten el daño que provocan los radicales libres y evitan que su sangre se vuelva demasiado viscosa.

Los investigadores alemanes descubrieron que las personas que consumían los alimentos más ricos en antioxidantes, como los arándanos azules, eran las menos propensas a morir a causa de una cardiopatía. Si en su familia hay antecedentes de cardiopatías, los arándanos azules, que ayudan a mantener sus arterias abiertas y fuertes, podrían ser una forma deliciosa de protegerse.

Estabiliza el azúcar en la sangre. Los arándanos azules son un remedio casero para los niveles elevados de azúcar en sangre, pero los científicos hace muy poco tiempo han encontrado la prueba. Estudios en animales en Italia demostraron que los arándanos azules redujeron los niveles de azúcar en sangre en aproximadamente un veintiséis por ciento. Si bien la diabetes es una enfermedad grave que requiere atención profesional, seguramente no hará daño agregar un puñado de estas bayas saludables en su cereal o incluir algunas en un batido lleno de energía. Si sufre de diabetes, hable con su médico sobre cualquier modificación en su dieta.

Evita las ITU. Los investigadores saben *que la E. coli* bacteria provoca muchas infecciones en el tracto urinario (ITU) Durante años, los médicos creyeron que los ácidos en ciertas frutas, especialmente en los arándanos, trabajaban para eliminar las ITU ahuyentando esas bacterias. Ahora saben que los arándanos azules, así como los arándanos rojos, contienen antioxidantes que modifican la estructura de las bacterias — evitan que se adhieran a las células y comiencen a multiplicarse. El secreto para sufrir menos ITU: Coma más arándanos azules.

Mantienen su mente lúcida. Estudios nuevos e interesantes llevados a cabo en la Universidad tufos en Boston sugieren que el extracto de arándanos azules pueden mejorar la memoria, la coordinación y las pruebas de velocidad. Quizá pueda revertir algunos de los síntomas del envejecimiento si agrega arándanos azules a su menú diario.

Restauran la regularidad. Los suecos han utilizado los arándanos azules durante cientos de años como una cura para la diarrea. Es posible que los arándanos azules contrarresten las bacterias que provocan la diarrea o quizá sus fibras solubles hagan que sus intestinos continúen funcionando con regularidad. Una taza de arándanos azules contiene aproximadamente quince por ciento de la ingesta diaria recomendada de fibras. Piense, podría ser capaz que olvidarse de la diarrea y de los laxantes simplemente agregando arándanos azules a su dieta.

Indicadores de despensa

Busque los arándanos azules más gordos y oscuros sin moho y utilícelos o congélelos en un plazo de cinco días. Debido a que el calor destruye algunas vitaminas en las bayas, es mejor comerlas crudas. Sin embargo, si las congela no afectará los beneficios nutricionales. No lave las bayas antes de congelarlas, ya que se pegarán. Incluya algunos arándanos azules en su próxima ensalada de frutas, en sus pasteles o crepes matutinos, o en helado, y disfrute.

Brócoli

• • • • • • • • • • •

Beneficios
Fortalece los huesos
Salva su vista
Combate el cáncer
Protege su corazón
Controla la presión arterial

En la actualidad, las personas comen 900 veces más brócoli que 25 años atrás. Quizá se deba a que esta "joya de la nutrición" es uno de los alimentos más saludables que pueda comprar. Onza por onza, el brócoli posee más del doble de vitamina C que las naranjas. También es una buena fuente de folato, vitamina A, potasio y calcio. Y este miembro de la familia de las coles contiene varios fitoquímicos que pueden ayudar a prevenir enfermedades.

Ocho maneras en que el brócoli lo mantiene sano

Fortalecen mejor los huesos. Probablemente nunca haya imaginado que el brócoli podría combatir la osteoporosis, pero contiene grandes cantidades de calcio, potasio y magnesio — nutrientes que pueden ayudar a prevenir o retardar esta enfermedad que debilita los huesos. También es uno de los alimentos lácteos que contienen grandes cantidades de calcio que su cuerpo puede absorber fácilmente. Los vegetarianos y las personas intolerantes a la lactosa pueden encontrar en el brócoli un buen alimento para sumar a su menú diario.

Conserva una vista aguda. Desea mantener el mundo que lo rodea nítido y claro durante el mayor tiempo posible. Es por eso que debería comenzar a protegerse contra las cataratas y la degeneración macular relacionada con la edad desde ahora. Una de las maneras de hacerlo es asegurarse de que el brócoli aparezca en su lista de compras. Esta crucífera cuenta con gran cantidad de luteína y zeaxantina, dos carotenoides que pueden disminuir su riesgo de desarrollar estos dos ladrones de la vista. Según las investigaciones, el brócoli y la espinaca son los mejores alimentos para lograr este propósito y cuanto más coma, mayor será la protección.

Previene el cáncer de próstata. Los tomates no son el único alimento que protege su próstata. Las crucíferas como el brócoli, el coliflor y los repollitos de Bruselas pueden inclinar las probabilidades a su favor. Consuma tres porciones de estos vegetales por semana y los estudios demuestran que podría reducir a la mitad el riesgo de sufrir cáncer de próstata.

Combate el cáncer de mama. Si usted es mujer, tiene una sola razón para agregar el brócoli a su dieta — el cáncer de mama. Investigadores de la Universidad de California en Berkeley afirman que un elemento natural del brócoli, llamado indol-3-carbinol, puede detener el crecimiento de las células que provocan el cáncer de mama. Leonard F. Bjeldanes, profesor de toxicología de la Facultad de Recursos Naturales de la UC en Berkley dice: "El indol-3-carbinol ataca el cáncer desde un ángulo diferente que otras drogas contra el cáncer, lo que lo hace un químico muy poderoso e interesante". El brócoli no es sólo un ingrediente fresco y sabroso en su menú, sino que también se ve como un verdadero alimento curativo.

Mejora la salud del corazón. Las verduras son buenas para su corazón ya que son bajas en grasa y no poseen colesterol. Pero el brócoli, en particular, es uno de los súper protectores del corazón debido a sus completas cualidades nutricionales. Es rico en folato, una vitamina B que combate el aminoácido homocisteína que daña las arterias, y también contiene grandes cantidades de químicos naturales llamados flavonoides. Estos químicos protegen su sangre y arterias contra la formación de coágulos, la oxidación y la inflamación.

Un estudio realizado a lo largo de diez años y que incluyó a más de 34.000 mujeres posmenopáusicas descubrió que quienes comían alimentos ricos en flavonoides redujeron en un tercio su riesgo de sufrir una cardiopatía mortal. Necesita comer brócoli u otros vegetales de colores brillantes varias veces por semana para obtener este beneficio curativo para el corazón.

Equilibra la presión arterial. Piense en el sodio y piense en la presión arterial alta. Piense en el brócoli y piense en potasio, calcio, vitamina C y magnesio, cuatro nutrientes aliados que ayudan a controlar la presión arterial. La famosa dieta DASH, patrocinada por el Instituto Nacional del Corazón, los Pulmones y la Sangre y los Institutos Nacionales de Salud, está diseñada para disminuir la presión arterial — y el riesgo de sufrir cardiopatías y apoplejías. La dieta recomienda comer alimentos enteros cargados de estos buenos amigos.

Reduce el riesgo de contraer cáncer. Ciertos químicos del brócoli, el repollo y la col china, llamados isotiocianatos, limitan el daño que se produce en el ADN y estimulan a su cuerpo a producir antioxidantes que combaten el cáncer. Si fuma, por supuesto que es más propenso a desarrollar cáncer de pulmón, y comer brócoli sólo marcará una pequeña diferencia. Pero si está realmente listo para lanzar un ataque contra el cáncer de pulmón, apague los cigarrillos y sírvase vegetales.

Aplasta el cáncer de colon. Los antioxidantes probablemente sean el arma natural más poderosa que usted tiene contra en cáncer. Y la luteína, un antioxidante presente en el brócoli y en otros vegetales, actúan en serio cuando se trata del cáncer de colon. Los investigadores no pueden explicar exactamente por qué, pero si come alimentos ricos en luteína, es menos probable que desarrolle cáncer de colon.

> ### Brótese de protección contra el cáncer
>
> **Los brotes frescos han recibido bastante mala prensa últimamente, pero si extraña ese crujido saludable en su sándwich preferido, pruebe los brotes de brócoli. Desarrollados por investigadores de la Facultad de Medicina de la Universidad John Hopkins, estos pequeños enemigos del cáncer están cargados con un compuesto natural que estimulan las defensas antioxidantes del cuerpo. También son una buena fuente de fibra, vitamina C y calcio. Y ahora la industria de los brotes confía en su seguridad, ya que la Administración de Drogas y Alimentos (FDA) publicó pautas estrictas con respecto a la producción de brotes.**

Indicadores de despensa

Al comprar brócoli fresco, busque los de color verde oscuro — algunas veces teñidos de violeta — y con hojas crespas. Puede mantenerlo en el refrigerador durante hasta cuatro días, pero no lo lave hasta que lo vaya a comer.

Si cocina el brócoli al vapor o en el horno microondas, conservará mayor cantidad de nutrientes. Pero también es delicioso hervido, salteado o como ingrediente de cualquier guiso.

Contusiones

· ·

Coma

Fresas	Kiwi
Naranjas	Papaya
Pimientos rojos	Espinaca
Repollo	Aguacates
Zanahorias	Aceite de
Tomates	oliva
Pepinos	

Cuando sufría una contusión en la niñez, se la consideraba una medalla de honor. Como adulto, las contusiones pueden ser feas y hasta embarazosas. Por suerte, generalmente no representan un problema grave. La mayoría se curan completamente por sí solas en el plazo de una semana, aproximadamente. Pero si sufre contusiones con frecuencia, incluso a causa de golpes de los que no se da cuenta, es posible que tenga deficiencia de vitaminas.

Nuevos descubrimientos nutricionales que combaten las contusiones

Vitamina C. Cada vez que daña su cuerpo, se pueden romper arterias, venas y pequeños capilares. La sangre se escurre debajo de su piel desde esas zonas dañadas y forma el conocido hematoma negro y azul. La vitamina C puede fortalecer sus vasos sanguíneos al ayudar en la generación de colágeno, una proteína que se encuentra en sus tejidos conectivos, incluida la piel. Incluso una deficiencia leve de vitamina C puede provocar que sufra contusiones con mayor facilidad.

Una advertencia

Si toma medicamentos con frecuencia, incluida la aspirina, es posible que sufra contusiones con mayor facilidad — quizá a causa de hemorragias internas. Consulte a su médico si sufre muchas contusiones sin un motivo aparente o si no se curan en pocos días. Su médico puede cambiar la receta o realizar algunos análisis para descartar problemas graves.

Para protegerse contra las contusiones, coma muchas frutas y verduras ricos en vitamina C — como naranjas, fresas, kiwi, papaya, pimientos rojos, brócoli y repollitos de Bruselas. Y si se deleita con estos alimentos frescos y crudos, obtendrá más de esta importante vitamina.

Vitamina K. Una contusión que parece aparecer de la nada o un corte que no deja de sangrar podría ser una señal de deficiencia de vitamina K. Encontrará esta vitamina, que ayuda en la coagulación de la sangre, en la espinaca, repollo, zanahorias, aguacates, pepinos, tomates, lácteos y aceite de oliva y de canola. Así que llene su plato, pero, nuevamente, con alimentos frescos. Calentar estos alimentos no parece afectar su cantidad de vitamina K, pero congelarlos puede destruirla.

Trigo burgol

El trigo burgol — o de cualquier manera que lo llame, es siempre el mismo y es siempre bueno. Este grano saludable y delicioso se compone de bayas y granos integrales que se han cocinado al vapor, secado y triturado. Algunas personas confunden el trigo burgol con el trigo partido, pero el trigo burgol es diferente, ya que ha sido precocido.

Beneficios

Combate el cáncer

Protege su corazón

Lucha contra la diabetes

Estimula la pérdida de peso

Ayuda a detener las apoplejías

Esta forma de trigo es popular en países del Medio Oriente, ya que es el ingrediente principal del tabule, una ensalada tradicional de trigo burgol , que también lleva perejil, pepinos, tomates, aceite de oliva y jugo de limón. También es uno de los alimentos más antiguos de los que se tienen registros — es probable que los chinos ya lo comieran en el año 2800 a.C. Tenemos suerte de que el trigo burgol aún esté entre nosotros, ya que posee un sabor saludable y a nuez, y es fácil de cocinar. No olvide lo nutritivo que es. El trigo burgol es una buena fuente de fibra insoluble, proteína, magnesio, hierro, manganeso y vitaminas B.

Cuatro maneras en que el trigo burgol lo mantiene sano

Detiene las apoplejías. Pruebe un poco de tabule o una guarnición de pilaf de trigo burgol en lugar de patatas y sumará más que variedad a su dieta. Investigaciones recientes revelan que los granos integrales, como el trigo burgol, pueden reducir su riesgo de sufrir apoplejías.

Investigadores del Hospital de Mujeres y Brighman en Boston analizaron información sobre más de 75.000 mujeres que participaron en el estudio Nurses' Health Study. Descubrieron que aquellas que comían la mayor cantidad de granos integrales redujeron su riesgo de sufrir una apoplejía isquémica — del tipo que provoca un coágulo de sangre a su cerebro — a casi la mitad. Reemplazar los granos refinados, como el arroz y el pan, los pasteles, galletas o pizza hecha con harina blanca por granos como la avena, el arroz integral, salvado, pan integral y trigo burgol puede significar una vida más larga y saludable.

Reprime el cáncer. La comunidad científica quizá no esté de acuerdo con cómo los granos integrales ponen freno al cáncer, pero nadie está discutiendo con las pruebas. Si se fijara en todas las investigaciones realizadas sobre los granos integrales y el cáncer, encontraría resultados positivos en el 95% de los estudios.

Puede ser la cantidad de fibra, antioxidantes o fitoestrógenos en los granos integrales lo que funciona. O quizá sea la manera en que los granos no procesados ayudan a regular los niveles de glucosa en su cuerpo. De cualquier manera, el trigo burgol combate los cánceres del sistema digestivo, como el de colon, y cánceres relacionados con las hormonas, como el de mama y el de próstata.

Sin embargo, recuerde que los alimentos refinados destruyen muchos de los componentes saludables. Siempre que sea posible, debe elegir granos integrales que no estén procesados.

Detiene las cardiopatías. En los países del Medio Oriente o Asia, se comen grandes cantidades de granos integrales. Pero si vive en un país occidental, probablemente esté consumiendo mucho menos que lo que recomiendan los expertos en nutrición. Debido a esto, las cardiopatías están diseminadas.

Los granos integrales, como el trigo burgol, son buenos para su corazón, ya que ayudan a controlar su peso, a disminuir su presión arterial y a reducir los niveles de colesterol malo LDL mientras mantienen estable su colesterol bueno HDL. Todo esto se produce mediante una combinación saludable de fibra, carbohidratos, ácidos grasos esenciales y vitaminas.

Todos los estudios informan que cuantos más granos integrales consuma, menor será su riesgo de desarrollar una cardiopatía. El Dr. Louis Sullivan, ex secretario del Departamento de Salud y Servicios Sociales de Estados Unidos, toma la investigación con seriedad. "El aumento del consumo de granos integrales podría tener un enorme impacto en la salud del país", dice. "Podríamos reducir las incidencias de las cardiopatías del cáncer significativamente".

Busque las etiquetas de la FDA en ciertos productos que dicen: "Las dietas ricas en alimentos con granos u otros alimentos vegetales, y bajas

---

Cocine burgol con facilidad

Si sabe cocinar arroz, preparar burgol será muy fácil. Simplemente no quite la tapa o revuelva mientras el burgol absorbe agua. Aquí le ofrecemos instrucciones para la cocción del Consejo de Alimentos de Trigo:

Para una porción (o media taza de burgol cocido), combine 3 cucharadas de burgol seco en una sartén con 1/3 de taza más una cucharada de agua. Hiérvalo, cúbralo y deje hervir a fuego lento. Déjelo descansar 5 minutos.

Para prepararlo en el microondas, mezcle 3 cucharadas de burgol, 3/4 taza de agua, 1/4 cucharadita de aceite y una pizca de sal en un recipiente para microondas de 1 y 1/2 cuarto. Cocine al máximo durante 12 minutos y gire el recipiente cada dos minutos. Déjelo descansar 5 minutos.

en grasas totales, grasas saturadas y colesterol pueden reducir el riesgo de sufrir cardiopatías y ciertos tipos de cáncer".

Combate la diabetes. El trigo burgol es una buena elección para combatir la diabetes, ya sea que quiera prevenir la enfermedad o que ya tenga diabetes y necesite buenas opciones alimenticias.

No es ningún secreto, las personas que comen alimentos con granos integrales con frecuencia son menos propensas a desarrollar diabetes. Cuanta más fibra coma, mayores serán las probabilidades — de que tres porciones diarias marquen una diferencia. Y ya que los productos de granos integrales tienden a tener un índice glicémico bajo, el trigo burgol es una buen alimento para incluir en su dieta si usted sufre de diabetes. (Consulte el capítulo sobre *Diabetes* para obtener una explicación acerca del índice glicémico.)

Indicadores de despensa

Busque cajas o bolsas de trigo burgol en su tienda habitual de alimentos o en la tienda de alimentos naturales. Viene en tres grados, grueso, medio y fino — aunque probablemente sólo encuentre el medio en su supermercado. El grueso se cocina como el arroz, el medio es delicioso como cereal para el desayuno y el fino se utiliza con mayor frecuencia en el tabule. Almacene el trigo burgol en un recipiente hermético a temperatura ambiente hasta durante un mes. Para almacenarlo más tiempo, guárdelo en el refrigerador o congelador.

Beneficios
Combate el cáncer
Previene el estreñimiento
Protege su corazón
Estimula la pérdida de peso
Ayuda a las hemorroides

Repollo

• • • • • • • • • • • • •

El repollo es un descendiente de las plantas marinas salvajes que crecen a lo largo de la costa de Inglaterra y en otras partes de Europa. Este vegetal con forma de cabeza es un alimento importante en Europa y Asia.

Los irlandeses son conocidos por la carne enlatada y el repollo, y los alemanes aportaron el chucrut. Los coreanos han preparado una comida con repollo llamada kimchi durante 3.000 años. Contiene repollo fermentado, rábanos, pimientos picantes, lechuga y ajo, y algunas personas lo comen incluso como desayuno.

La familia del repollo es parte del grupo de las *coles* y abarca varios vegetales, incluidos el brócoli y el coliflor. Las plantas se clasifican por la distribución de sus partes. Si las hojas están plegadas bien apretadas para formar una pelota, es un repollo. Las coles y berzas poseen hojas sueltas y abiertas. Las plantas que se parecen a cabezas pequeñas se llaman repollitos de Bruselas. El repollo chino, también llamado Napa, es de color verde claro o blanco y se parece mucho a la lechuga romana. La col china es un vegetal que se parece más a un apio grueso y blanco con hojas, pero es un repollo. También está el desconocido colinabo, que se parece al nabo pero, como su viejo tío Marvin, también es parte de la familia.

Las coles son alimentos súper héroes en la guerra contra el cáncer. También son buenas fuentes de fibra y vitamina C. Y con sólo 17 calorías por cada media taza de repollo cocido, no tendrá que preocuparse por la forma de su cintura.

Dos maneras en que el repollo lo ayuda a mantenerse sano

Hace pedazos el cáncer. Uno de los estudios nuevos más interesantes sobre las *coles* viene de la Universidad de Massachussets. Los investigadores pidieron a un grupo de 34 mujeres posmenopáusicas que comieran más *coles* — aproximadamente dos porciones diarias. Las mujeres debían cocinar levemente los vegetales al vapor o salteados durante el mes que duraba el estudio. Sorprendentemente, sólo por comer más de estos vegetales, las mujeres elevaron sus niveles de una enzima que puede proteger contra el cáncer de mama.

Melanie Polk, Directora de Educación Nutricional en el Instituto Americano para la Investigación del Cáncer en Washington les enseña a las personas cómo deben comer para evitar el cáncer. Dice que el repollo posee dos fitoquímicos específicos — isotiocinatos e indoles — que protegen contra el cáncer.

"Uno de esos famosos isotiocinatos se llama sulforafano y parece estimular la producción de enzimas anticancerígenas", comenta. "Esto significa que podría aumentar la capacidad natural del cuerpo de combatir el cáncer. Los indoles parecen estimular las enzimas que debilitan el estrógeno, lo que podría reducir el riesgo de desarrollar cáncer de mama".

Estudios de todo el mundo demuestran que la familia del repollo puede protegerlo contra muchos tipos de cáncer.

Investigadores coreanos descubrieron que comer gran cantidad de repollo disminuye el riesgo de sufrir de cáncer de estómago. Otros estudios demostraron que los repollitos de Bruselas pueden proteger contra el cáncer de colon. Y en un estudio en un hospital chino, los médicos hallaron que si come repollo chino con frecuencia, es menos probable que desarrolle cáncer cerebral.

Nutricionistas de Harvard estudiaron a 47.000 hombres a lo largo de 10 años y descubrieron que cuanto más repollo comían estos hombres, menos propensos eran a desarrollar cáncer de vejiga. Sin embargo, la ensalada de col (coleslaw) no parece ofrecer protección contra el cáncer de vejiga, y los investigadores desconocen el por qué.

Pero no es todo lo que la familia del repollo puede hacer contra el cáncer. Los científicos del Instituto Jiangsu de Investigación sobre el Cáncer en Japón descubrieron algo sorprendente cuando estudiaban a más de 500 hombres fumadores con y sin cáncer. Hallaron que los fumadores que comían repollo al menos tres veces por semana corrían la mitad del riesgo de desarrollar cáncer de pulmón que otros fumadores.

Ahuyenta el estreñimiento. El repollo es una fuente excelente de fibras y ayuda a generar el movimiento de su intestino para una fácil eliminación. Si agrega este vegetal crujiente a su dieta algunas veces por semana, podría ayudar a prevenir el estreñimiento y los problemas que acarrea, como hemorroides y enfermedad diverticular — pequeñas bolsas que se forman en el estómago. Algunos investigadores creen que hacer un gran esfuerzo para lograr el movimiento intestinal puede provocar venas varicosas y hernias de hiato.

Es posible que tenga dificultades para digerir el repollo si su cuerpo no está acostumbrado a las *coles*. Pero es algo normal. Simplemente agréguelas a su dieta de a poco. Polk recomienda espolvorear un poco de repollo rallado en una ensalada llena de vegetales coloridos.

"Si el repollo crudo le trae problemas," dice, "es probable que tolere mejor el repollo cocido".

Indicadores de despensa

Al comprar repollo, elija una cabeza que esté firme, no blanda ni esponjosa.

Para cocinar el repollo, corte la cabeza en cuartos y hiérvalo durante 15 minutos, o saltéelo en aceite de canola hasta que esté tierno. Combínelo con fideos al huevo cocidos para obtener un plato europeo oriental. Sazone con sal, pimienta y pimentón dulce.

Si hace ensalada de col, evite la mayonesa. El repollo es un alimento reducido en calorías pero no si lo ahoga en un aderezo grasoso. En su lugar, pruebe un aderezo bajo en calorías o una vinagreta.

Los repollitos de Bruselas deben cocinarse al vapor hasta que estén tiernos — aproximadamente 10 a 15 minutos. Pruebe saltearlos en un poco de aceite de oliva y ajo para crear una guarnición súper saludable.

Una advertencia

Se le han realizado una cirugía de cáncer de estómago o por una úlcera péptica, es posible que no esté produciendo suficiente ácido estomacal para digerir ciertos vegetales, como los repollitos de Bruselas.

Si no posee la cantidad necesaria de ácido, su estómago e intestino delgado pueden formar masas de vegetales, llamadas fitobesoares. Estas masas de alimentos no digeridos algunas veces necesitan eliminarse por medio de una cirugía.

Para estar seguro, será mejor que evite los repollitos de Bruselas si se ha sometido a una cirugía de estómago.

Coma

Ajo	Tomates
Cebollas	Brócoli
Espinaca	Hojas de
Hongos	berza
Arroz integral	Atún

Evite

Alimentos que contengan un elevado nivel de grasas saturadas, tales como las carnes rojas

Alimentos ricos en azúcar refinada, tales como las confituras

Cáncer

• • • • • • • • • • • •

Con las herramientas correctas, su cuerpo podría protegerse a sí mismo contra el cáncer. Los expertos ahora creen, más que nunca, que usted tiene el poder de vivir una vida libre de cáncer. Elija comer una dieta equilibrada, realizar ejercicios, evitar fumar y beber y estará eligiendo un estilo de vida para la prevención del cáncer.

Comience por comer principalmente alimentos de origen vegetal. Según la Sociedad Americana del Cáncer, equilibrar su dieta de esta manera podría reducir su riesgo de sufrir cáncer en un tercio. Limite las carnes, los alimentos grasos y azucarados y otros bocadillos poco nutritivos. Aumente su consumo de frutas, verduras, legumbres y panes integrales y cereal. Los nutrientes, antioxidantes y fibras en esos alimentos pueden ayudar a su cuerpo a funcionar sin complicaciones, hasta la última célula. Y eso es lo que importa, porque el cáncer comienza cuando una sola célula deja de funcionar correctamente.

Con el nuevo menú diario en orden, reduzca su riesgo aún más ejercitándose. La alimentación sana combinada con el ejercicio físico ayudará a controlar su peso. Si usted se encuentra entre un 20 y un 30% por encima del peso promedio para su edad, sexo y altura, se lo considera obeso, lo que acarrea sus propios riesgos. Las mujeres obesas son más propensas a desarrollar cáncer de mama, útero, ovario y cálculos biliares. Los hombres obesos son más propensos a sufrir cáncer de colon y próstata.

Además de controlar su dieta y sus ejercicios, si deja de fumar y beber, podría prevenir hasta un 70% de todos los tipos de cáncer. Por eso los expertos dicen que la prevención del cáncer está en sus manos.

Nuevos descubrimientos nutricionales que combaten el cáncer

Antioxidantes. Las frutas, las verduras y otros alimentos de origen vegetal son armas poderosas en la guerra contra el cáncer. Están llenos de antioxidantes, que son químicos naturales que refuerzan sus defensas anticancerígenos combatiendo los radicales libres. Debido a que los radicales libres invaden sus células y crean el cáncer, todos los antioxidantes son municiones esenciales.

Muchas frutas y verduras contienen los tres grandes — vitamina C, E y betacaroteno. Y algunas vienen armadas hasta los dientes con más antioxidantes, como los flavonoides. Estos compuestos les dan color y sabor a las plantas. Su mejor opción es llenar su plato con estas siete súper fuentes.

◆ **Crucíferas.** También conocidas como *coles,* este grupo de alimentos incluye al brócoli, coliflor, repollo, col rizada, col china, colinabo, rutabaga, nabos y repollitos de Bruselas. Son famosas por contener fitoquímicos con nombres largos, como isotiocinatos, indoles y glucosinolatos. Estas sustancias naturales parecen proteger su ADN contra las mutaciones que provoca el cáncer. Incluso pueden detener el crecimiento de los tumores. Obtendrá mayor protección contra el cáncer si come estos vegetales crudos o poco cocidos.

◆ **Cebollas y ajo.** Estos vegetales aromáticos de bulbo, llamados aliáceas, también incluyen escalonias y ciboulette. Píquelas en trocitos o tritúrelas para liberar todos sus poderes anticancerígenos, y no los cocine de más. Siga estos consejos y se beneficiará de sus flavonoides y compuestos de sulfuro, que capturan los radicales libres antes de que ellos lo atrapen a usted.

◆ **Cítricos.** Naranjas, limones, limas y pomelos — estas frutas sabrosas son un dos por uno contra el cáncer. Su pulpa y jugo están cargados de vitamina C. Este antioxidante súper héroe podría prevenir más de ocho tipos diferentes de cáncer a la vez: Cáncer de vejiga, mama, cuello del útero, colon y recto, esófago, pulmón, páncreas y estómago. Además, los cítricos poseen antioxidantes llamados monoterpenos en sus cáscaras. Pele parte de la piel externa de la fruta — la cáscara — y agréguela a bebidas o platos para obtener el beneficio de esos químicos.

◆ **Bayas.** Según el Centro de Investigación para la Nutrición Humana en el Envejecimiento del ARS del USDA, estos pequeños bocados tienen uno de los mayores efectos antioxidantes. Los químicos naturales, como la antiocianina y el ácido elágico, demuelen los contaminantes que causan el cáncer. Por lo tanto, coma fresas, arándanos azules, arándanos y otras frutas que también sean de las que también se "baya" a beneficiar.

◆ **Verduras de hojas verdes.** La mayoría de los vegetales con hojas grandes y flexibles de color verde oscuro — como la lechuga romana, berzas, hojas de remolacha y espinaca — contienen carotenoides. Estos potentes antioxidantes eliminan toxinas y radicales libres antes de que estos puedan dañar sus células. Los carotenoides son especialmente poderosos contra el cáncer de pulmón. Por lo tanto, fumadores pasivos, tomen nota — las verduras de hojas verdes, como también las zanahorias y las batatas, podrían ofrecerle la protección que necesita contra los contaminantes que inhala.

◆ **Tomates.** El licopeno es un antioxidante que caracteriza a los tomates y a otras frutas rojas. Este carotenoide parece proteger contra el cáncer de colon, estómago, pulmón, esófago, próstata y garganta. Para obtener la mayor cantidad de licopeno posible, rehogue tomates en aceite de oliva o coma pastas con salsas rojas y pizza. Comer pomelos, guayabas y sandía como bocadillos también elevará sus niveles de licopeno.

◆ **Hierbas y especias.** Utilice enemigos del cáncer en lugar de sal para sazonar sus comidas. La albahaca, el romero, la cúrcuma, el jengibre y el perejil, todos contienen flavonoides y otros compuestos que aumentan sus niveles de antioxidantes. Las hierbas frescas generalmente son más potentes contra el cáncer que las secas.

Pero esta lista no está completa. Decenas de alimentos contienen antioxidantes que combaten el cáncer. No se olvide de los polifenoles del té verde. Ni de la vitamina E del aceite de oliva. Y también están los alfa y betacarotenos de las zanahorias. Cargue su carrito de supermercado con poder antioxidante y comience a desafiar al cáncer.

Selenio. Este mineral traza también es un antioxidante, ya que protege sus células y tejidos contra la oxidación. Durante aproximadamente 30 años, los científicos creyeron que los niveles bajos de selenio aumentaban el riesgo de desarrollar cáncer. Sin embargo, el selenio es diferente de otros antioxidantes, ya que una dieta normal compuesta principalmente de alimentos no procesados proporciona los 55 microgramos diarios recomendados.

En la actualidad, el Dr. Mark A. Nelson, profesor e investigador del Centro de Cáncer de Arizona, dice: "El Ensayo de Prevención Nutricional del Cáncer (NPC, por su sigla en inglés) triplicó la ingesta y sugiere que pueden ser necesarios niveles de selenio más elevados para la prevención del cáncer". Sin embargo, hasta que los nutricionistas investiguen más, nadie puede recomendar la mejor cantidad y la más segura que debería consumir. Los expertos advierten que el selenio es un mineral tóxico, lo que implica mucho, especialmente en suplementos, no es seguro.

Por ahora, Nelson recomienda: "Coma una dieta equilibrada". Los alimentos con niveles elevados de selenio incluyen los hongos, los mariscos, el pollo y el trigo.

Folato. El folato es un ingrediente fundamental en la composición del ADN. Sin la cantidad suficiente de vitamina B, podría terminar teniendo cromosomas rotos, un factor de riesgo para el cáncer. Por lo que no es sorprendente que la deficiencia de folato parece aumentar el riesgo de desarrollar cáncer de cuello de útero, pulmón, esófago, cerebro, páncreas, mama y especialmente de colon y recto.

Consuma vegetales frescos y de hojas verdes para obtener una porción enorme de folato. Los cereales fortificados, las remolachas, la calabaza y el melón también proporcionan una cantidad saludable. Coma estos alimentos crudos o poco cocidos, ya que al calentarlos se destruye el folato. Incluso cocinarlos en el microondas hará fracasar su ingesta de folato.

Fibra. El Dr. Denis Burkitt, autor de *Eat Right — To Stay Healthy and Enjoy Life More" (Coma bien para mantenerse saludable y disfrutar más de la vida)*, dijo por primera vez hace más de 20 años que la fibra podría prevenir el cáncer colorrectal. "Cuando las dietas son ricas en fibras", dijo Burkitt, "las heces generalmente son grandes. Si los carcinógenos (las sustancias que producen en cáncer) se diluyen en una gran cantidad de heces y se eliminan del intestino relativamente rápido (como sucede con las dieras ticas en fibras) en lugar de permanecer allí durante mucho tiempo, serán menos peligrosos".

Escoja alimentos ricos en fibras solubles, el tipo que no se disuelve en agua — como el arroz integral, las frutas, las alubias, los vegetales, el salvado de trigo y los granos integrales. Esos alimentos también son ricos en nutrientes y fito-químicos, lo que los convierte en completos paquetes anti-cancerígenos.

Omega 3. Su cuerpo necesita dos ácidos grasos que no puede producir por sí mismo — linolénico u omega 3 y linoléico u omega 6. Se los denomina nutri-entes esenciales y debe obtenerlos de los alimentos. Pero debe consumir las cantidades correctas. Cuando un tipo de ácido graso supera drásticamente al otro, todo puede descontrolarse.

La mayoría de las personas obtienen cantidades más que suficientes de ácidos grasos omega 6 en una dieta típica compuesta por aceites vegetales, pero no suficiente omega 3, que se encuentra en peces de agua fría y otros alimentos. Algunos expertos creen que este desequilibrio se relaciona con los tumores cancerosos. Demasiados ácidos grasos omega 6 pueden estimular el

---

Asado 101

"Las carnes rojas, la carne de aves y, en menor medida, los mariscos asados se han relacionado con el riesgo de desarrollar cáncer de mama, estómago y colorrectal", advierte Melanie Polk, directora de Educación Nutricional en el Instituto Americano para la Investigación del Cáncer. Pero si no puede renunciar a ese bife o hamburguesa cocidos a las llamas, al menos reduzca su riesgo marinando las carnes durante, al menos, 40 minutos.

Mezcle tres ingredientes — un líquido ácido (como jugo de naranja, vino o vinagre), un saborizante (como cúrcuma o ajo) y algo para unir todo (como miel o aceite de oliva). Todos ellos contienen antioxidantes y, combinados, ayudan a prevenir los compuestos que provocan el cáncer, llamados aminas heterocíclicas (HAs), que se forman durante el asado.

Y, por cierto, el saber popular sobre las hamburguesas es incorrecto. Reduzca la llama y de vuelta las hamburguesas más de una vez. Al girarlas a cada minuto se cocinarán más rápido, se elimi-narán las bacterias de la carne y posiblemente se reduzcan las Has.

crecimiento de tumores, mientras que al consumir más ácidos grasos omega 3 podría prevenir — e incluso reducir — los tumores.

Gane la batalla entre el omega 3 y el omega 6. Todas las semanas, coma, al menos, dos porciones de salmón, atún, caballa, arenque u otros pescados cargados de omega 3. Incluya en su dieta aceite de linaza, nueces y vegetales de hojas verdes para aumentar aún más su ingesta de grasas buenas.

Igualmente importante es que consuma menos huevos, leche, granos procesados y cualquier alimento que contenga maíz o aceites de soja. Estos incluyen casi todos los alimentos fritos, las comidas rápidas y la margarina. Todos ellos son ricos en omega 6.

También reduzca la cantidad de carnes rojas que consume. Poseen muchas grasas — omega 6 y grasas saturadas. Según la Sociedad Americana del Cáncer una dieta rica en grasas aumenta su riesgo de sufrir cáncer de colon, recto, próstata y endometrio (paredes del útero).

Cantalupo

• • • • • • • • • • • • • • •

Beneficios
Salva su vista
Controla la presión arterial
Reduce el colesterol
Combate el cáncer
Ayuda al sistema inmunológico

Es muy probable que nunca haya comido cantalupo.

Seguramente cree que sí. Llevó a casa ese gran melón con la corteza gris reticulada y pulpa dulce y anaranjada. Cortó una tajada en esos días todavía calurosos de finales de verano para el desayuno o como postre. Secó el jugo de su mentón y, quizá, hasta percibió su medida de potasio, fibra, folato, betacaroteno y vitamina C.

Pero no conoce su nombre real.

Lo que usted puede llamar cantalupo es en realidad un melón reticulado. Al igual que con las calabazas y zapallos, las personas han aprovechado este miembro de la familia de los jícaros por su aroma agradable y sabor delicioso desde aproximadamente el año 2400 a.C. Pero el melón reticulado tiene otras cualidades además de oler y saber bien. También ayuda a protegerlo contra problemas de la vista, el cáncer y las cardiopatías.

Por lo tanto, no deje de comer un jugoso melón reticulado. Obtendrá un bocado de sabor y una gran cantidad de beneficios para la salud — aunque lo llame cantalupo.

Tres maneras en que el cantalupo lo mantiene sano

Lo cuida de los problemas de la vista. Los cantalupos están cargados de betacarotenos, un carotenoide que su cuerpo convierte en vitamina A. Este químico natural no sólo le da al melón su color anaranjado brillante, sino que también actúa como un antioxidante en su cuerpo, y protege a sus ojos de las cataratas y la degeneración macular. Estos dos problemas graves de la vista generalmente atacan a las personas mayores. Las cataratas provocan ceguera a aproximadamente un millón de personas en el mundo cada año y la degeneración macular relacionada con la edad (DME) es la principal causa de ceguera en personas de más de 65 años. Pero puede protegerse contra ambas si come los alimentos correctos. Échele un vistazo a la evidencia.

Los investigadores australianos a cargo del estudio Blue Mountain Eyes descubrieron que las personas que consumían al menos 3000 equivalentes de retinol (ER) de vitamina A por día redujeron a la mitad su riesgo de desarrollar cataratas nucleares — el tipo que afecta la parte central de las lentes de sus ojos. Si bien esta cantidad de vitamina A es mayor que la que el gobierno recomienda habitualmente, aún es un nivel seguro, siempre que obtenga la vitamina de alimentos enteros, no de suplementos. Coma un cantalupo pequeño y estará a mitad de camino de este objetivo que es proteger su vista.

Los antioxidantes como el betacaroteno, pueden proteger su retina contra el daño que provocan los radicales libres y hacer que los vasos sanguíneos que rodean sus ojos funcionen correctamente — factores que protegen contra la DME. Según estudios de cinco de los centros oftalmológicos más importantes, cuantos más carotenoides como el betacaroteno coma, menor será el riesgo de desarrollar esta enfermedad. La vitamina C — que abunda en el cantalupo — es un antioxidante con súper poderes. Coma un cantalupo pequeño, que contiene más de 180 miligramos de vitamina C, todos los días y podría reducir en un tercio su riesgo de desarrollar degeneración macular.

Aleja las enfermedades cardíacas. Hay seguridad en los números. Especialmente cuando se enfrenta a un número de peligros. La presión arterial alta, el colesterol y la homocisteína contribuyen a las cardiopatías. Afortunadamente, el cantalupo posee nutrientes suficientes para contrarrestar todas estas amenazas.

◆ El potasio mantiene su presión arterial bajo control, especialmente cuando controla su consumo de sal. Y los cantalupos contienen gran cantidad de potasio. Una taza de cantalupo en cubos proporciona alrededor de un cuarto de la ración diaria recomendada (RDA) de este mineral fundamental. Pero el potasio puede no estar actuando solo.

◆ Esa misma taza de cantalupo en cubos le brinda más que el 100% de la RDA de vitamina C. Esto es bueno, ya que según los investigadores de la Facultad de Medicina de la Universidad de Boston, la vitamina C trabaja para reducir la presión arterial, se asocia con un menor riesgo de sufrir cardiopatías y apoplejías y puede mejorar el flujo sanguíneo en personas con insuficiencia cardíaca crónica.

◆ El folato, miembro de la familia de la vitamina B y que se encuentra en el cantalupo, puede controlar la homocisteína, una sustancia que se conoce como desencadenante de apoplejías y cardiopatías. Si bien un solo cantalupo no le proporcionará todo el folato que necesita para marcar una diferencia en cuanto a la salud de su corazón, puede ser una parte importante y deliciosa de su menú diario.

◆ El cantalupo contiene fibra soluble, que puede reducir significativamente su colesterol. Los expertos incluso recomiendan este tipo de fibras para personas con diabetes, por sus efectos saludables para el corazón. Un cantalupo puede proporcionarle 5 de los 25 gramos de fibra que necesita diariamente.

Mantiene el cáncer a raya. Cualquier pirata digno de su parche en el ojo sabe que el mejor tesoro está siempre enterrado. Debajo de la capa exterior del cantalupono sólo encontrará una fruta sabrosa, sino también un cofre repleto de armas anticancerígenos, incluidos el folato y las fibras.

Sin embargo, la vitamina C es el cañón que actúa como antioxidante y captura los radicales libres que pueden dañar sus células. También estimula el sistema inmunológico para que pueda luchar contra la enfermedad. La vitamina C es especialmente poderosa contra el cáncer de mama, pulmón, garganta, estómago, vejiga, páncreas y colon.

Indicadores de despensa

Al comprar cantalupo, elija un melón que sea pesado para su tamaño, con un aroma dulce pero no fuerte y sin partes blandas. Si está maduro, guárdelo en el refrigerador — y asegúrese de envolverlo, ya que los cantalupos pueden absorber los olores de los alimentos cercanos. Después de todo, no quiere que su cantalupo huela a estofado de carne. Si es grande, duro y verde, consérvelo a temperatura ambiente hasta que madure.

Beneficios

Combaten el cáncer

Protegen su corazón

Salvan su vista

Previenen el estreñimiento

Estimulan la pérdida de peso

Zanahorias

• • • • • • • • • • • • • • • • • • •

Intente recordar la primera zanahoria que comió. Si usted es como la mayoría de las personas, quizá haya comido la primera zanahoria cuando era muy pequeño. Esto se debe a que las madres son muy inteligentes. Saben que los niños en crecimiento necesitan grandes cantidades de vitamina A para tener una vista saludable. Y allí es cuando las zanahorias entran en acción. Este vegetal colorido está cargado con betacaroteno, que su cuerpo convierte en vitamina A.

Las zanahorias también son importantes por muchas otras razones. Consideremos la fibra, por ejemplo. Las zanahorias contienen fibras suficientes para colocarlo en el camino hacia la regularidad y hasta incluso puedan reducir su riesgo de sufrir cardiopatías.

También están los carotenoides — betacaroteno y alfacaroteno — que podrían protegerlo contra el cáncer y las cardiopatías. Además, las zanahorias tienen pocas calorías, no tienen grasa y poseen el mayor contenido de azúcar de los vegetales, a excepción de las remolachas. Por eso son tan sabrosas.

Y por eso las personas las han comido durante miles de años. Aunque no lo crea, las primeras zanahorias eran de color violeta y amarillo. Recién el siglo diecisiete, los comerciantes holandeses tuvieron la idea de cultivar zanahorias anaranjadas. En la actualidad, millones de personas en todo el mundo comen esta variedad — excepto en lugares como India, donde consumen zanahorias rojas.

Independientemente del color de las zanahorias que coma, le hará un favor a su cuerpo.

Cinco maneras en que las zanahorias lo mantienen sano

Combate el cáncer de mama. Comer zanahorias puede reducir su riesgo de desarrollar cáncer de mama en aproximadamente un 40%, según un estudio de 13.000 mujeres que llevó a cabo el Instituto Nacional de Ciencias de la Salud Ambiental. Para las personas del estudio, lo que funcionó fue comer zanahorias cocidas como bocadillo dos veces por semana. Pero, según los expertos, cuantas más zanahorias come, más betacaroteno obtiene y mayor es la protección.

Coma espinaca cruda también todas las semanas y reducirá el riesgo de desarrollar cáncer de mama aún más.

Hacen fracasar el cáncer de pulmón. No ser fumador no es suficiente. Para protegerse contra el humo de segunda mano y de la contaminación del aire, coma algunas zanahorias. Es cierto — los médicos de la Facultad de Salud Pública de Harvard descubrieron que esta popular raíz anaranjada podría reducir su riesgo de desarrollar cáncer de pulmón si no fuma. Esta vez, las zanahorias pueden agradecerle a su otro carotenoide, el alfacaroteno, por su poder. Una zanahoria proporciona 3,5 miligramos de alfacaroteno. Y, según el estudio de Harvard, esa cantidad es más que suficiente para una dosis diaria.

Los expertos dicen que el trabajo de las zanahorias y sus carotenoides puede consistir en eliminar los radicales libres antes de que ataquen sus células y provoquen daños que podrían provocar cáncer. Cuantas más zanahorias coma, menos radicales libres tendrá. Esto podría equivaler a un menor riesgo de desarrollar cáncer.

Previenen el estreñimiento. Una zanahoria mediana puede brindarle 2 gramos instantáneos de fibra. La fibra en las zanahorias, según un estudio de Alemania, trabaja de la misma manera que los granos de cereal, ya que agrega volumen a sus heces. Esto las hace más suaves y facilita su paso, lo que se traduce en regularidad y menor esfuerzo sin tener que tomar laxantes dañinos. Para obtener los mayores beneficios de sus zanahorias, cómalas frescas o congeladas. Las zanahorias enlatadas pierden parte de su fibra en el proceso de enlatado.

Repelen las cardiopatías. Nunca es demasiado tarde para comenzar a combatir las cardiopatías, especialmente cuando tiene a las zanahorias de su lado. Según los científicos que realizaron el Estudio Escocés de Salud Cardíaca, si su consumo diario de fibras es elevado — de 25 a 40 gramos en una dieta de 2000 a 3000 calorías — podría reducir el un 30% su riesgo de sufrir una cardiopatía. La misma fibra de las zanahorias que mantienen su regularidad también podría proteger su corazón al reducir su nivel de colesterol.

Lo cuidan de las cataratas. La mayoría de las personas en los países desarrollados no tienen que preocuparse por quedar ciegos a causa de una deficiencia de vitamina A. Pero las cataratas representan una historia diferente. Si desea reducir su riesgo de sufrir cataratas, coma muchas zanahorias. La vitamina A es un poderoso antioxidante que protege sus ojos contra los radicales libres que provocan las cataratas.

Concéntrese en un arco iris de zanahorias

Para ofrecerle otra opción además de la versión anaranjada tradicional, los expertos en zanahorias del USDA desean descubrir un arco iris de zanahorias — raíces rojas, amarillas, blancas y violetas — en su tienda de alimentos. Todos los colores tendrían el mismo exquisito sabor. Pero al contener diferentes pigmentos, cada una ofrecería diferentes beneficios para la salud.

Por ejemplo, las zanahorias violetas adquieren su color de las antocianinas, que podrían diluir la sangre y reducir el riesgo de sufrir cardiopatías. Las zanahorias rojas, por otra parte, contienen el carotenoide licopeno, famoso por prevenir el cáncer de próstata y otros cánceres.

Por lo tanto, mantenga sus ojos abiertos. En poco tiempo, estas coloridas zanahorias pueden aparecer en un supermercado cerca de su casa.

Indicadores de despensa

Al comprar zanahorias, elija las de forma regular y las de color anaranjado más brillante. Evite las zanahorias con puntas negras u oscuras, grietas, partes blandas o vellosidades similares a raíces que salen de su cuerpo. Puede comprar zanahorias enteras o zanahorias "bebé" ya embolsadas. Y hay muchas probabilidades de que estarán frescas, incluso más frescas que las zanahorias que aún tienen sus puntas. Sólo asegúrese de revisar las zanahorias de la bolsa antes de comprarlas.

Conservar las zanahorias en el hogar es fácil, pero hay un truco. Cuando las coloque en el refrigerador — dentro de la bolsa en la que las compró o en otra bolsa plástica cerrada sin apretar — asegúrese de separarlas de las frutas que liberan gas etileno, como las manzanas y las peras. Este gas madura las frutas, pero hace que las zanahorias adquieran un sabor amargo.

Para obtener la mayor cantidad de nutrientes de las zanahorias, rállelas y luego saltéelas. El calor rompe las células duras y crocantes de las zanahorias, lo que libera betacaroteno y otros antioxidantes.

Una advertencia

Las investigaciones demuestran que el betacaroteno en las zanahorias puede combatir las enfermedades al rechazar los radicales libres. Y los suplementos de betacaroteno no han brindado los mismos resultados en estudios científicos.

Como dice la Dra. I-Min Lee, investigadora en el Estudio de Salud Femenina de la Universidad de Harvard: "Creo que consumir suplementos de betacaroteno es diferente de comer frutas y verduras ricas en betacarotenos y que también son ricas en otros antioxidantes". Los comprimidos de betacaroteno, señala Lee, fracasaron al intentar reducir el riesgo de desarrollar cáncer o cardiopatías.

Conclusión — manténgase fiel al betacaroteno de las frutas y verduras. Y no tome suplementos sin consultar antes con su médico.

Cataratas

• • • • • • • • • • • • • • • • • •

Coma

Zanahorias	Espinaca
Germen	Arroz integral
de trigo	Damascos
Semillas	Batatas
de girasol	Atún

Evite

Alimentos que contengan un elevado nivel de grasas saturadas, tales como las carnes rojas

Sal y alcohol en grandes cantidades

Si usted es una persona mayor, hay posibilidades de que tenga cataratas. Según la Academia Americana de Oftalmología, a los 75 años, casi todos sufren de esta afección indolora pero angustiante. Al principio, quizá no se de cuenta de los cambios en su visión, ya que las cataratas se desarrollan gradualmente con el paso de los años. Pero llegará el momento en que note que las cosas se vuelven borrosas y los colores apagados, a medida que la lente de uno o ambos ojos se nuble. Es probable que experimente visión doble y se vuelva más sensible a la luz. Con el tiempo, sus lentes se volverán de color amarillento o blanco pálido. La peor noticia: Si no trata sus cataratas, podría quedar ciego.

Por suerte, la cirugía de cataratas generalmente es exitosa. Pero, ¿quién no preferiría evitarlas en primer lugar? Proteja sus ojos de la sobreexposición al sol, no fume, limite la cantidad de alcohol que consume y asegúrese de que su dieta contenga muchos alimentos que mantengan sus "ventanas al mundo" saludables.

Nuevos descubrimientos nutricionales que combaten las cataratas

Vitamina E. Si está listo para atacar las cataratas, ármese de antioxidantes que protegen sus ojos contra los daños de los radicales libres. Y aquí hay una razón perfecta para consumir más del poderoso antioxidante vitamina E — podría reducir su riesgo de sufrir cataratas hasta un 50%. Ya que los expertos recomiendan obtener los nutrientes que necesita de alimentos enteros, coma semillas de girasol ricas en vitamina E, cocine con aceite de canola, espolvoree un poco de germen de trigo en su cereal, reemplace las harinas blancas por las integrales y coma arroz integral en lugar de blanco.

Vitamina C. Deleitará sus ojos de muchas maneras con alimentos coloridos cargados de otro antioxidante protector, la vitamina C. En el desayuno, incluya algunas sabrosas fresas rojas o beba un chispeante judo de naranja o tomate. Para el almuerzo, pique pimientos rojos y verdes y agréguelos a una ensalada. Y para la cena, disfrute de un festín verde para sus ojos con alimentos como brócoli, repollitos de Bruselas o col china.

Vitamina A. La vitamina A es un tercer antioxidante que ayuda a evitar que las cataratas nublen su visión. Se encuentra principalmente en carnes y productos lácteos, pero su cuerpo puede convertir los carotenoides, betacaroteno, luteína y zeaxantina de las plantas en vitamina A. Escoja frutas y verduras de color amarillo fuerte, como damascos, zanahorias y batatas para obtener una porción generosa de betacaroteno. El brócoli y la preferida de Popeye, la espinaca, son excelentes fuentes de luteína y zeaxantina.

Todas estas frutas y verduras también son opciones súper inteligentes por otra razón. Están cargadas de fibra, un arma más en su batalla contra las cataratas.

Vitaminas B. Los expertos dicen que sin la cantidad correcta de diferentes nutrientes, podría correr un mayor riesgo de desarrollar cataratas. El estudio Blue Mountains Eye descubrió que las personas que tenían deficiencias de proteínas, vitamina A, niacina, tiamina y riboflavina eran más propensas a contraer cataratas nucleares, la clase que afecta la parte central de sus lentes.

Llene su tazón de desayuno con cereal enriquecido y obtendrá una porción de niacina, tiamina y riboflavina. Este trío de vitaminas B es importante no sólo para sus ojos, sino también para cada célula de su cuerpo. También puede obtener los tres si agrega atún en un bagel de granos integrales y lo acompaña con un vaso de leche. Termine el día con una patata al horno para ingerir niacina y tiamina y una porción de hongos cargados de niacina y riboflavina.

Proteína. Es probable que obtenga gran cantidad de proteínas de la carne, el pescado y los productos lácteos de su dieta. Pero la deficiencia de proteínas podría representar un mayor riesgo de desarrollar cataratas nucleares. Si es vegetariano, preste mucha atención a las proteínas que consume. Las legumbres, como las alubias con forma de riñón, las arvejas de cabecita negra y los maníes son proteínas incompletas. Protegerán mejor sus ojos si las combina con granos o vegetales que contengan otras proteínas. Pruebe platos combinados como alubias y arroz o unte manteca de maní en un pan integral para obtener una mezcla saludable.

Alimentos reducidos en grasas. Aún no hay buenas noticias con respecto a las dietas reducidas en grasas. Además de otros tantos peligros, la grasa adicional en su plato puede aumentar su riesgo de desarrollar cataratas.

Escoja carnes magras, productos lácteos reducidos en grasas y evite cocinar con grasas saturadas, como la grasa de cerdo, la manteca y el aceite de coco. Si consume muchas de estas frutas, verduras y granos beneficiosos para la vista, será más fácil para sus papilas gustativas decir no a las grasas.

Condimentos. Antes de que tome el salero, escuche esto. Investigadores australianos a cargo del estudio Blue Mountains Eye examinaron la dieta y el desarrollo de las cataratas en aproximadamente 3000 personas entre 49 y 97 años de edad. Descubrieron que aquellas que ingerían mayores cantidades de sal, un promedio de 3000 miligramos (mg) diarios, eran dos veces más propensas a desarrollar cataratas que los que consumían solo 1000 mg diarios.

El mejor consejo — pruebe con hierbas en lugar de sal para condimentar sus alimentos preferidos. Deléitese con un plato hindú picante con curry y cúrcuma, y quizá también pueda beneficie a sus lentes. Esta especie contiene curcumina, otro antioxidante que, según estudios en animales, podría ayudar a prevenir las cataratas.

Una advertencia

El selenio es un mineral sobre el que probablemente no haya escuchado demasiado. Esto se debe a que gracias al suelo de Estados Unidos y Canadá, si come alimentos de origen vegetal, probablemente esté ingiriendo suficiente. Pero ya que es otro antioxidante importante, no se arriesgue. Si cocina demasiado sus vegetales, es probable que elimine este mineral. La cocción al vapor, el salteado y la cocción en microondas son todos métodos rápidos que pondrán freno a las bondades de la naturaleza.

Coliflor

• • • • • • • • • • • •

"La coliflor," dijo una vez Mark Twain, "no es más que un repollo con educación universitaria." Tiene razón en muchos aspectos. Junto con otras crucíferas — tales como los repollitos de Bruselas, el brócoli y la col — la coliflor y el repollo le dan a su dieta un poderoso aporte nutritivo. Pero, aunque el humilde repollo ha alimentado a las masas durante siglos, muchas personas creen que la coliflor es una verdura más elegante.

Con sus colores únicos y esa apariencia impecable, la coliflor se destaca entre las otras verduras comunes y corrientes de la sección de verduras y frutas del supermercado. Primero, tenemos la típica coliflor con su elegante inflorescencia de color crema. Después, tenemos los tipos de coliflor difíciles de conseguir — la variedad de color violeta que se vuelve verde cuando se cocina y el tipo que crece con forma de brócoli. Tal vez la coliflor más exótica sea la coliflor romanesca. Sus troncos de color verde lima terminan en forma de espirales con puntas, como las torres de un castillo.

Recuerde que la coliflor no es sólo un agregado interesante para su plato, sino que también está llena de vitamina C, folato, vitamina K y fibras — nutrientes que pueden protegerlo de la osteoporosis, las contusiones y las cardiopatías. Y, tal como las otras crucíferas, la coliflor enfrenta el cáncer con sus mejores armas. En más de 21 estudios, el arsenal de nutrientes de la coliflor parece proteger del cáncer de pulmón, estómago y colon.

Cuatro maneras en que la coliflor lo mantiene sano

Protege su próstata. Aunque puede parecer muy simple, comer una crucífera como la coliflor sólo tres o más veces por semana podría reducir en un colosal 41% el riesgo de contraer cáncer de próstata.

"No está claro en los estudios de control de casos de las crucíferas qué componente produce la disminución de riesgo de cáncer de próstata", dice la Dra. Jennifer Cohen, una de las investigadoras de este estudio en el Centro de Investigación del Cáncer Fred Hutchinson. Pero los expertos creen que los fitonutrientes en la coliflor, llamados glucosinolatos, son los responsables de tal disminución. Estos químicos pueden reunirse en su cuerpo para provocar la liberación de enzimas que destruyen las sustancias que producen el cáncer. Luego el cuerpo las elimina antes de que le causen daño al ADN.

Combate los tumores. Hay buenas noticias para las mujeres posmenopáusicas. Comer coliflor puede poner un freno al cáncer de mama. De acuerdo con un estudio de avanzada realizado por la Universidad de Massachusetts, los grandiosos glucosinolatos en las crucíferas, tales como la coliflor, el repollo y el brócoli, pueden ayudar a que el cuerpo utilice de manera segura el estrógeno, hormona que, de lo contrario, podría causar cáncer de mama. Un par de porciones o alrededor de media taza de coliflor por día podría brindar toda la protección que necesita.

Obtendrá los mayores beneficios para la salud si come las verduras crudas o ligeramente cocidas. Pruebe a cocinarlas al vapor o saltearlas para obtener un gran sabor.

Acaba con las contusiones. Si tiene más de 50, probablemente le puede faltar vitamina K. Esto sucede porque, a medida que uno envejece, el estómago absorbe cada vez menos vitamina K que usted necesita para espesar la sangre. Tenga en cuenta esta advertencia si tiene contusiones o sangra con facilidad.

La coliflor es una solución inteligente para este problema. Proporciona una buena dosis de vitamina K, de — entre 10 y 20 microgramos por taza. Para una mujer de 120 libras, constituye casi un tercio de su dosis diaria recomendada. Y para un hombre de 160 libras, constituye casi un cuarto.

Fortalece los huesos. Puede ser una sorpresa para usted descubrir que la coliflor puede mantener los huesos sanos. Los médicos no están seguros de la razón, pero probablemente la solución sea la combinación especial de vitaminas K y C.

La investigación demuestra que ingerir más de 100 microgramos de vitamina K por día puede disminuir el riesgo de sufrir fracturas de cadera. Puede obtener alrededor de un tercio de esa cantidad en sólo dos tazas de coliflor cocida.

La vitamina C puede frenar el avance de la osteoporosis al ayudar al cuerpo a producir colágeno, que es un componente de los huesos. Media taza de coliflor tiene alrededor del 50% de la cantidad diaria recomendada de vitamina C. Tiene más vitamina C que una taza completa de piña.

Para obtener una dosis doble de nutrición que protege los huesos, deléitese con una sopa de coliflor hecha con leche descremada. No sólo obtendrá de la coliflor los beneficios para fortalecer los huesos, sino también un poco más del calcio y la vitamina D que necesita.

Indicadores de despensa

La coliflor se puede conseguir fácilmente en su supermercado local ya que está disponible todo el año, pero debe tener cuidado para elegir bien al comprarla. Busque pellas bien cerradas y hojas verdes y frescas. Evite la coliflor con puntos marrones o inflorescencias sueltas. Cuando lleva a su hogar la compra del día, la coliflor se conservará bien en el cajón para verduras de su heladera.

Un consejo

Antes de llenar su plato con una porción de coliflor, revise su pastillero. La acción de formación de coágulos de la vitamina K podría funcionar en contra de cualquier medicamento anticoagulante que tome, como warfarina.

También evite esta verdura si sufre de gota, una forma de artritis en la que los cristales del ácido úrico se acumulan en las articulaciones y causan un dolor terrible e inflamación. La coliflor contiene purinas, sustancias que el cuerpo transforma en ácido úrico. Una manera de aliviar los síntomas dolorosos de la gota es sacar de la dieta los alimentos ricos en purinas.

Sin embargo, cocinarla puede no resultar tan fácil como comprarla. La coliflor es muy famosa por su fuerte olor, semejante al del repollo. Pero si la cocina en el microondas, la hierve o la cocina al vapor hasta que esté levemente tierna, disminuirá el olor y conservará todos esos importantes nutrientes.

Coma

Arroz	Maíz
Granos de soja	Papas
Hígado	Calabaza
Espinaca	Sardinas
Yogur	Brócoli
Naranjas	Frutos secos

Evite

Todos los alimentos que contengan gluten, como el trigo

Enfermedad celíaca

• • • • • • • • • • • •

La enfermedad celíaca, también llamada esprúe celíaca, produce la inflamación y el aplanamiento de la vellosidad en el intestino delgado. Y debido a que los nutrientes de los alimentos son absorbidos por esta vellosidad, la enfermedad por lo general provoca síntomas de desnutrición — incluso si ingiere comida saludable.

El culpable en la enfermedad celíaca es el gluten, que se encuentra en algunos de los alimentos más comunes que se comen en el mundo, como — el trigo, la cebada y la avena. Si tiene la enfermedad celíaca, no puede comer alimentos que contengan estos cereales porque dañan el intestino delgado. Y el riesgo es alto. Hasta un 15% de las personas con esta enfermedad sufren de cáncer gastrointestinal o linfoma. Sin embargo, si sigue una dieta sin gluten, por lo general puede recuperarse por completo y sus probabilidades de contraer cáncer vuelven a ser normales.

Algunos síntomas de la enfermedad celíaca son debilidad, anemia, dolor de huesos, pérdida de peso, hinchazón de estómago y diarrea o heces voluminosas que flotan. Todos estos síntomas son el resultado de no obtener los nutrientes de los alimentos que come. Además, la enfermedad celíaca generalmente produce intolerancia a la lactosa — que es la incapacidad de digerir leche. Otras afecciones que a veces aparecen con la enfermedad celíaca son la dermatitis herpetiforme (erupciones con sensación de ardor que duran semanas o meses), enfermedad hepática, diabetes juvenil, enfermedad de tiroides, lupus, artritis reumatoidea, síndrome de Sjögren (ojos y boca muy secos) y úlceras en la boca. Pero a veces la enfermedad celíaca no tiene ningún síntoma, sólo los dolorosos cambios en el intestino delgado.

La enfermedad celíaca afecta a una de cada 300 personas en Europa. Se extiende especialmente en Italia e Irlanda, pero es muy rara en África, Japón y China. Los médicos en los Estados Unidos no hacen a menudo exámenes para detectar la enfermedad celíaca y, generalmente, a las personas con esos síntomas se les dice que tienen el síndrome de intestino irritable o un trastorno nervioso.

Los niños que tienen la enfermedad celíaca sin tratar son por lo general pequeños de tamaño para su edad, pero los adultos de tamaño normal pueden desarrollarla después de un estrés serio, una infección viral o un embarazo. Los investigadores no están seguros si está presente desde el nacimiento y luego se desencadena o si se desarrolla posteriormente. Por alguna razón, los niños amamantados parecen tener algún tipo de protección contra el desarrollo de la enfermedad a una edad temprana.

En este momento, el único examen seguro para detectar la enfermedad celíaca consiste en remover una diminuta porción del intestino delgado para revisar el daño de la vellosidad. Si su médico encuentra cambios en su intestino delgado, y una dieta totalmente libre de gluten hace desaparecer los síntomas, es muy probable que tenga la enfermedad.

Si se le diagnostica la enfermedad celíaca, tendrá que seguir una dieta estricta y sin gluten durante el resto de su vida. Además de las fuentes conocidas, como panes, encontrará que el gluten está presente en todo tipo de alimentos — salsas, caldos, golosinas, y en muchas bebidas alcohólicas, como cerveza, ginebra y whisky. Pregunte en los restaurantes y lea las etiquetas en la tienda de alimentos. Si no está seguro, no lo coma.

Las personas con enfermedad celíaca a menudo tienen dificultad para absorber vitaminas solubles en grasa, tales como la A, D y K, y pueden tener deficiencia de estos y otros nutrientes. Pero una vez que elimina de su dieta todos los alimentos con gluten, el intestino delgado debe comenzar a sanar y los alimentos volverán a ser sus amigos y ya no sus enemigos. Si tiene una desnutrición seria, su médico le puede recetar suplementos.

Nuevos descubrimientos nutricionales que combaten la enfermedad celíaca

Harinas sin gluten. Tendrá que evitar por completo todos los panes y cereales que contengan trigo, cebada, avena, salvado, graham, germen de trigo, trigo de durum, kaska, trigo bulgur, trigo negro, mijo, triticale, amaranto, escanda, tef, quinoa y kamut. También se encuentran en la zona prohibida la malta y el almidón de trigo, que se utilizan a menudo para espesar salsas.

Puede reemplazarlos con panes y cereales hechos con harina de arroz, maíz, soja, papa y alubias. Busque los panes que tienen una etiqueta que dice "sin gluten" o hágalos usted mismo.

Vitamina A. Los síntomas de deficiencia de vitamina A son ceguera nocturna, inflamación de los ojos, capacidad reducida para combatir una infección, pérdida de peso, pérdida de apetito, reducción de saliva, y formación incorrecta de dientes y huesos. Puede contrarrestar estos síntomas con leche entera (si no tiene intolerancia a la lactosa — un problema para muchos celíacos), verduras amarillas y verde oscuras, naranjas e hígado.

Vitamina D. Si no ingiere suficiente vitamina D, el cuerpo no puede utilizar el calcio para fortalecer los huesos. Buenas fuentes son los pescados grasosos, como el salmón, el arenque, la sardina y sus aceites. Los huevos, la manteca y el hígado son también buenos alimentos para restaurar los niveles de la vitamina D.

El cuerpo también puede producir vitamina D con ayuda de la luz solar. Pero, a medida que uno envejece, el proceso no funciona tan bien.

Vitamina K. Esta vitamina es importante para una coagulación adecuada y la falta de vitamina K puede provocar anemia. Las verduras de hojas verdes y el hígado son buenas fuentes de esta vitamina.

Magnesio. Si tiene problemas para absorber los nutrientes, puede tener una deficiencia de magnesio, especialmente si tiene diarrea durante mucho tiempo. Si no tiene la suficiente cantidad de magnesio, pueden producirse temblores musculares, cambios de personalidad, náuseas, vómitos e incluso convulsiones. Consuma muchas nueces, legumbres, soja, mariscos y verduras de hojas verdes.

Yogur. Todo el mundo necesita calcio para tener huesos sanos. Si es intolerante a la lactosa, puede obtener calcio del yogur, que es más fácil

> ## Un consejo
>
> Tendrá que convertirse en un detective de alimentos para evitar todas las fuentes de gluten en su dieta. Por ejemplo, algunos tés de hierbas y leches en polvo no lácteas contienen gluten, así como el atún en caldos de verduras y todas proteínas vegetales hidrolizadas. Evite las verduras con crema, las pasas de uvas y los dátiles secos que están cubiertos de harina, la mayoría de las sopas en lata y las salsas. Algunos tipos de quesos, como el azul, el Roquefort y el Gorgonzola, son fuentes ocultas de gluten. Incluso la ketchup y la salsa de soja pueden contener gluten.
>
> Para poder elegir los alimentos correctos para su salud, consulte a un buen dietista y comuníquese con un grupo de apoyo para celíacos.

de digerir que la leche. Una vez que ha seguido una dieta singluten durante muchos meses, puede tolerar cada vez mejor los productos lácteos. Muchos celíacos descubren que la intolerancia a la lactosa desaparece a medida que mejoran.

Cerezas

• • • • • • • • • • • • • •

Beneficios
Alivian la artritis
Combaten el cáncer
Protegen el corazón
Terminan con el insomnio
Protegen del mal de Alzheimer
Retrasan el proceso de envejecimiento

George Washington dijo, "No puedo mentir", cuando confesó haber talado un árbol de cerezo. Como el primer presidente de nuestro país, los cerezos son bastante nobles.

Estos frutos con semilla, que vienen en la variedad dulce o ácida, tienen su origen en el año 300 a.C. y se han disfrutado durante siglos. Los colonizadores europeos trajeron los cerezos a los Estados Unidos y, en 1852, se plantó el primer huerto de cerezos cerca de Traverse City, Michigan, apodada "la capital mundial del cerezo".

Pero no es necesario viajar hasta Traverse City para disfrutar las numerosas variedades de cerezas. Algunos tipos de cerezas ácidas son geniales para pasteles, jugos y mermeladas, mientras que las dulces se pueden comer directamente del árbol. Puede incluso encontrar cerezas secas, que son similares a las pasas de uvas.

Las cerezas no sólo tienen buen gusto sino también potenciales beneficios para la salud. Con los flavonoides, la fibra, el potasio y rastros de vitaminas A y C, las cerezas tienen muchos guardianes para proteger la salud. Se las conoce por combatir la inflamación y, posiblemente, el cáncer.

Pruebe algunas cerezas y, cuando alguien le pregunte si está disfrutando un delicioso y saludable alimento, no tendrá que mentir. Puede decir fácilmente "sí".

Cuatro maneras en que las cerezas lo mantienen sano

Alivia la artritis y la gota. La vida no siempre es tan hermosa como un tazón de cerezas — pero si lo fuera, no sería tan dolorosa.

Es porque las cerezas pueden aliviar el dolor. Utilizadas durante mucho tiempo como un remedio casero para la gota, las cerezas tienen ahora el peso de la evidencia científica.

Un estudio reciente realizado por los investigadores de la Universidad Estatal de Michigan descubrió que las antocianinas, los mismos compuestos que le dan a las cerezas su color rojo, también ayudan a aplastar la inflamación. Estos compuestos detienen las enzimas que producen prostaglandinas, sustancias similares a las hormonas que causan la inflamación y el dolor. Las prostaglandinas son las culpables que agravan afecciones como los dolores de cabeza, la artritis y la gota.

Comer cerezas todos los días puede ayudar a aliviar estas afecciones, afirma el Dr. Muralee Nair, uno de los investigadores de MSU. "Si sufre dolor por artritis crónica, y la aspirina le provoca molestias estomacales, comer un tazón de cerezas puede reducir ese dolor", dice.

En efecto, las pruebas de laboratorio mostraron que 20 cerezas ácidas eran tan eficaces como otros remedios analgésicos, incluyendo la aspirina, el ibuprofeno y otros medicamentos antiinflamatorios no esteroideos. En algunos casos, son mucho mejor.

"Los compuestos de cerezas son aproximadamente 10 veces más efectivos que la aspirina", afirma Nair.

Si siente que no puede comer un tazón completo de cerezas, puede obtener el mismo beneficio con menos cerezas secas. Una cereza seca equivale a aproximadamente ocho frescas.

Elude el cáncer. Todavía está en proceso la investigación, pero las cerezas prometen ser protectoras contra el cáncer.

Las cerezas contienen una sustancia química anticancerígena llamada alcohol de Perillyl que ha demostrado inhibir tumores en roedores. También son abundantes en antioxidantes, que reducen los radicales libres que pueden causar daño celular y cáncer. Los antioxidantes de las cerezas incluyen antocianinas y quercentina, un poderoso flavonoide también presente en la manzana y la cebolla.

Estudios alemanes de grandes cantidades de frutas y verduras encontraron incluso más evidencia. En uno de los estudios, las cerezas dulces tenían la capacidad de contrarrestar dos conocidos clastógenos, sustancias que pueden dañar los cromosomas y posiblemente causar cáncer. En otro estudio, se descubrió que tanto las cerezas dulces como las agrias protegen los genes de mutaciones que pueden producir cáncer.

Aunque todavía no se probaron de manera concluyente los poderes anticancerígenos de la cereza, nunca está de más agregar a su dieta alimentos que ayudan. Por último, disfrutará una dulce explosión de bienestar con cada mordisco.

Protege su corazón. Los antioxidantes son como los invitados a una fiesta — mientras más, mejor. Si es así, las cerezas tienen una gran fiesta.

Las cerezas ofrecen 17 compuestos que se combinan para una mayor actividad de antioxidantes que en el caso de los suplementos de vitaminas C o E. Localizados en las antocianinas que le dan a las cerezas el color rojo, esos antioxidantes pueden proteger de la ateroesclerosis y la cardiopatía ya que evitan la acumulación de placas en las arterias.

Como muchas frutas, las cerezas también proporcionan fibra y potasio, los cuales son buenos soldados en la guerra contra las cardiopatías. Se ha demostrado que la fibra disminuye el colesterol y reduce el riesgo de sufrir cardiopatías y apoplejías. El potasio combate las cardiopatías al controlar la presión sanguínea para que el corazón no trabaje en exceso. También lo protege de la apoplejía.

Combate el insomnio. ¿Tiene problemas para dormir? Las cerezas pueden ser una llave a la tierra de los sueños.

El Dr. Russel Reiter del Centro de Ciencias de la Salud de la Universidad de Texas recientemente descubrió que las cerezas contienen grandes cantidades de melatonina, hormona que ayuda a dormir.

"Con seguridad, las cerezas tienen la más alta concentración de melatonina de todas las frutas que hemos estudiado", dice Reiter.

La melatonina funciona como una sustancia inductora del sueño directa o abre lo que Reiter denomina "la puerta al sueño", que lo coloca en el marco mental correcto para dormir. Comer cerezas justo antes de ir a dormir le dará el mejor de los beneficios.

Debido a que es un antioxidante, la melatonina también puede neutralizar los radicales libres que contribuyen al cáncer, al mal de Alzheimer y a los signos de envejecimiento, como las patas de gallo alrededor de los ojos.

> ### Las hamburguesas de cereza ahuyentan el cáncer
>
> La próxima vez que encienda la parrilla para preparar una comida familiar, no se olvide de las cerezas. A menos que quiera una gran contribución de cáncer para acompañar la hamburguesa y la ensalada de papas. El Dr. J. Ian Gray de la Universidad Estatal de Michigan descubrió que agregar cerezas a la carne protege de las sustancias que causan cáncer que pueden aparecer cuando está asando la carne. Es imposible detectar estas sustancias llamadas aminas heterocíclicas (HAs) a menos que se envíe la carne a un laboratorio.
>
> "Las cerezas contrarrestan la formación de HAs", dice Gray. "No entendemos por completo cómo lo hacen".

Aunque la investigación se encuentra aún en las primeras etapas, los científicos creen que usted puede obtener toda la melatonina que necesita comiendo solamente un puñado de cerezas por día. Comer cerezas puede ser especialmente importante si es mayor porque, a medida que uno envejece, el cuerpo no produce tanta melatonina propia.

Indicadores de despensa

Como en los restaurantes chinos, las cerezas vienen dulces y agrias. Cuando compra cualquiera de las dos variedades, busque frutas carnosas y de color brillante. Las cerezas dulces deben ser más firmes que las cerezas agrias. Puede comprar cerezas con o sin pedúnculo, aquellas con pedúnculo duran más tiempo, pero las cerezas sin pedúnculo son más baratas. Puede almacenar las cerezas en una bolsa de plástico en el refrigerador.

Entre las variedades de cerezas dulces encontramos Bing, Lambert, Tartaras y Royal Ann, que generalmente se utilizan para hacer cerezas al marrasquino. Entre las cerezas agrias encontramos Early Richmond, Montmorency y Morello. Un cerezo común da alrededor de 7000 cerezas ácidas, suficiente para hacer 28 pasteles.

Castañas de Indias

· · · · · · · · · · · · · · · ·

Beneficios
Estimula la pérdida de peso
Protege el corazón
Baja el colesterol
Combate el cáncer
Controla la presión arterial

Como un primo excéntrico en la reunión familiar, las castañas de Indias son un poco raras. Incluso para ser un fruto seco, la castaña de Indias está chiflada.

Primero, la castaña de Indias casi no tiene nada de grasa. La mayoría de los frutos secos, como las almendras o las nueces, contienen alrededor de un 50% de grasa. Aunque en realidad es en su mayoría monoinsaturada — la grasa "buena" — engorda. Las castañas de Indias, en cambio, generalmente tienen menos de 5% de grasa.

También tienen menos proteínas y minerales que otros frutos secos. Pero la proteína que tienen es de muy alta calidad. Si la comparamos con otros frutos secos, tienen más carbohidratos complejos y vitamina C. Alrededor de la mitad de la castaña de Indias contiene agua (por eso se ponen rancias rápidamente). Tienen menos cantidad de fibra, potasio y folato.

Los antiguos chinos ya valoraban las castañas de Indias allá por el año 1600 a.C., y fueron apreciadas en Japón y Europa durante siglos. Casi hasta principios del siglo XX, las castañas de Indias crecieron bien y fueron populares en los Estados Unidos también. Luego una plaga acabó prácticamente con las castañas de Indias en los Estados Unidos, por eso en la actualidad la mayoría de las castañas de Indias que ve son importadas.

Es fácil comprender por qué este fruto seco en particular ha sido tan popular. Debajo de su cáscara lisa y dura y la piel amarga, la castaña de Indias revela una deliciosa carne dulce con un sabor similar al del maíz. Las castañas de Indias también ayudan al corazón y al peso, e incluso combaten el cáncer.

Tres maneras en que las castañas de Indias lo mantienen sano

Controlan su peso. Si le gusta comer bocadillos — y a quién no — puede elegir masticar algunas castañas de Indias.

El control de ingesta de calorías y grasas junto con el ejercicio son estrategias claves en la lucha para bajar de peso. Debido a que las castañas de Indias tienen solamente una fracción de la grasa y de las calorías que tienen otros frutos secos, son una buena alternativa a las almendras, las nueces o a las castañas de cajú. Ni hablemos de las patatas fritas o las batatas.

No sólo come un bocadillo más nutritivo, sino también uno más sustancioso, dice el Dr. Dennis Fulbright, profesor de Botánica de la Universidad Estatal de Michigan.

"Una taza completa de castañas de Indias tiene alrededor de 300 calorías. Creo que alguien que come una taza de castañas de Indias dulces naturales y tibias se sentirá mucho mejor y más satisfecho que alguien que come una rosquilla, que tiene entre 400 y 500 calorías con mucha más grasa", explica.

Las castañas de Indias no hacen que uno adelgace como por arte de magia, pero la evidencia sugiere que pueden ser de ayuda si son parte de una dieta saludable. Fulbright destaca que es más probable que las castañas de Indias se coman en áreas donde la obesidad es menos común.

"Países como Italia, Francia, Corea, China y Japón, donde la obesidad es poco común, son lugares donde todavía se cosechan y comen las castañas de Indias", dice y agrega, "No quiere decir que hay menos obesidad porque coman castañas de Indias, pero si comen alimentos naturales como castañas de Indias, significa que tienen otros hábitos alimenticios buenos".

Lo guían para tener un corazón más sano. Debido a que la obesidad es un factor de riesgo importante para las cardiopatías, las castañas de Indias pueden ayudar al corazón al hacerlo reducir la silueta.

Pero las castañas de Indias pueden ayudar al corazón de otras maneras también. El escaso contenido de grasa en las castañas de Indias incluye grasa monoinsaturada, la cual reduce el colesterol. No sólo reduce el colesterol total sino también reduce drásticamente el colesterol LDL o "malo", que obstruye las arterias, sin perjudicar el colesterol HDL o "bueno".

La fibra también puede disminuir el colesterol, mientras que el potasio y la vitamina C ayudan a controlar la presión arterial. La presión arterial alta implica mayor riesgo de sufrir una cardiopatía porque el corazón tiene que trabajar más de lo esperado para bombear la sangre a través de su cuerpo.

El paquete completo contribuye a un corazón más sano. Los estudios demostraron que comer frutos secos disminuye el riesgo de sufrir cardiopatías.

Contribuyen a la prevención del cáncer. Las castañas de Indias no le harán temblar las piernas al cáncer, pero contienen algunos nutrientes que pueden estar relacionados con una disminución en la tasa de la tan temida enfermedad.

Se ha creído principalmente que la fibra y el folato detienen el avance del cáncer de colon, mientras que la vitamina C puede ayudar a prevenir el cáncer en muchos lugares, incluso en la vejiga, las mamas y el estómago.

Indicadores de despensa

"Las castañas de Indias tostándose en una fogata..." ¡BUM! Las castañas de Indias pueden explotar si no se les hace un corte u orificios. Es una buena manera de saber cuándo está lista una tanda de castañas de Indias tostadas — si deja una castaña sin corte ni orificio para que funcione como un cronómetro.

Por supuesto que no tiene que tostar castañas de Indias en una fogata. Las puede tostar en el horno o en el microondas, hervirlas, hacer puré o incluso comerlas crudas. Se las puede usar para preparar postres, guarniciones o platos principales, incluso muchos platos italianos tradicionales.

Puede encontrar castañas de Indias frescas desde septiembre hasta febrero. Busque frutos secos duros y almacénelos en lugares frescos y secos.

Beneficios
Ayudan en la digestión
Calman el dolor de garganta
Controlan el dolor
Combaten el cáncer
Limpian los senos nasales
Fortalecen el sistema inmunológico

Chiles

• • • • • • • • • •

Comer un tazón de chiles picantes o sumergir bocados en una salsa picante es una experiencia que no olvidará por un tiempo. La boca comienza a quemar y empieza a gotearle la nariz. Luego, cuando parece que no puede volverse más picante, uno empieza a transpirar.

Muchas personas disfrutan esta experiencia de lo picante y, si a usted le gusta el cosquilleo en la lengua, le está haciendo bien a su cuerpo — Los chiles, en cada bocado, son bastante sanos. Un pimiento completo le proporciona un 50% más de vitamina C que una naranja. Y las variedades roja, amarilla y anaranjada también son grandes fuentes de betacaroteno.

Lo que hace a todos los chiles, o a las cayenas, especialmente nutritivos es el mismo ingrediente que los hace picantes — un químico llamado capsacina. Según los expertos, mientras más picante sea el pimiento, mejor para uno, porque la sensación de ardor en la lengua significa que recibió una buena dosis de capsacina. Debido a que la capsacina puede aliviar los problemas de estómago, prevenir el cáncer, mejorar un dolor de garganta y aliviar otros dolores, tal vez deba incluir un pimiento en su próximo estofado.

Cuatro maneras en que los chiles lo mantienen sano

Mejoran la indigestión. Agregue un poco de cayena a su próxima comida y el sistema digestivo seguramente se sorprenderá y la notará. Primero, la capsacina llega a los jugos y a los músculos que se mueven en el estómago — esto acelera todo el proceso digestivo. Luego saca el aire del gas y de la hinchazón y de esa manera uno no se siente tan incómodo. Puede ser que usted no lo sepa, pero aumenta el flujo sanguíneo en el tracto digestivo, lo cual hace que el cuerpo absorba de manera más fácil los nutrientes de los alimentos. Los expertos recomiendan que le agregue sabor a su vida con los chiles y le dará un poderoso golpe a una digestión pobre.

Calma el dolor de garganta. Cuando le duele o raspa la garganta, lo último en que piensa es en comer cayena picante. Pero, en realidad, puede ser precisamente lo que deba agregar a su plato. Según un estudio reciente en Alemania, un chile pequeño puede adormecer una garganta que duele y puede ayudarlo a tragar sin dolor sólo en un par de días.

Aunque en la investigación se utilizaron gotas y comprimidos preparados comercialmente, con una comida picante en casa puede obtener los mismos resultados. No se deje llevar por el entusiasmo — pruebe una cantidad moderada de comida picante primero y solamente en casos de dolores de garganta leves. Los dolores de garganta fuertes que duran más de un par de días tienen que ser revisados por su médico.

El poder curativo de la cayena no se detiene en la garganta tampoco. Un pimiento verde o rojo contiene casi el doble de la ración diaria recomendada (RDA) de vitamina C. Estimula realmente el sistema inmunológico. Protege de resfríos y otras bacterias malas al prepararlo en una salsa fresca. Mezcle un tomate maduro, una cebolla fresca, un poco de sabroso cilantro, un poco de jugo de lima y, por último pero no menos importante, pimientos picantes.

Hace desaparecer el dolor. Si sufre de dolores crónicos, una crema de venta libre que contenga capsacina puede ser el medicamento milagroso que está buscando. En numerosos estudios, calmó desde el dolor en molestias comunes, como dolor de cuello, dolores de cabeza en racimo y psoriasis hasta en dolencias más serias, como artritis reumatoidea, neuropatía diabética, artritis ósea, culebrilla, dolor posquirúrgico, tumores de piel e incluso amputación.

Se debe aplicar la crema cuatro o cinco veces por día durante al menos cuatro semanas. De esta manera, la capsacina hace que el cuerpo se quede sin sustancia P, que es el químico que transporta los mensajes de dolor desde los nervios de la piel hasta el cerebro. Aunque todavía existe la afección dolorosa, el cerebro no lo sabrá y usted no sentirá el dolor.

Sin embargo, debe ser precavido con la crema de capsacina. Primero, le producirá quemaduras en la piel, por eso asegúrese de usar guantes cuando la aplica y manténgala lejos de los ojos. Aunque está disponible para la compra sin receta, consulte a su médico antes de usarla — especialmente si quiere tratar una afección grave.

Le hace frente al cáncer. Es una discusión sin fin — ¿los chiles protegen del cáncer de estómago o lo causan? Puede encontrar investigaciones que justifican ambas partes. Algunas dicen que la capsacina puede detener los químicos que causan el cáncer en su trayecto antes de dañar el ADN. Otros expertos creen que comer muchos chiles puede aumentar en realidad el riesgo de contraer cáncer de estómago.

La opción más segura, según Melanie Polk, Directora de Educación Nutricional en el Instituto Americano para la Investigación del Cáncer, es la moderación. "Los chiles pueden brindar protección en cantidades moderadas", dice, "pero usarlos en exceso parece aumentar el riesgo de contraer cáncer". Aunque todavía no hay recomendaciones precisas, deje que las papilas gustativas y su médico lo guíen.

Indicadores de despensa

Elegir el chile correcto puede ser la diferencia entre un plato vigoroso y un incendio grave. Por lo tanto, los principiantes deben comenzar despacio. Comience con un chile suave, como el jalapeño. Lo reconocerá porque tiene un cuerpo verde delgado y termina en punta. El serrano, un pimiento verde o rojo carnoso, es un poco más picante así que pruébelo después de algo de experiencia en su haber. Para los verdaderamente audaces, existe el habanero, un pimiento pequeño con forma de campana, que viene en color amarillo, naranja, rojo o verde. No permita que su linda apariencia lo engañe, ya que — es el más picante de los picantes.

Un consejo

La capsaicina, destacan los expertos, es un elemento muy potente. Ya sea en la crema, en un pimiento, o en polvo, hay que tener cuidado. Si no usa guantes cuando la toca, asegúrese de lavarse las manos de inmediato con agua tibia y jabón o, preferentemente, vinagre. Nunca se toque los ojos cuando hay capsaicina en el lugar.

Si sufre de úlceras o acidez crónica, los chiles pueden irritar el estómago. Incluso las personas sin estas dolencias pueden tener indigestión al comer pimientos picantes. La clave para todos — conocer los límites de uno cuando se trata de comidas condimentadas.

Si no puede tolerar aunque sea un jalapeño, no se dé por vencido. Pruebe quitándole al pimiento las semillas y la carne, donde se almacena la mayor parte de la capsacina. O póngalo en remojo en agua con sal durante una hora antes de comerlo. Si el pimiento todavía le quema la boca, coma una banana o tome leche en lugar de agua para apagar el ardor.

Dolor crónico

• • • • • • • • • • • •

Coma	
Atún	Salmón
Caballa	Hipogloso
Linaza	Agua
Cúrcuma	Nueces
Castañas	Germen
de Indias	de trigo
Aceite	Aceite de
de oliva	canola

Evite

Los alimentos que contengan ácidos grasos omega 6, como el aceite de maíz y el de soja

Se golpea violentamente los dedos con un martillo y, por un momento, el dolor es casi insoportable. Pero este dolor agudo tiene un propósito. Le dice que algo malo sucede.

Por otro lado, si sufre de una afección crónica, como artritis, fibromialgia o dolor de espalda constante, puede seguir doliendo mucho tiempo después de que se haya curado una lesión.

Afortunadamente, los avances científicos recientes ayudan a explicar el dolor — agudo y crónico — y lo que se puede hacer para solucionarlo.

Considere el ejemplo del dedo golpeado. Probablemente estuvo con temperatura, rojo e inflamado durante un momento, lo cual significa que estaba sanando. Durante el proceso de sanación, diferentes químicos salieron rápidamente desde los sistemas nerviosos e inmunológicos, enviaron mensajes de dolor al cerebro y dirigieron los procesos que recuperarían el dedo para dejarlo como nuevo. Cuando el dolor agudo termina en un día o dos, probablemente ya se olvidó de todo.

Con el sufrimiento crónico, los sistemas involucrados no se dan cuenta de que debe ponerle fin a su dolor. Supongamos que se tropieza y se cae. En el proceso, se aplasta un disco en la columna vertebral o se daña el cartílago en la rodilla. Podría sanarse con la misma facilidad que el pulgar, pero en su lugar, queda atrapado en un ciclo. El dolor estimula los químicos que causan la inflamación, lo cual hace que otros químicos causen más dolor — y así se entra en el ciclo.

"A menos que se lo interrumpa", dice el nutricionista Carl Germano, coautor del libro *Nature's Pain Killers (Calmantes de la Naturaleza)*, "este continuo circuito de respuestas entre el sistema nervioso y el inmunológico produce repetidamente inflamación y dolor. De esta manera, terminamos sufriendo dolor crónico".

Si sentir dolor se ha convertido en una forma de vida para usted, mantener una actitud mental positiva le brindará un poco de alivio. Seguir una dieta equilibrada con muchas frutas, verduras y cereales evitará que el cuerpo se debilite. También podría tomar un complemento multivitamínico diario si lo desea.

Germano destaca que algunas sustancias específicas en los alimentos que uno come pueden aumentar o disminuir el dolor y la inflamación. Pueden influir en su tolerancia al dolor también. "Hacemos que estos químicos — sean los causantes así como también los calmantes del dolor — en el cuerpo", agrega. "Por lo tanto, podemos influir en la cantidad de cada tipo de estos químicos que producimos si cambiamos lo que comemos y según los suplementos que tomamos".

Y otra cosa que puede causar dolor — son las reacciones alérgicas a los alimentos. "Tenga cuidado de las alergias a alimentos que desencadenan inflamación y dolor", dice Germano. "Sería prudente probar una dieta por eliminación para determinar los responsables de sus alergias". El trigo, el maíz, los huevos, los frutos secos, la soja, los cítricos y sus jugos, y los productos lácteos son los alimentos que muy probablemente le estén ocasionando problemas.

Nuevos descubrimientos nutricionales que combaten el dolor crónico

Omega 3. El cuerpo necesita omega 3 (ácido linolénico) y omega 6 (ácido linoleico), dos ácidos grasos esenciales. Se los denomina "esenciales" porque el cuerpo no los puede producir. Deben proporcionarse mediante los alimentos que come.

Para la mayoría de las personas es más fácil obtener omega 6 que omega 3 en sus dietas. En efecto, algunas personas comen 25 veces más omega 6 que omega 3. Pero con esa proporción de 25 a 1, sólo está pidiendo dolor. Eso se debe a que el omega 6 estimula la inflamación y el dolor, mientras que el omega 3 hace lo contrario.

"Para las personas que sufren de inflamación, la *cantidad* de ácidos grasos esenciales en la dieta puede no ser tan importante como la *proporción* entre ambos", dice Germano. Por lo general, Germano sugiere una proporción entre 4 a 1 y 10 a 1. Pero si está luchando contra la inflamación, cree que una proporción entre 2 a 1 y 4 a 1 puede ser mejor.

Lograr obtener la proporción correcta es como ajustar el agua caliente y fría cuando uno se baña. Si coloca agua muy caliente en su bañera, tendrá que apagarla y agregar un poco de agua fría para lograr la temperatura ideal.

"Llevar una dieta rica en ácidos grasos omega 3 disminuye la cantidad de ácidos grasos omega 6 que las células absorben", explica Germano. "Una ingesta a largo plazo de ácidos grasos omega 3 puede incluso disminuir su necesidad a largo plazo de medicamentos antiinflamatorios".

Entonces, ¿cómo logra llegar a una proporción que alivie la agonía? Primero, deshágase de los aceites vegetales — especialmente del aceite de girasol, de maíz, de soja y de semilla de algodón. En su lugar, use aceite de oliva o canola. No se exceda con las carnes, los huevos y la leche. Adopte el hábito de comer más pescado de agua fría, como bacalao del Atlántico, salmón del Atlántico, salmón rojo, platija, hipogloso, caballa, atún, pescado azul, arenque y perca americana. Constituye la mejor fuente de omega 3. "El pescado no sólo es alimento para el cerebro, es también alimento 'antidolor'", agrega Germano. Si no le gusta comer pescado, puede obtener un poco de omega 3 de los frutos secos, las semillas y del germen de trigo.

Cuando reduce la cantidad de carne que come, también reduce el ácido araquidónico, otra sustancia que aumenta la inflamación. El pato, las carnes magras en especial y la grasa visible en el cerdo contienen elevadas cantidades de este ácidoque produce dolor.

Triptófano. Los alimentos como el pavo y los productos lácteos contienen grandes cantidades de triptófano, un aminoácido esencial que ayuda al cerebro a producir serotonina, una barrera natural del dolor.

Pero estos alimentos ricos en proteínas también contienen una gran cantidad de otros aminoácidos. Y el triptófano tiene que competir contra los demás para llegar al cerebro. Germano lo compara con muchas personas que intentan llegar al ascensor al mismo tiempo y el "Sr. Triptófano" se encuentra al final de la fila.

Afortunadamente, se lo puede ayudar al triptófano en su lucha por llegar al interior del cerebro. Al combinar estas proteínas en cantidades moderadas con carbohidratos, como verduras, frutas y cereales, se puede ayudar a que llegue al principio de la fila. Un plato combinado — como queso y pasta — puede ayudarlo a ingresar. Luego es una cuestión de tiempo antes de que la serotonina pueda rescatarlo.

Agua. El agua en los discos de la columna vertebral soporta el 75% del peso de la parte superior del cuerpo. En efecto, el agua es un elemento importante en todos los cartílagos. Este material protector evita que los huesos se raspen entre sí causando dolor cuando uno se mueve.

Necesita al menos ocho vasos diarios de agua de 6 onzas. Las bebidas que contienen alcohol o cafeína extraen el agua del cuerpo. Las bebidas con azúcar pueden hacerlo engordar, lo cual puede aplicar presión sobre las articulaciones dolorosas.

Un consejo

Si se despierta con dolor de espalda, piénselo dos veces antes de beber una taza de café. Al menos un estudio establece una relación entre la cafeína y el dolor de espalda crónico.

Los investigadores no están absolutamente seguros de que la cafeína sea responsable porque muchos bebedores de café también fuman. Los estudios demuestran que fumar está relacionado con el dolor de espalda y además con otros tipos de dolores musculares y articulares también.

Si bebe mucho café, té o bebida cola, trate de reducir la cantidad para ver si ayuda.

Cúrcuma. Si está ávido de un alivio para el dolor en las articulaciones, siéntese a comer un plato de estofado con curry. El curcuminoides de la cúrcuma, ingrediente que le da al curry en polvo ese color amarillo, puede ser tan poderoso como los medicamentos antiinflamatorios no esteroideos (AINES) en la lucha contra la inflamación. Consulte a su médico si le interesa tomar dosis diarias en forma de suplementos.

Canela

• • • • • • • • • • •

Beneficios

Elimina bacterias

Ayuda en la digestión

Estabiliza el azúcar en la sangre

Detiene la diarrea

Combate la intoxicación con comida

Los historiadores cuentan que en la antigüedad, las personas morían por la canela — literalmente. Considerada más valiosa que el oro, la canela se usó en Egipto para conservar los cadáveres.

Esta especie aromática, muy popular por su capacidad para mejorar un pastel, tiene un nuevo papel. Evidencia reciente demuestra que la canela también puede destruir gérmenes.

La canela proviene de un árbol de hoja perenne espeso que crece en Sri Lanka, India, Indonesia, América del Sur y en las Indias Occidentales. La corteza interna de este árbol es seca y se la usa como especia, mientras que el aceite se destila y se lo usa en alimentos, licores, perfumes y medicamentos.

Tres maneras en que la canela lo mantiene sano

Mata gérmenes. La canela puede matar la *E. coli* , bacteria peligrosa que puede causar diarrea grave y síntomas semejantes a los de la gripe. *A la E. coli* le gusta ocultarse en carnes parcialmente cocidas y en alimentos no pasteurizados, como la sidra de manzana fresca.

Cuando los científicos agregaron canela al jugo de manzana infectado con una gran cantidad de *E. coli,* la canela destruyó más del 99% de las bacterias después de permanecer tres días a temperatura ambiente.

El Dr. Daniel Y.C. Fung, que supervisó la investigación del jugo de manzana, cree que la canela tiene un buen futuro en la lucha contra los gérmenes. "Si la canela puede derrotar la *E. coli* 0157:H7," agrega, "uno de los microorganismos transmitidos por los alimentos más virulento que existe en la actualidad, con seguridad tendrá efectos antibacteriales en otras bacterias comunes transmitidas por los alimentos, tal como la *Salmonella* y *la Campylobacter.*"

Estimula la digestión. Durante cientos de años, los antiguos griegos y romanos usaron la canela para tener una buena digestión. Aunque los científicos no pueden explicar cómo funciona, podría estar relacionado con la manera en que la canela aumenta la temperatura en el estómago. Sin importar cuál sea la causa, agregar un poco de canela a su comida podría ayudar a aliviar el malestar si tiene problemas de indigestión frecuentes.

Estabiliza el azúcar en la sangre. Si tiene diabetes del adulto, consulte a su médico sobre el uso de la canela en su dieta. Estudios en tubos de ensayo demostraron que una pizca de canela puede hacer que la insulina funcione mejor. Mientras los científicos se ocupan de tratar de descifrar cómo funciona la canela, usted podría cosechar los beneficios de esta antigua especia. Comience a espolvorearla sobre carnes y verduras o agréguela a bebidas con sabor a frutas. En el futuro, es probable que aparezcan más investigaciones sobre la canela y la diabetes.

Indicadores de despensa

Sea creativo. Use canela molida para condimentar más comidas aparte de su postre crujiente de manzana y su pastel de calabaza Pruebe a agregarla a zanahorias, calabazas de invierno y batatas cocidas. También puede comprar canela en rama para revolver en sidra caliente, café y jugos. Pero tenga cuidado de no consumir aceite de canela. Puede ser tóxico incluso en pequeñas cantidades.

Resfrío y gripe

• • • • • • • • •

Coma	
Sopa de pollo	Ajo
Agua	Jugo de
Guayabas	naranja
Cantalupos	Fresas
Almejas	Zanahorias
Damascos	

Evite
Productos lácteos cuando tiene un resfrío porque aumentan y espesan la mucosa

El viejo dicho, "Alimenta un resfriado y mata de hambre a la fiebre", no es siempre un buen consejo. Comer ciertos alimentos puede ser una muy buena terapia para resfríos y gripes, incluso si tiene fiebre.

En efecto, una investigación indica que la sopa de pollo — el remedio más famoso para el resfrío hecho con el amor de las madres en todo el mundo — puede ayudarlo a sentirse mejor. El líquido caliente humedece y limpia las vías nasales y alivia el dolor de garganta. Un estudio reciente descubrió que la sopa de pollo puede aliviar los síntomas de una infección del tracto respiratorio superior al reducir la inflamación.

No subestime tampoco el poder curativo emocional relacionado con la sopa de pollo. Cuando uno se siente muy mal, una taza de sopa caliente puede ser muy reconfortante.

Los remedios caseros alivian y curan

Casi todas las personas tienen un remedio casero para combatir los síntomas de resfrío y gripe. Puede oler una cebolla para destapar la nariz, tomar té con jengibre, menta o manzanilla, o hacer gárgaras con agua con sal. Aunque tal vez no haya evidencia científica que lo pruebe, algunos de estos remedios caseros pueden ayudar realmente.

Y aún hay más. Algunos alimentos estimulan el sistema inmunológico así no "cae" con una gripe o se "agarra" un resfrío en primer lugar.

Por eso, vaya y revise sus alacenas. Seguramente encontrará una variedad de alimentos que pueden acelerar la recuperación y mantenerlo sano.

Nuevos descubrimientos nutricionales que combaten el resfrío y la gripe

Ajo. El ajo no contribuye mucho al aliento, pero ayuda a prevenir que los virus de la gripe y del resfrío invadan y dañen los tejidos. Esta poderosa hierba también puede reforzar el sistema inmunológico. Si coloca un poco de ajo en la sopa de pollo, obtendrá dos combatientes naturales de las infecciones al mismo tiempo.

Agua. Para evitar la deshidratación, beba mucha agua, especialmente cuando tiene gripe o resfrío. La Dra. Mary L. Hardy, directora del Grupo Médico Integral en el Centro Médico Cedars-Sinai en Los Angeles, cree en el poder curativo del agua.

"El primer sistema de defensa en el cuerpo consiste en las membranas mucosas que recubren el tracto respiratorio superior", dice. "Y funcionan mejor cuando están húmedas. Beba mucha agua y use tratamientos con vapor para proporcionar hidratación interna y externa".

Vitamina C. Algunas personas beben más jugo de naranja en el momento en que se suenan la nariz por primera vez o les duele el cuerpo — y es probablemente una buena idea. Aunque es posible que la vitamina C no evite los resfríos, la investigación demuestra que puede acortar el periodo en que la persona sufre los síntomas del resfrío. Las guayabas, los pimientos rojos dulces, los pimientos verdes, las fresas, los pomelos, los limones, las limas y los cantalupos son buenas fuentes de vitamina C.

Zinc. Incluir suficiente cantidad de este mineral en la dieta puede contribuir a reducir el riesgo de infección causada por bacterias y virus. Las ostras son una muy buena fuente de zinc, pero si no le gustan los mariscos, también puede encontrar zinc en el pollo, en la carne de vaca, en el cordero, en el pavo, en las alubias, en la cebada y en el trigo.

Betacaroteno. Si no recibe suficiente betacaroteno en la dieta, es más probable que contraiga un resfrío o una gripe. El betacaroteno, que se convierte en vitamina A en el cuerpo, ayuda a combatir las infecciones. Para introducir abundante betacaroteno, coma frutas y verduras de colores brillantes. Dentro de las buenas fuentes de betacaroteno se encuentran las zanahorias, las calabazas, las batatas, las coles, las espinacas, los damascos, los cantalupos, los mangos y el brócoli.

Estreñimiento

· · · · · · · · · · · · · · · · · · · ·

La próxima vez que se sienta irritable e hinchado por ser irregular, no busque un laxante. El uso excesivo de laxantes podría causar estreñimiento crónico. Los otros culpables incluyen el medicamento que está tomando, el síndrome del intestino irritable o enfermedades específicas. Si usted sospecha que el estreñimiento es causado por uno de los factores anteriores, consulte a su médico.

Coma	
Ciruelas secas	Damascos
Pasas de uva	Alubias pintas
Arroz integral	Agua
Cerelaes ricos	Brócoli
en fibras	Manzanas
Pastas	Aguacates
Salvado de avena	

Evite
Alimentos con poca o nada de fibra

Afortunadamente, la solución para la mayoría de los casos de estreñimiento es tan simple como hacer más ejercicio, responder con rapidez el llamado de la naturaleza y cambiar la dieta.

Un consejo

Si no ha comido mucha fibra, vaya lentamente hasta que el cuerpo se acostumbre. Los efectos secundarios desagradables — como exceso de gases, calambres abdominales, hinchazón y diarrea — no serán un problema si agrega la fibra gradualmente.

Desafortunadamente, comer una dieta excesivamente rica en fibras puede hacer que pierda otros minerales importantes. Para reemplazar estos minerales, elija una variedad de alimentos ricos en fibras. Tomar suplementos de fibra, que no contienen otros nutrientes, podría causar una deficiencia.

Nuevos descubrimientos nutricionales que combaten el estreñimiento

Fibra. Cuando los movimientos intestinales se realizan con dificultad, preste atención a lo que está colocando en su plato. Es muy probable que esté sirviéndose grandes cantidades de alimentos procesados que tienen muy poca fibra. O tal vez está llenando el plato con carne, huevos y productos lácteos. Estos alimentos no tienen fibras.

Para obtener mejores resultados, sírvase muchas frutas y verduras frescas. Agregue abundante cantidad de alubias secas, como alubias blancas, alubias con forma de riñón o alubias pintas, e incluya granos integrales, como arroz integral y cebada. Elija pan de grano integral en lugar de pan blanco o tostadas, que tienen solamente un cuarto de fibra comparado con el tipo de grano integral. Las tostadas también tienen un "índice glicémico" elevado, lo cual significa que los carbohidratos se absorben rápidamente, y se producen picos en los niveles de azúcar en sangre que pueden producir diabetes.

Cuando está comprando alimentos, lea las etiquetas y elija los cereales con alto contenido de fibra. Por ejemplo, Fiber One de General Mills tiene 13 gramos de fibra en media taza. Kellogg's All-Bran tiene 10 gramos en el mismo tamaño de porción.

La fibra en estos alimentos funciona como un laxante natural. De la misma manera que una esponja, se hincha con agua, lo cual hace que las heces sean lo suficientemente blandas para pasar rápida y fácilmente por el sistema.

La mejor forma de obtener más fibra es comer alimentos ricos en fibra, que a su vez le brindarán muchos nutrientes. En cambio, las pastillas de fibra no tienen tantos nutrientes y pueden incluso causar pérdida de minerales importantes, como hierro y calcio.

Agua. Beba al menos ocho vasos de 6 onzas de agua y de otros líquidos todos los días. Esto hace que los alimentos se muevan a través del tracto digestivo, y ayuda a que la fibra haga las heces más blandas para una fácil eliminación. Pero tenga cuidado con tomar mucha leche. Puede provocar estreñimiento en algunas personas.

También existe otra razón para beber más agua. Si no hay suficiente líquido, toda la fibra puede producir un bloqueo intestinal.

Arándanos

· · · · · · · · · · · · · · · · · · ·

Beneficios

Atacan las infecciones del tracto urinario

Protegen el corazón

Combaten el cáncer

Protegen contra las úlceras

Eliminan bacterias

Los arándanos eran una parte importante en la dieta de los nativos americanos. Para fortalecerse en largos viajes, comían una mezcla de carne seca, grasa animal, cereales y arándanos. Los arándanos también eran usados por los primeros colonizadores de Nueva Inglaterra para preparar salsas, colorantes y medicamentos, y han sido una materia prima importante en Nueva Inglaterra desde entonces.

Esta fruta autóctona de América del Norte crece en ciénagas arenosas desde los estados de las Carolinas hasta Canadá. Generalmente, los arándanos aparecen en salsas de arándanos o en cócteles de jugo de arándanos. Pero también se los puede usar en chutney, pasteles o tartas, a menudo combinados con otra fruta para contrarrestar la acidez de los arándanos.

Afortunadamente, no hay ningún sabor amargo sobre los beneficios para la salud que brindan estas pequeñas bayas rojas. Con poderosos flavonoides, vitamina C, potasio y fibra, los arándanos pueden protegerlo de infecciones del tracto urinario, cardiopatías y cáncer. También pueden combatir úlceras y enfermedades de las encías.

Cuatro maneras en que los arándanos lo mantienen sano

Atacan las infecciones del tracto urinario. Algunas veces los remedios caseros son los mejores remedios. Es justamente lo que sucede si bebe jugo de arándanos para prevenir dolorosas infecciones del tracto urinario (ITU). Pero, a diferencia de muchos remedios caseros, éste tiene prueba científica que lo respalda.

El Dr. Jerry Avorn de la Facultad de Medicina de Harvard dirigió un estudio que demostró que el jugo de arándanos reduce el riesgo de bacteriuria, o bacterias en la orina, en mujeres mayores. Sólo el 42% de las mujeres que bebieron jugo de arándanos tenían posibilidades de contraer bacteriuria comparado con aquellas mujeres que bebieron una bebida placebo. Si tuvieron bacteriuria, solamente alrededor del 25% podían contraerla de nuevo el mes siguiente. Esto significa que el jugo de arándanos ayuda a prevenir las infecciones del tracto urinario y también ayuda en su tratamiento.

En un momento los científicos pensaron que el jugo de arándanos hacía que la orina fuera tan ácida que las bacterias no podían vivir, pero resultó ser que había otro proceso diferente. Los flavonoides en el arándano protegen el tracto urinario de intrusos no deseados.

"Estos compuestos en el cuerpo evitan que las bacterias se adhieran a las células que recubren el tracto urinario. Si las bacterias no pueden permanecer dentro del cuerpo o adherirse al mismo, no pueden establecer colonias en el tracto urinario y no contraerá una infección", dice el Dr. Ted Wilson, profesor de la Universidad de Wisconsin - La Crosse.

Estos flavonoides antiadherentes pueden ser útiles en especial para mujeres mayores, porque muchas mujeres mayores de 65 años de edad pueden contraer una infección del tracto urinario al menos una vez al año.

"En esta zona, en la región central, hay algunas hogares de ancianos que les dan a las personas jugo de arándanos todos los días para ayudar a prevenir las ITU", comenta Wilson.

Basta un solo vaso de jugo de arándanos por día para mantener lejos las bacterias que causan la infección.

Protege el corazón. Probablemente escuchó que beber vino tinto o jugo de uvas es bueno para el corazón. Pero ¿sabía que el jugo de arándanos puede ser incluso mejor?

Wilson descubrió que el jugo de arándanos evita que el colesterol de lipoproteína de baja densidad (LDL), también llamado colesterol "malo", se oxide.

"El colesterol LDL transporta colesterol a la pared arterial", explica Wilson. "Y cuando el LDL se oxida, el LDL se transporta a la pared arterial muchísimo más rápido. Una vez que se oxida, se lo recoge y se forma una placa. Y esas placas son las que obstruyen el flujo sanguíneo al corazón y al cerebro".

Cuando detiene la oxidación del LDL, hace que el proceso sea más lento. Esto le da menos posibilidades al colesterol LDL de adherirse a las arterias y de obstruirlas. Una vez más, los flavonoides del arándano terminan siendo los héroes.

"Los flavonoides en el jugo de arándanos son buenos en particular porque proporcionan antioxidantes y abren o dilatan los vasos sanguíneos", dice Wilson. También supone que, debido a esto, el jugo de arándanos puede evitar la coagulación arterial.

Además, los flavonoides son sólo el comienzo. Los arándanos también son ricos en fibra, lo cual disminuye el colesterol y ayuda a reducir el riesgo de sufrir cardiopatías y apoplejías.

No hay que olvidarse del potasio, que controla la presión arterial, y de la vitamina C, el poderoso antioxidante que combate la ateroesclerosis, la presión arterial alta y la apoplejía.

Entonces, ¿es efectivo el jugo de arándanos cuando se trata de proteger el corazón?

"Si lo comparamos con el vino tinto o el jugo de uvas, es muy equiparable o mejor", responde Wilson. La mejor parte es — que funciona sólo con un vaso por día.

Combate el cáncer. Los arándanos pueden darle una mano en su lucha contra el cáncer. Al menos eso es lo que demuestran dos estudios.

Un estudio en Canadá sugiere que el jugo de arándanos podría prevenir o tratar el cáncer de mama. Un estudio en la Universidad de Illinois indica que los arándanos poseen ciertos compuestos con facultades anticancerígenas.

La vitamina C, presente en los arándanos, también guarda relación con la disminución en el riesgo de contraer ciertos tipos de cáncer, incluyendo cáncer de vejiga, mama, colon, garganta, pulmón y estómago.

Detiene úlceras. Los arándanos también pueden prevenir úlceras. Según Wilson, las úlceras a menudo se producen por una infección bacterial en el recubrimiento del estómago y no por acidez. Si los flavonoides pueden detener las bacterias que se adhieren al recubrimiento del estómago, pueden evitar que se formen las úlceras.

Indicadores de despensa

Los cócteles de jugo de arándanos pueden ser muy diferentes en lo que respecta a la cantidad de jugo de arándanos natural. Algunos tienen un 27% mientras que otros sólo un 5 a 10%. El resto es en su mayoría agua y azúcar para contrarrestar la acidez. Para obtener los mejores beneficios para la salud, busque aquellos productos con la mayor cantidad de jugo de arándanos y la menor cantidad de azúcar posible.

Los arándanos frescos generalmente aparecen en las tiendas de octubre a diciembre y se venden en bolsas de plástico de 12 onzas. Puede guardarlos en el refrigerador durante dos meses y congelarlos durante un año. También puede comprar salsa de arándanos en lata o arándanos secos, que se pueden usar como las pasas de uva.

La diminuta baya combate las bacterias

Los mismos compuestos de arándanos que evitan que las bacterias se adhieran al recubrimiento del tracto urinario pueden proteger las encías.

Un estudio israelita descubrió que un elemento en los arándanos evita que diferentes tipos de bacterias se acumulen y formen la placa en la boca. Esto significa que los arándanos pueden ser una manera natural de combatir las enfermedades de las encías.

Desafortunadamente, los investigadores dicen que la mayoría de los cócteles de jugo de arándanos en el comercio tienen demasiada azúcar para tener un papel práctico en la lucha contra las placas.

Pero no se dan por vencidos. Continuarán estudiando los arándanos para ver si se los puede utilizar para elaborar productos para el cuidado dental.

Grosellas

· · · · · · · · · · · · · · ·

¿Cuál es la verdadera grosella? Se le da ese nombre a más de una fruta. Tenemos la grosella roja, la blanca o la negra que crecen en arbustos y la pequeña pasa de Zante seca y sin semilla, similar a una pasa de uva. Sin importar el tipo de grosella que elija, seguramente cosechará los beneficios para la salud.

Si elige la pasa de Zante, que se denominó "grosella" o "currant" en inglés porque proviene de Corinto, Grecia, usted recibe un cargamento de fibra. Una taza de estas frutas secas le brinda 9 gramos.

Las grosellas rojas y blancas son de la misma variedad pero en diferentes colores. Una taza de estas bayas dulces proporciona casi 5 gramos de fibra.

Pero la grosella más sana de todas podría ser la grosella negra, que tiene mucha vitamina C. También es una buena fuente de potasio y de ácido elágico, sustancia que combate el cáncer.

Pruebe cualquiera de estas grosellas y verá que su salud mejorará.

Tres maneras en que las grosellas lo mantienen sano

Lucha contra el cáncer. Si come grosellas, no tiene que preocuparse por ingerir suficiente vitamina C. Media taza de grosellas negras contiene más de 100 miligramos (mg) de vitamina C — mucho más que la ración diaria recomendada (RDA). Eso significa un buen impulso en su lucha contra el cáncer.

La vitamina C devora los radicales libres que pueden dañar las células y producir cáncer. También estimula el sistema inmunológico para que el cuerpo pueda luchar contra la enfermedad. Algunos estudios han establecido una relación entre la vitamina C y la disminución en el riesgo de contraer cáncer en numerosos lugares, incluyendo la vejiga, las mamas, el colon, la garganta, los pulmones, la próstata y el estómago.

Pero la vitamina C no es la única sustancia que puede protegerlo del cáncer. Las grosellas negras también contienen ácido elágico. Este polifenol ha demostrado detener el cáncer en el pulmón, en el hígado, en la piel y en el esófago de animales de laboratorio.

Además, el contenido rico en fibras de la pasa de Zante la convierte en una valiosa oponente del cáncer. Según algunas investigaciones, la fibra está muy relacionada con la lucha del cáncer de colon. Muchos expertos de la salud recomiendan comer más frutas y verduras para evitar esta terrible enfermedad.

Obstaculiza las cardiopatías. Las frutas secas representan una fuente más concentrada de nutrientes. Eso significa que las pasas de Zante representan un ataque concentrado contra las cardiopatías.

Por ejemplo, una taza de estas grosellas secas tiene aproximadamente tres veces más potasio que una banana. El potasio, especialmente junto con una baja ingesta de sodio, ayuda a mantener controlada la presión arterial. También reduce las posibilidades de sufrir una apoplejía. Sume toda esa fibra, que baja el colesterol y reduce el riesgo de cardiopatías y apoplejías, y tendrá un diminuto pero potente ayudante para el corazón.

Los otros tipos de grosellas no son ningunos holgazanes cuando se trata de proteger el corazón. Las semillas de las grosellas negras contienen una forma del ácido graso esencial omega 6, llamado ácido gama linolénico, que combate la presión arterial alta, la coagulación y la apoplejía. La vitamina C también puede bajar la presión arterial y el riesgo de sufrir una apoplejía.

Fortalecen el sistema inmunológico. Los escandinavos a veces beben jugo de grosellas rojas o negras caliente como tratamiento para los resfríos y las gripes. Puede ser que sepan algo.

Con tanta vitamina C, las grosellas ofrecen mucha protección. Los expertos dicen que no hay suficiente evidencia para concluir que la vitamina C previene los resfríos, pero acorta el tiempo durante el cual uno está enfermo. También lo puede ayudar a recuperarse de problemas respiratorios más graves, como la neumonía y la bronquitis. Sólo 200 mg por día — alrededor de la cantidad de una taza de grosellas negras — bastaba para mostrar alguna mejora. Esto es porque esta potente vitamina antioxidante ayuda a estimular las defensas naturales del cuerpo.

Para ser más específicos, el aceite de las semillas de la grosella negra — que tiene ácidos gama linolénicos y alfa linolénicos — ha demostrado ayudar al sistema inmunológico de las personas mayores al reducir la producción de las prostaglandinas inflamatorias. Estas prostaglandinas generalmente aumentan a medida que uno envejece, y hacen que el sistema inmunológico falle. En cambio, las grosellas pueden ayudar a reconstruirlo.

Indicadores de despensa

Puede ser difícil conseguir grosellas frescas. Su temporada dura solamente desde junio a agosto y en algunos estados todavía tienen una prohibición de cultivar grosellas debido a un hongo que apareció a principios del siglo XX.

Diferentes grosellas para diferentes usos. Las grosellas negras se usan para preparar conservas y licores mientras que las rojas y blancas más dulces se pueden comer directamente. Pruebe a hornear usando las pasas de Zante o cómalas como bocadillos, como las pasas de uvas. Puede espolvorearlas con azúcar y comerlas del tazón, o usarlas en mermeladas, jaleas y salsas. Las grosellas se mantienen frescas en el refrigerador durante cuatro días.

Depresión

. . . .

"Es difícil explicar lo depresiva que puede llegar a estar una persona", dice Lawrence Black. Hace más de 10 años, Black, habitante de Pennsylvania, comenzó a sufrir de depresión. La enfermedad apareció gradualmente con el tiempo, y Black trató al principio de

Coma	
Batatas	Espinacas
Pan de trigo	Pollo
integral	Hongos
Atún	Salmón
Linaza	Caballa
Nueces	

Evite
Los alimentos que contengan ácidos grasos omega 6, como el aceite de maíz y el de soja

lidiar con ella solo. Pero una noche, se despertó y se dio cuenta de que no mejoraba. "Ya no lo podía soportar más", explica. "Era como si golpeara una pared".

Black no se encuentra solo. Todos los días la depresión y otras enfermedades mentales oscurecen la vida de más de 340 millones de personas en el mundo. La depresión trae consigo sentimientos de tristeza, pesimismo, cansancio y falta de valor que duran dos semanas, dos meses o toda una vida.

Las actividades de todos los días que una vez disfrutó y hacía con facilidad se hacen imposibles y tristes. "Se cae tan bajo que uno busca una salida", dice Black. En el caso de Black, su escape era dormir y estar solo. En otros casos, puede ser no dormir nunca, comer en exceso, tomar alcohol en exceso o incluso suicidarse.

Los expertos no están seguros de cuál es exactamente la raíz de esta trágica enfermedad mental. Problemas con la química del cerebro, la genética, los cambios estacionales, un ataque reciente de una enfermedad seria, una situación de vida estresante, como un divorcio o un embarazo — todos pueden causar depresión por sí mismos o en combinación. Para Black, fue la muerte de su padre y la enfermedad de su amigo y socio comercial. "Fueron los dos eventos principales que me produjeron la depresión", cree.

Cualquiera sea la causa de la profunda tristeza, uno no puede "reaccionar" simplemente — así como un diabético no puede hacer magia y mejorar. Si está deprimido, necesita ayuda. Sin ella, la depresión grave continuará hasta producir daño psicológico e incluso físico.

Black recurrió a su esposa para que le brinde apoyo. Juntos consultaron a un psiquiatra. Al principio fue un duro camino hacia la recuperación. Pero después de probar tres medicamentos, junto con su médico encontraron uno que funcionaba. "Me hace sentir", dice, "como me sentía en el — pasado".

Usted puede aprender una lección de la historia de Black — busque ayuda. Puede funcionar si se encuentra muy deprimido o incluso si sólo tiene la "depre" habitual. Hable con su cónyuge o con otros seres queridos, únase a un grupo de apoyo, medite, comience un pasatiempo, rece, haga ejercicio — todas estas actividades pueden ayudarlo a sentirse mejor.

Los expertos creen que, sorprendentemente, comer los alimentos y los nutrientes correctos puede levantar el espíritu y mejorar el día también.

Nuevos descubrimientos nutricionales que combaten la depresión

Vitaminas B. Crease o no, una batata o una ensalada de espinacas puede ayudar a terminar con la depresión. Ambos son ricos en folato y en vitamina B6 o piridoxina. La deficiencia de estas dos vitaminas B, creen los expertos, puede realmente producir los síntomas de la depresión. La vitamina B6 mantiene en equilibrio los neurotransmisores del cerebro. Estos químicos determinan que uno se sienta deprimido, ansioso o esté estable.

Los expertos no están seguros de la razón por la cual el folato combate la "depre". Pero sí saben que los niveles bajos de folato en el cuerpo pueden agravar la depresión, y los niveles altos de folato pueden ayudar a derrotarla. Puede encontrar folato en la mayoría de las frutas y verduras, especialmente en la espinaca, los espárragos y los aguacates.

Coma pollo, hígado y otras carnes para brindarle al cerebro vitamina B6. Las fuentes vegetales de la vitamina incluyen las alubias blancas, las batatas, la espinaca y las bananas.

La depresión también puede ser una señal de deficiencia de tiamina, también conocida como vitamina B1. Consuma panes de trigo integral, carnes, alubias negras y sandía para aumentar los niveles de tiamina. Estos alimentos lo pueden ayudar a sentirse más lúcido y con energías.

Hierro. Combatir la depresión puede ser tan fácil como comer alimentos ricos en hierro si tiene anemia ferropénica. Más de dos mil millones de personas sufren de esta afección e incluso más personas viven con una deficiencia de hierro menos seria. Un estado de ánimo amargado es uno de los principales síntomas de la falta de hierro. Otros síntomas incluyen piel pálida, pereza y problemas de concentración.

La anemia ferropénica a menudo ataca a las mujeres premenopáusicas, a las personas que regularmente toman medicamentos antiinflamatorios no esteroideos (AINES) y a otras personas con riesgo de pérdida de sangre crónica. Es bueno que consulte a su médico si cree que está anémico.

Para obtener más hierro en su dieta, pruebe carne para empezar. Cuanto más oscuro el corte, más hierro tiene. Si es vegetariano, consuma legumbres, cereales fortificados, quinoa, coles y otras verduras de hoja verde. Es una buena idea condimentar estos alimentos con una fuente rica en vitamina C, como el jugo de limón. La vitamina C ayudará al cuerpo a absorber el hierro.

Selenio. Probablemente escuchó que el selenio combate el cáncer, pero tal vez no sabe que el mineral hace desaparecer el mal humor también. Las personas que no comen suficientes alimentos ricos en selenio tienden ser más malhumoradas que aquellas personas con un ingesta alimenticia alta, según investigaciones recientes. Coma algunos alimentos ricos en selenio — como mariscos, aves, hongos, vegetales de mar y trigo — y sienta los efectos usted mismo.

Carbohidratos. Si lo ataca el estrés, una dieta rica en carbohidratos puede ser justo lo que el médico le ordene seguir. Un reciente estudio europeo sugiere que comer mayormente carbohidratos durante el día puede hacer que las situaciones estresantes sean más soportables para algunas personas. Los científicos recomendaron una dieta rica en carbohidratos y baja en proteínas o al revés. Luego los médicos pusieron a los sujetos a resolver un problema matemático difícil. La dieta rica en carbohidratos ayudó a disminuir el estrés y la depresión en algunos sujetos.

Parece ser que la dieta con carbohidratos aumenta el nivel del triptófano en el cerebro. El triptófano es un aminoácido que el cuerpo necesita para elaborar la serotonina, el neurotransmisor "feliz".

Es importante recordar que no todos los carbohidratos son iguales. Desde el punto de vista nutricional, los carbohidratos de las frutas, verduras y de los granos y cereales integrales son los mejores. Lo protegerán del estrés y aumentarán los niveles de vitaminas, minerales y fibra.

Ácidos grasos omega 3. No se ofenda si alguien le dice "tenés la cabeza llena de grasa". No está solo. A Albert Einstein, Thomas Edison, Sir Isaac Newton y Confucio también los podrían haber dicho que "tenían la cabeza llena de grasa". Es porque la grasa constituye alrededor del 60% del cerebro humano. Pero puede elegir qué tipo de grasa quiere tener. Puede hacer que el cerebro funcione sin problemas con los tipos de grasas correctos o puede dificultarlo todo con demasiada cantidad del tipo equivocado. Todo depende de lo que coma.

¿Le huele mal esto? En realidad, sí huele mal. Las grasas esenciales encontradas en los mariscos, llamadas ácidos grasos omega 3, cumplen un papel importante en el funcionamiento del cerebro. Incluso podrían estimular el estado de ánimo. Los necesita, pero no puede fabricarlos usted mismo. "Los ácidos grasos esenciales sólo aparecen mediante la dieta", aclara el Dr. William Lands de los Institutos Nacionales de Salud.

Eso significa que la próxima vez que esté deprimido, disfrute de mariscos en su cena. Nueva evidencia médica sugiere que los ácidos grasos omega 3 presentes en el pescado — llamados ácido docosahexaenoico (DHA) y ácido eicosapentaenoico (EPA) — pueden ayudar a ahuyentar la depresión.

El Dr. Andrew Stoll, psiquiatra de Hardvard, descubrió que las cápsulas de aceite de pescado ayudan a las personas con trastornos bipolares, o episodios maníacos, que atraviesan periodos de extrema exaltación o extrema depresión. Agrega que "La sorprendente diferencia en las tasas de reincidencia y respuesta parecen ser altamente significativas desde el punto de vista clínico". Stoll sugiere que el ácido graso omega 3 en el aceite de pescado puede hacer funcionar más lentamente las neuronas en el cerebro, parecido al efecto del Litio, que es usado en el tratamiento de episodios maníacos.

Otro grupo de investigación en Inglaterra observó que las personas depresivas tenían menos ácidos grasos omega 3 en los glóbulos rojos que las personas sanas. Mientras más grave era la depresión, menos omega 3 tenían.

Existe evidencia de que el EPA puede ayudar en el tratamiento de personas con esquizofrenia, enfermedad mental grave que causa delirios, alucinaciones y comportamiento desorganizado.

Algunos expertos creen que el pescado combate la depresión porque a los neurotransmisores, mensajeros del cerebro que llevan los mensajes de una célula a otra, les es más fácil avanzar a través de las membranas grasas formadas por omega 3 líquido que a través de cualquier otro tipo de grasa. Esto significa que los importantes mensajes del cerebro se entregan.

El pescado también influye en los niveles de serotonina, uno de los mensajeros de buenas noticias del cerebro. Si no tiene suficiente serotonina, es muy probable que esté deprimido, violento y con tendencia suicida. Si tiene niveles bajos de DHA, también tiene niveles bajos de serotonina. Más DHA implica más serotonina.

La mayoría de los antidepresivos, incluyendo el Prozac, aumentan los niveles de serotonina en el cerebro. Puede hacer lo mismo con sólo comer pescado. En otras palabras, las branquias pueden ser tan buenas como las pastillas.

Ya sea que esté deprimido o no, agregue más omega 3 a su dieta y tal vez reduzca la cantidad de omega 6, otro tipo de ácido graso esencial presente en los aceites vegetales, en las carnes, en la leche y en los huevos.

En la actualidad, el típico estadounidense consume al menos 10 veces más omega 6 que omega 3, o una proporción de 10 a 1. Algunas dietas llevan esa proporción hasta 25 a 1 o incluso a valores superiores. Al comer menos frutas, verduras y pescado y más cereales, carne de animales de granja y alimentos procesados, la proporción de omega 6 y omega 3 termina desequilibrada.

Esto no quiere decir que el omega 6 sea malo, pero en grandes cantidades puede causar señales de exceso en el cerebro. Afortunadamente, el omega 3 puede ayudar a detener las travesuras alocadas del omega 6 y hacer que todo vuelva a la normalidad.

Entonces, para restaurar el equilibrio entre el omega 6 y el omega 3, el primer paso obvio es comer más pescado. Los pescados grasos, como el salmón, el arenque, la caballa y el atún, proporcionan la mayor parte del omega 3, pero todos los mariscos contienen al menos un poco. Propóngase comer al menos dos comidas con pescado graso por semana.

Si usted resulta ser un marinero de agua dulce absoluto que no soporta el pescado, obtenga un poco de omega 3 de linazas, nueces y hojas de berza, de nabos y de mostaza. Otras buenas fuentes son las verduras de hoja verde oscura, como la espinaca, la rúcula, la col, la acelga suiza y ciertos tipos de lechuga.

Sin embargo, recuerde que el omega 3 en estos alimentos se encuentra en la forma de ácido alfa linolénico, el cual el cerebro puede convertir en DHA solamente en pequeñas cantidades. Para obtener aquellos elementos buenos que el cerebro prefiere — el DHA y el EPA preformados — necesita comer pescado.

Puede tomar suplementos de aceite de pescado, que se encuentran disponibles en tiendas de alimentos naturales, farmacias y supermercados. Sólo una advertencia — si está tomando anticoagulantes, consulte a su médico antes de tomar los suplementos ya que el omega 3 también tiene efectos anticoagulantes.

También es importante para el equilibrio de los ácidos grasos no comer ciertos alimentos, principalmente los aceites de soja y de maíz, porque ambos contienen demasiada cantidad de omega 6 y muy poco omega 3. Elimine los alimentos fritos con mucho aceite y las margarinas y los aderezos para ensaladas que contienen aceite de maíz o de soja. El aceite de canola, que tiene una proporción de omega 6 y omega 3 más favorable de 2 a 1, o el aceite de oliva, un aceite monoinsaturado con la menor cantidad de omega 6, pueden hacer maravillas con el equilibrio de ácidos grasos esenciales.

Todo se reduce a que — el tipo de grasa que uno consume determina la manera en que funciona el cerebro. Además, el alimento determina su estado de ánimo. Con sólo ingerir más omega 3 y menos omega 6 en su dieta, puede hacer que el cerebro y el ánimo funcionen a toda velocidad. Y eso no es una historia increíble.

Diabetes

• • • • • • • • • • • • • •

Coma	
Cerelaes ricos en fibras	Harina de avena
	Higos
Pasas de uva	Alubias
Vinagre	Maicena
Hígado	Mantequilla de maní
Atún	
Naranjas	Pomelos
Evite	
Alimentos ricos en glucosa, como las golosinas y los granos refinados	

La dieta ha cambiado mucho en los últimos 100 años. En lugar de comer cereales y verduras de la granja del viejo McDonald, es más probable que pase por un McDonald's para comprar una comida rica en grasas y reducida en fibras con demasiadas calorías. Tiene muchas más opciones para elegir que sus ancestros, pero muchas de esas opciones no son sanas. La típica dieta en la actualidad lo hará subir de peso, pero la falta de carbohidratos ricos en fibras puede hacerle sentir hambre muy pronto después de comer. Lo peor de todo es que esto lo pone en riesgo de contraer diabetes y cardiopatías.

La diabetes se ha convertido en una epidemia en países modernos. Alrededor de 16 millones de estadounidenses sufren de este trastorno de azúcar en sangre que se divide en dos categorías — tipo 1 y tipo 2.

La tipo 1, una enfermedad autoinmune, generalmente ataca a personas menores de 30 años de edad y no tiene nada que ver con el sobrepeso. Pero la tipo 2, antes llamada diabetes no insulinodependiente, representa el 90 a 95% de todos los casos. Esta forma de diabetes acecha a las personas pasivas y con sobrepeso. Una vez fue una enfermedad de los ancianos, pero ahora la diabetes tipo 2 aparece incluso en niños con sobrepeso.

Si tiene este tipo de diabetes, el cuerpo probablemente produce suficiente cantidad de insulina, pero se "olvidó" cómo usarla. Las células se volvieron resistentes a la insulina; entonces la glucosa de los alimentos que consume se acumula en la sangre en lugar de alimentar las células. Los niveles elevados de azúcar en sangre pueden desencadenar una avalancha de otros problemas médicos, incluyendo alto colesterol y alta presión arterial. Los diabéticos tipo 2 corren el riesgo de sufrir de ceguera, amputaciones, cardiopatías, apoplejías y daño nervioso. Y aunque se llame "no insulinodependiente", no significa que nunca necesite insulina. Muchas personas requieren insulina después de muchos años de tener la enfermedad.

Si no quiere ser la próxima víctima de la diabetes, tendrá que replantearse su dieta. Las opciones de alimentos saludables pueden mantener el peso y el azúcar en sangre bajos. El ejercicio regular, como una caminata enérgica, ayudará en el proceso de mantenerse sano físicamente. Incluso si ya tiene diabetes, una dieta saludable puede evitar que aparezcan más problemas de salud. Simplemente asegúrese de consultar a su médico antes de hacer cualquier cambio en su dieta o en su programa de ejercicios.

Nuevos descubrimientos nutricionales que combaten la diabetes

Alimentos ricos en fibras. La fibra puede ayudar a prevenir la diabetes porque hace más lento el proceso de convertir los carbohidratos en glucosa, comenta Diana H. Noren, Dietista matriculada y consejera certificada de diabetes de Georgia. Además, si consume carbohidratos ricos en fibras, el cuerpo responderá con menos insulina que si usted comiera alimentos reducidos en fibras, agrega. Esto es mejor para su salud general porque los niveles altos de insulina pueden causar aumento de peso y presión arterial alta, entre otros problemas.

En un estudio a casi 36000 mujeres mayores en Iowa, aquellas que comían muchas porciones diarias de alimentos ricos en fibras tuvieron un riesgo significativamente menor de desarrollar diabetes que aquellas mujeres que comieron poca fibra.

Los cereales son especialmente buenos para alejar la diabetes. Las mujeres en el estudio que comieron más de 7.5 gramos de fibra cereal por día tenían un 36% menos de posibilidades de contraer diabetes que aquellas mujeres que comieron menos de la mitad de esa cantidad. Y 7.5 gramos no es mucha fibra. Una porción de 1 onza de copos de salvado en el desayuno proporciona más de 8 gramos de fibra cereal. Noren dice que en realidad uno puede comer un poco más de un cereal que es rico en fibras sin dañar la cantidad total de carbohidratos.

Entre los alimentos fibrosos que ayudan a controlar la diabetes se incluyen:

◆ **Avena.** Una buena fuente de fibra cereal es la avena que contiene una sustancia llamada betaglucano que se destruye lentamente en el tracto digestivo. Un periodo más largo de digestión implica menos azúcar en sangre en el cuerpo. Comience su día con un tazón de avena tradicional sazonada con un puñado de pasas de uvas.

◆ **Legumbres.** Use legumbres en sopas y guisos, y reduzca la cantidad de carne. Disminuirá su ingesta de grasa y aumentará la fibra al mismo tiempo. Las legumbres lo pueden ayudar a sentirse y mantenerse satisfecho.

◆ **Higos.** La Asociación Americana de Diabetes recomienda comer higos para un tratamiento rico en fibras que puede satisfacer la tentación por los dulces también.

Fécula de maíz. Además de sólo espesar el caldo, la fécula de maíz puede ayudar a controlar los niveles de azúcar en sangre y evitar que usted sufra un ataque de hipoglucemia. Este almidón se digiere y se absorbe lentamente por eso es efectivo en especial para los diabéticos tipo 1 propensos a niveles bajos de glucosa en sangre durante la noche.

Los investigadores descubrieron que los diabéticos que bebían una mezcla de fécula de maíz cruda disuelta en una bebida no azucarada, como la leche o una gaseosas sin azúcar, tenían menos problemas con el azúcar en sangre baja cuando se despertaban a la mañana. Si tiene este problema, consulte a su médico para probar esta solución natural.

También puede conseguir barras de cereales que contengan sacarosa, proteína y fécula de maíz. Estos ingredientes liberan la glucosa a diferentes velocidades, lo cual lo ayuda a mediano y largo plazo con el azúcar en sangre baja.

Ácidos grasos omega 3. Estas grasas esenciales no desaparecieron en lo absoluto cuando se comenzaron a producir en masa los alimentos. La mayoría de los aceites utilizados en la actualidad — el aceite de maíz, de maní, de sésamo y de girasol — son ricos en ácidos grasos omega 6. También son esenciales para tener una buena salud, pero si se los consume sin omega 3, el sistema inmunológico puede comenzar a fallar. Los investigadores han demostrado que se necesitan las grasas de omega 3 para procesar la insulina. Sin ellas, corre el riesgo de no usar la insulina adecuadamente. La resistencia a la insulina es a menudo la primera parada en el camino hacia la diabetes.

Puede encontrar omega 3 en pescados grasosos como el salmón y la caballa, y también en las nueces y la linaza. El aceite de canola económico tiene una buena combinación de ambas grasas omega 3 y omega 6. Trate de comer pescado grasoso tres veces a la semana y use el aceite de canola para cocinar. Puede condimentar las ensaladas con aceite de linaza, pero no puede cocinar con este tipo de aceite.

Cuándo prohibir las arvejas y las papas

La antigua creencia de que los alimentos con azúcares causaban el mayor impulso de azúcar en sangre resultó ser falsa. Los almidones refinados, como los granos triturados finamente, son los principales responsables. Incluso algunos alimentos naturales con apariencia inofensiva, como las papas cocidas, pueden hacer subir el azúcar en sangre. Eso sucede porque tienen un elevado índice glicémico — medida que expresa de que manera un alimento afecta el azúcar en sangre.

Pero no todas las personas responden de la misma manera a cada alimento, por eso es importante calcular el índice glicémico propio, dice la dietista Diana Noren.

"Si como papas, y una hora y media después me hago una prueba de azúcar en sangre y está dentro del rango bueno, entonces sé que las papas son buenas para mí", menciona. "Pero si cada vez que como arvejas el azúcar en sangre se sale de control, sé que tengo una reacción y que tengo un índice alto para ese alimento".

Para mantener la diabetes controlada, consuma alimentos reducidos en glucosa, como panes de trigo integral molido grueso, pastas hechas de trigo de durum, arroz Basmanti y de grano largo, lentejas y legumbres.

Aceite de hígado de bacalao. Uno de los aceites que tiene grandes cantidades de omega 3 es el aceite de hígado de bacalao. Los noruegos consumen mucho este aceite porque tienen muy poca luz solar y necesitan la vitamina D presente en este aceite. Un estudio reciente realizado en ese país reveló que las mujeres que tomaron aceite de hígado de bacalao durante el embarazo redujeron más del 60% el riesgo de que el niño naciera con diabetes tipo 1. Los investigadores creen que las grasas omega 3 y la vitamina D, ya sea separadas o combinadas, pueden ser las responsables del bajo riesgo.

Vinagre. Agregue vinagre de vino tinto a sus ensaladas y puede fácilmente hacer más lenta la digestión de su comida. Debido a que los alimentos ácidos se digieren lentamente, tres cucharaditas de vinagre pueden bajar un 30% el azúcar en sangre después de una comida. El jugo de limón también funciona bien. Pruebe a exprimir un limón fresco en el agua para disfrutar de una bebida refrescante y saludable.

Cromo. La investigación demuestra que si no se incluye la suficiente cantidad de cromo en la dieta, la diabetes puede empeorar. Eso sucede porque el cromo ayuda al cuerpo a procesar el azúcar. En los Estados Unidos, las personas comen un promedio de 6 a 20 microgramos (mcg) de estos elementos esenciales. Pero una persona debería comer 50 mcg por día. Dentro de la buenas fuentes se encuentran el hígado, los granos integrales, los quesos y los frutos secos.

Biotina. Esta vitamina B ayuda a digerir las grasas y los carbohidratos — que son importantes para los diabéticos. Una deficiencia puede causar pérdida de cabello, erupción cutánea, pérdida de apetito, depresión e inflamación de lengua. Pero es fácil obtener la biotina en una dieta saludable. Dentro de las buenas fuentes se encuentran la manteca de maní, el hígado, los huevos, los cereales, los frutos secos y las legumbres.

Vitamina C. Agregue una naranja o un pomelo a su almuerzo. La investigación demuestra que los antioxidantes en la vitamina C podrían

---

Un consejo

Darles a los bebés alimentos sólidos o leche de vaca antes de los cuatro meses de edad puede causar diabetes tipo 1. Los investigadores creen que muchos niños podrían evitar la diabetes si tomaran solamente leche de la madre — o preparado para lactantes, según sea necesario — durante al menos cuatro meses.

evitar que usted desarrolle problemas con el azúcar en sangre. Si ya tiene diabetes, el ácido en la fruta ayuda a hacer más lenta la digestión, lo cual mantiene el azúcar en sangre más estable.

Diarrea

••••••••••••••

Todo lo que come o bebe parece pasar por el sistema a rápida velocidad cuando uno tiene diarrea.

El adulto promedio tiene alrededor de cuatro ataques de diarrea por año. Generalmente dura un par de días y luego desaparece por sí sola. Si la diarrea dura más, o si tiene ataques frecuentes, puede ser señal de que hay otro problema.

La diarrea puede causar deshidratación porque el cuerpo pierde los líquidos corporales muy rápidamente. Debido a que los alimentos pasan por los intestinos tan rápido, el torrente sanguíneo no tiene tiempo de absorber las vitaminas y los minerales.

Si la diarrea dura más de 48 horas, consulte a un médico para evitar complicaciones por la deshidratación. En el caso de la diarrea común, algunas estrategias nutricionales lo ayudarán a recuperarse rápida y fácilmente.

Nuevos descubrimientos nutricionales que combaten la diarrea

Agua. Debido a que la deshidratación es uno de los mayores peligros de la diarrea, asegúrese de beber abundante agua. Esto significa tomar al menos entre 8 y 10 vasos de líquido por día. El agua no es el único líquido que ayuda. Los caldos y los tés de hierbas son también buenas opciones.

Electrolitos. Aunque el agua es extremadamente importante para combatir la deshidratación, no contiene electrolitos, que también pierde cuando se deshidrata. Los electrolitos son sales y minerales — como potasio, sodio, calcio y magnesio — que se encuentran normalmente en la sangre, en los líquidos tisulares y en las células. La pérdida de electrolitos puede causar problemas graves.

Puede comprar agua con electrolitos agregados o puede probar un método económico usado en los países subdesarrollado para combatir la diarrea — que consiste en beber el agua fría que queda en la olla después de cocinar arroz. Este líquido contiene muchos nutrientes que quedan después de hervir el arroz.

Yogur. Las bacterias a menudo son las culpables de producir diarrea, pero una persona también tiene bacterias buenas en el sistema digestivo. Acidofilus es una bacteria natural y "buena" en el intestino. A veces, una dieta pobre o un ciclo de antibióticos pueden afectar la cantidad de acidofilus activo en el colon. Si tiene muy pocos, puede sufrir de problemas digestivos, incluso diarrea. Consumir yogur que contenga cultivos de acidofilus activos puede ayudar a restaurar el equilibrio entre las bacterias buenas y las malas y aliviar la diarrea.

Canela. Sería buena idea evitar los alimentos condimentados cuando tiene diarrea, excepto por la canela. La canela puede matar la *E. coli* ,bacteria que causa diarrea grave. En un estudio reciente, la canela que se le agregó a jugo de manzana infectado con *E. coli* destruyó más del 99% de las bacterias después de permanecer tres días a temperatura ambiente.

Un consejo

El sorbitol, un edulcorante artificial presente en muchas golosinas sin azúcar, gomas de mascar y alimentos dietéticos, podría causar diarrea. Para algunas personas. incluso pequeñas cantidades de este edulcorante pueden causar hinchazón y gases. Grandes cantidades pueden causar calambres y diarrea.

Si es sensible al sorbitol, asegúrese de leer las etiquetas antes de comprar suplementos vitamínicos y medicamentos de venta libre. Pregúntele al farmacéutico si es un ingrediente en los medicamentos recetados.

Enfermedad diverticular

Los divertículos son pequeñas bolsas que se pueden formar en la pared intestinal. Cuando le agrega demasiada presión a los intestinos, como cuando hace esfuerzo debido al estreñimiento, la pared se debilita y se forman pequeñas salientes semejantes a sacos. Es semejante a estirar parte de un globo antes de inflarlo. Cuando lo infla, la parte estirada formará una bolsa adicional. Una vez que esto sucede, tiene lo mismo que padece aproximadamente un tercio de la población mayor de 45 años de edad en los Estados Unidos, es decir, sufre — diverticulosis.

Como muchas personas, puede tener diverticulosis sin saberlo. Las bolsas son a menudo indoloras hasta que pequeños trozos de alimentos quedan atrapados entre ellas. Cuando esto sucede, se pueden formar pequeñas colonias de bacterias y causar una infección. Se llama diverticulitis, y es una afección dolorosa que produce fiebre y dolor agudo, generalmente en la parte izquierda baja del abdomen. Si tiene estos síntomas, consulte a un médico de inmediato. La infección puede producir un orificio en la pared intestinal, lo cual requiere cirugía urgente.

Algunos médicos y nutricionistas creen que se puede prevenir la diverticulosis si se comen alimentos ricos en fibras, como frutas, verduras y granos integrales. Incluso si ya tiene las pequeñas bolsas, puede evitar una infección si come abundante fibra para mantener el sistema digestivo bien limpio.

El fallecido Dr. Denis Burkitt, cirujano conocido por su investigación sobre las fibras, llamó a la enfermedad diverticular una "afección por presión". Creía que el estreñimiento crónico se producía por dietas ricas en alimentos refinados y reducidos en fibras.

Una vez dijo, "la enfermedad diverticular es una afección de la cultura occidental, casi desconocida en el tercer mundo. Incluso en una ciudad relativamente moderna como Nueva Delhi... Descubrí que sólo se habían visto ocho casos de la enfermedad diverticular en 13 años. En Inglaterra, se calcula que se presenta en uno de cada tres adultos mayores de 60 años de edad".

¿Por qué tantas personas en los países industrializados padecen esta afección a diferencia de los países menos desarrollados? La respuesta es simple — la dieta. Si quiere prevenir la enfermedad diverticular, tendrá que renunciar a los panes blancos, las confituras y los alimentos procesados, y cambiar por una dieta rica en fibras.

Nuevos descubrimientos nutricionales que combaten la enfermedad diverticular

Granos integrales. Cambie el pan blanco por los granos integrales, como trigo integral y cebada y arroz integral en lugar de arroz blanco. Puede tardar un tiempo hasta que se acostumbre a la textura más gruesa y al sabor a nuez de estos alimentos, pero después de un tiempo, el pan blanco y el arroz integral le sabrán sosos. Intente reemplazar un trozo de carne roja y una guarnición de arroz o papas por granos sazonados con pequeñas cantidades de carne. Puede preparar guisos de arroz integral, pilafs e incluso pastas integrales. Solamente asegúrese de agregar la fibra adicional gradualmente para que el cuerpo se pueda acostumbrar. De otro modo, puede sentirse incómodo por los gases y la hinchazón.

Frutas, verduras y legumbres. Las frutas y las verduras enteras le dan un beneficio adicional que no consigue con el jugo — la fibra. Una naranja ayudará al tracto digestivo mucho más que un vaso de jugo de naranja, aunque ambos son nutritivos. También puede usar arándanos azules, frambuesas y moras para saborizar el cereal o el yogur a la mañana o un manjar después de cenar.

No se olvide de las verduras. Las verduras de hojas verdes y las legumbres son muy buenas fuentes de fibra vegetal. Pruebe alubias limas, alubias negras, espinaca, lechuga romana, escarola, hojas de berza, hojas de mostaza y coles. Las verduras crudas o cocidas al vapor ligeramente ayudarán mucho más al colon que las verduras empapadas y demasiado cocidas. Por eso, evite las verduras pastosas y enlatadas cada vez que pueda comer productos frescos. El colon se lo agradecerá.

Un consejo

Refuerce su dieta con pollo y pescado y manténgase alejado de las carnes rojas. Los investigadores creen que comer abundante carne roja puede causar la enfermedad diverticular porque la carne roja forma bacterias perjudiciales cuando se destruye en el intestino. Esto puede debilitar las paredes del colon y facilitar la formación de divertículos. Además, la grasa en la carne roja — a diferencia de otros tipos de grasa — está vinculada a la enfermedad diverticular.

Agua. Muchas personas sufren de deshidratación crónica y ni siquiera lo saben. Si siempre tiene tendencia al estreñimiento, incluso cuando come muchos alimentos ricos en fibras, puede ser que necesite beber más agua. La vieja regla de beber entre seis y ocho vasos de agua por día todavía está en vigencia. Beber mucha agua hace más blandas las heces y disminuye las posibilidades de desarrollar divertículos. Si ya tiene las pequeñas bolsas, el agua adicional puede ayudar a que la fibra saque los trozos de alimentos que podrían causar problemas.

Es muy importante beber abundante agua si agrega más fibra a su dieta. Si no lo hace, puede terminar con un bloqueo en los intestinos — que es mucho peor que el estreñimiento.

Beneficios

Baja el colesterol

Ayuda a evitar las apoplejías

Controla la presión arterial

Estimula la pérdida de peso

Combate la diabetes

Combate el cáncer

Higos

• • • • • • • • • •

En el Jardín del Edén, Adán y Eva usaban hojas de higuera para vestirse. Desde entonces, la moda ha cambiado mucho, pero los higos nunca dejaron de estar de moda.

Ya se nombraban estas frutas dulces en escritos en el año 3000 a.C. A Cleopatra y al profeta Mahoma les encantaban los higos y el escritor romano Pliny el Mayor los elogiaba por su poder para deshacerse de las arrugas. En la actualidad, puede encontrar higos en una variedad de formas, incluyendo la popular galleta de higo Fig Newton — una alternativa saludable para la mayoría de los postres.

Cuando se trata de eso, los higos implican fibras. En igualdad de valor, los higos almacenan más de este preciado objeto que cualquier otra fruta o verdura. Cinco higos, frescos o secos, proporcionan 9 gramos de fibras, más de un tercio de la ración diaria recomendada. Además de fibras, los higos también tienen minerales y nutrientes que ayudan a prevenir cardiopatías, cáncer, estreñimiento e incluso diabetes.

Además, los higos son muy ricos. Estos manjares masticables, a veces llamados "fresas al revés", contienen diminutas semillas comestibles. Pruebe un delicioso y saludable higo y se sentirá un poco más cerca del paraíso.

Ocho maneras en que los higos lo mantienen sano

Reduce el colesterol. "Si come mucha fibra, tendrá un mejor nivel de colesterol", dice el Dr. Joe Vinson, profesor de química en la Universidad de Scranton en Pennsylvania y experto en higos. Lo esencial es que al bajar el colesterol que obstruye las arterias, reduce el riesgo de contraer cardiopatías.

Los higos también contienen abundantes polifenoles, compuestos vegetales que actúan como antioxidantes. Los polifenoles hacen que el colesterol de lipoproteína de baja densidad (LDL o "malo") deje de oxidarse y que así no se acumule en las arterias, y evitan que la sangre se adhiera y se amontone.

Evitan las apoplejías. El triple golpe de fibra, potasio y magnesio de los higos implica protección adicional contra las apoplejías, especialmente si tiene presión arterial alta. Aunque menos personas sufren apoplejías en la actualidad — gracias a mejores tratamientos para la hipertensión — la apoplejía aún causa una de cada 15 muertes. Los expertos están de acuerdo en que la primera línea de defensa debería ser más frutas y verduras ricas en nutrientes.

Detienen la presión arterial alta. Debido a que proporcionan potasio y calcio, los expertos recomiendan comer higos a las personas con presión arterial alta. Ambos minerales, junto con un menor consumo de sodio, mantienen controlada la presión arterial.

Controlan el peso. Recuerde que la fibra puede ayudarlo a bajar de peso, lo cual además de reducir la cintura, reducirá el riesgo de contraer cardiopatías y otros problemas de salud. "Los higos llenan mucho", explica Vinson, "por eso usted disminuye el consumo de otras cosas si come más higos. No contienen muchas calorías ni grasas". Obtendrá solamente 48 calorías y casi nada de grasa con cada higo seco.

Tratan la diabetes. Si está preocupado por el alto nivel de azúcar en sangre pero quiere de todas maneras comer un manjar delicioso, elija comer higos.

"Los higos no son un alimento rico en carbohidratos", menciona Vinson, "por eso serían un buen alimento para que coma alguien con diabetes. Y la fibra reduce la glucosa". Recuerde que la fibra disminuye la cantidad de glucosa que el cuerpo absorbe del intestino delgado.

La evidencia respalda lo que Vinson dice. Un estudio reciente descubrió que una dieta rica en fibras — 50 gramos por día — ayudó a controlar el azúcar en sangre, la insulina y el colesterol en personas con diabetes.

Comer deliciosos y masticables higos es una manera muy sabrosa de obtener más fibra. De hecho, la Asociación Americana de Diabetes sugiere recetas que incluyen higos.

Protegen del cáncer. Cuando incluye los higos en su dieta, también recibe una gran cantidad de polifenoles, sustancias químicas vegetales naturales que funcionan como antioxidantes. Estos defensores persiguen los radicales libres que pueden dañar el cuerpo y causar cáncer. Ésa es una de las razones por las cuales casi la mayoría de las organizaciones de salud aconsejan comer más frutas y verduras.

"Si recibe más antioxidantes en el cuerpo, estará mejor de salud", dice Vinson. "A medida que uno envejece, se produce cada vez más daño en las células y en los órganos del cuerpo como resultado del constante ataque de los radicales libres".

Además, la gran contribución de fibra de parte de los higos también lo protege del cáncer, en especial del cáncer de colon. En un estudio que se realizó a lo largo de 25 años, agregar 10 gramos de fibras — casi seis higos — a una dieta diaria redujo drásticamente el 33% el riesgo de morir por cáncer de colon.

En los higos también hay otros posibles agentes anticancerígenos, como sustancias llamadas cumarinas, estudiadas para tratar el cáncer de piel y de próstata, y el benzaldehído, que podría tener facultades antitumorales.

Combaten los cálculos de riñón. Si tiene cálculos de riñón, probablemente sepa que el oxalato es un enemigo. Esta sustancia, presente en alimentos como las espinacas, los tomates, los arándanos, el ruibarbo chino, los maníes, el café, el té y el chocolate, puede causar esta dolorosa afección.

Pero otro nutriente, como el calcio, está realmente de su lado. Cuando consume alimentos ricos en calcio con alimentos ricos en oxalato, el calcio hace que el cuerpo absorba el oxalato. Esto disminuye las posibilidades de que se formen cálculos de riñón formados por oxalato. Sin embargo, no consuma grandes cantidades de suplementos de calcio — porque podría aumentar realmente el riesgo de tener cálculos de riñón formados por calcio. Su mejor opción es consumir calcio mediante alimentos enteros. Comer 10 higos secos le brinda 33% de la ración diaria recomendada (RDA) de calcio.

Evite los cálculos de riñón con el abundante potasio presente en los higos secos. Menos potasio implica mayor riesgo de formación de cálculos. Diez higos secos le proporcionan más de la mitad de lo que necesita a diario.

Frustran el estreñimiento. La mayor ventaja de comer higos es el increíble contenido rico en fibras.

"Eso parece ser lo que los diferencia de otros alimentos", menciona Vinson. "Es bueno porque la fibra puede mejorar el tracto digestivo. Tiene un efecto laxante en las personas y acelera el movimiento en el tracto digestivo".

Déle la bienvenida a los higos y olvídese de la irregularidad.

Un consejo

Si sufre de rosácea, afección que hace que la nariz y las mejillas estén rojas y con prominencias, sería buena idea evitar los higos. Contienen histamina que causa enrojecimiento y puede además irritar la piel. Si simplemente no puede negarse a estos pequeños manjares dulces, intente tomar un antihistamínico dos horas antes de comer higos.

Los higos también pueden hacer subir la presión arterial, causar dolores de cabeza y de cuello si está tomando cierto tipo de antidepresivos llamado inhibidor de la monoaminooxidasa (IMAO). Determinadas enzimas hepáticas generalmente destruyen una sustancia presente en el higo llamada tiramina. Sin embargo, los IMAO reducen estas enzimas, lo cual permite que la tiramina se acumule a niveles peligrosos en el cuerpo. Consulte con su médico si desarrolla alguno de estos síntomas.

Indicadores de despensa

Los higos normalmente se venden secos, pero también puede encontrarlos frescos desde junio hasta octubre. Coloque en el refrigerador los higos frescos y trate de comerlos en los siguientes dos a tres días porque se echan a perder rápido. Los higos pueden ser redondos u ovalados y pueden venir en una variedad de colores desde violeta oscuro hasta casi blanco.

Además de frescos o secos, también los puede encontrar confitados o en lata. En tiendas de alimentos naturales, incluso puede comprar concentrado de higo, un puré sin semillas usado para saborizar postres o para cubrir helados. Coma higos como un bocadillo, agréguelos a platos o úselos para cocinar.

Beneficios

Combate el cáncer

Protege el corazón

Mantiene el sistema inmunológico

Estimula la memoria

Alivia la artritis

Pescado

• • • • • • • • • • • • •

En todos lados, las madres les solían dar una dosis de aceite de hígado de bacalao a sus familias para que estuvieran sanos. Ese aceite tal vez dejó un mal sabor en la boca, pero, como siempre, la madre tenía razón. El aceite de pescado puede mantenerlo sano realmente.

El pescado es una excelente fuente de ácidos grasos omega 3 — que el cuerpo necesita pero que no los puede producir él mismo. Sólo puede obtener estas grasas en alimentos, junto con los igualmente importantes ácidos graso omega 6. Los nutricionistas ahora saben que el equilibrio de estos dos ácidos grasos pueden protegerlo de cardiopatías, artritis, enfermedades mentales y de una gran cantidad de otros problemas médicos.

¿Cómo puede mantener una dieta balanceada? No tendrá problemas para obtener omega 6. Hay mucho en galletas saladas, galletas, alimentos horneados, aderezos para ensaladas y alimentos fritos. Cualquier cosa — que tenga aceite, probablemente tenga omega 6. El problema es obtener suficiente omega 3. Estas grasas se encuentran en gran parte en los pescados y en las verduras de hoja verde — alimentos que probablemente no coma con tantas ganas como los alimentos con omega 6. Generalmente, las empresas de alimentos no usan grasas omega 3 en sus productos porque tienden a echarse a perder rápido.

Pero no es necesario andar flotando a las orillas de una salud pobre si puede zambullirse en el mar de nutritivas comidas.

Cinco maneras en que el pescado lo mantiene sano

Mantiene el cáncer lejos. Las facultades antioxidantes de los pescados grasosos provienen de una sustancia llamada astaxantina. Este antioxidante persigue y destruye los radicales libres que podrían causar daño a las células del cuerpo. Cuando se les dio aceite de pescado y arginina de aminoácido a animales con linfoma, un tipo de cáncer, vivieron durante más tiempo y tuvieron periodos más largos sin la enfermedad comparado con los animales que no recibieron tratamiento. Además, los investigadores han descubierto que omega 3 puede hacer más lento el crecimiento de cánceres — exactamente opuesto a lo que descubrieron con omega 6 que puede ayudar a que el cáncer se desarrolle.

Pero la astaxantina hace más cosas. Algunos estudios demostraron que puede proteger del cáncer de piel también. El color rosado del salmón y el tono rojizo de la langosta provienen de la astaxantina — un protector natural de los dañinos rayos ultravioletas del sol. Debido a que el cáncer de piel está relacionado con las quemaduras de sol, es bueno que se proteja lo más posible. Cuando se les dio astaxantina en la dieta a ratones y luego los expusieron a radiación ultravioleta — similar a los rayos del sol — su piel quedó menos dañada que la de los ratones que no recibieron el antioxidante.

Un beneficio adicional por comer abundante pescado grasoso es tener una piel que luce saludable. Si tiene la piel seca y áspera, puede ser una señal de que necesita más aceite. Comer alimentos con grasas omega 3 debería darle a la piel un brillo saludable.

Se necesitan más investigaciones, pero todos las señales indican que el pescado es el ganador en la lucha contra el cáncer.

Ayuda al corazón. Los estudios demuestran que el aceite de pescado evita que la sangre se adhiera, mantiene las venas abiertas y ayuda al corazón a latir de manera regular. Mantener las venas abiertas y la sangre fluyendo con facilidad es importante para evitar cardiopatías y apoplejías. En un estudio realizado durante 20 años en más de 2,000 hombres de siete países europeos, los investigadores descubrieron que comer regularmente pescado grasoso, como salmón y caballa, puede proteger de cardiopatías. Comer pescados magros, como platija o abadejo, no proporciona la misma protección.

En un estudio reciente de larga duración que involucraba a más de 20,000 médicos, aquellos que comían al menos una comida con pescado por semana tenían la mitad de probabilidades de morir de repente de una cardiopatía que aquellos que comían menos de una porción de pescado por mes. Cuando se les dio a un grupo de mujeres posmenopáusicas ocho cápsulas de aceite de pescado por día durante un mes, tuvieron niveles de colesterol mucho más bajos. Esto es una buena noticias para las mujeres, ya que la cardiopatía es la principal causa de muerte en mujeres posmenopáusicas.

Controla el sistema inmunológico. Si tiene artritis, esclerosis múltiple o asma, puede tener un sistema inmunológico que lo ataca. En lugar de atacar a los gérmenes como debería hacerlo, está ocupado atacando el cuerpo como si fuera el enemigo. Pero el pescado podría ayudarlo a poner el sistema inmunológico de su lado nuevamente.

El Dr. Artemis P. Simopoulos, autor de *The Omega Diet (La Dieta Omega),* cree que las grasas omega 3 están directamente relacionadas con los trastornos autoinmunes. "Ahora sabemos que los ácidos grasos omega 3 pueden frenar un sistema inmunológico que está fuera de control".

La investigación demuestra que el aceite de pescado podría hacer esto al bloquear una enzima en el cuerpo que causa inflamación. Esto podría ser la razón por la cual las personas que sufren de artritis que toman suplementos de aceite de pescado sienten que las articulaciones están menos rígidas a la mañana. El aceite de pescado también ayudó a un grupo de personas con esclerosis múltiple, un trastorno autoinmune. Tenían menor cantidad de ataques y menos graves cuando agregaban aceite de pescado a sus dietas junto con las grasas omega 6.

El asma, que afecta cada vez a más niños todos los años, es otra afección autoinmune. Algunos investigadores creen que las grandes cantidades de grasas omega 6 que comen los niños son en parte responsables. Pero los investigadores descubrieron que los niños que comen pescado un par de veces por semana tienen menos probabilidades de tener asma. Sin embargo, no está claro si el pescado puede ayudar a los adultos con asma.

Hace más lenta la enfermedad renal. El aceite de pescado puede ser un tónico para los riñones. Cuando 55 personas con una enfermedad renal grave llamada nefropatía por IgA tomaron aceite de pescado durante dos años, la enfermedad renal se hizo más lenta. En un estudio de seguimiento, los investigadores también le dieron aceite de pescado al grupo que antes había tomado placebo, y después de seis años, descubrieron que la enfermedad se había estabilizado como la del grupo de aceite de pescado a largo plazo.

Protege el cerebro. Si escuchó que el pescado es un alimento para el cerebro, escuchó bien. Los investigadores han descubierto que los bebés que fueron amamantados eran más inteligentes que los bebés que fueron alimentados con mamadera, probablemente porque hay omega 3 en la leche de la madre. No sólo ayuda a los bebés. Un estudio demostró que el cerebro de los hombres mayores que comían pescado con frecuencia funcionaba mejor que el de los hombres que no comían pescado.

El aceite de pescado incluso ayudó a que personas tuvieran menos migrañas y cefaleas menos agudas. Existe fuerte evidencia de que las grasas omega 3 pueden ayudar en una gran cantidad de enfermedades mentales, incluyendo la depresión, los trastornos del estado de ánimo y hasta la esquizofrenia. (Consulte el capítulo *Depresión*.) Algunos médicos incluso creen que las cantidades epidémicas de enfermedades mentales en las

> ## Un consejo
>
> Asegúrese de comer una variedad de alimentos con vitamina A, C y E si come mucho pescado grasoso. Algunos estudios sugieren que comer pescado reduce la cantidad de estos antioxidantes disponibles en el cuerpo. Aunque no es malo porque significa que los aceites de pescado funcionan para proteger las células — sólo necesitan ayuda para hacerlo.
>
> Existe alguna evidencia de que comer grandes cantidades de pescado grasoso sin una dieta bien equilibrada podría ser peor que no comer nada de pescado porque se eliminan las reservas de vitamina, lo cual puede causar enfermedades.

sociedades modernas se puedan deber al desequilibrio de omega en el suministro de alimentos.

Indicadores de despensa

El salmón, la caballa, el atún, el arenque del Pacífico, la anchoa y el pescado azul son buenas fuentes de omega 3. La carne de pescado debe ser firme y no tener un olor tan fuerte. El pescado fresco que se guarda en el refrigerador se debe usar en los siguientes días.

Puede cocinar a la parrilla la mayoría de estos pescados con una marinada liviana de aceite de oliva, sal, pimienta y ajo. El pescado se cocina rápido, por eso no lo cocine a la parrilla por más de 15 minutos por cada pulgada de grosor. Cuando esté listo, el pescado se debe desmenuzar fácilmente con un tenedor.

Beneficios

Ayuda en la digestión

Calma el dolor de artritis

Protege el corazón

Combate la diabetes

Mejora la salud mental

Fortalece el sistema inmunológico

Lino

• • • • • • • •

Las personas antes comían alimentos con un equilibrio de alrededor del 50/50 de ambos ácidos grasos que el cuerpo necesita — omega 3 y omega 6. Pero esto sucedía antes de que los alimentos se produjeran en masa. Debido a que las grasas omega 3 se echan a perder rápidamente, los fabricantes de alimentos las reemplazan con grasas omega 6 que duran más tiempo y con aceites hidrogenados — aceites con hidrógeno agregado que los hace más estables. De esta manera, las empresas de alimentos no tienen que preocuparse de que sus productos se echen a perder muy pronto. Pero usted se tiene que preocupar si no obtiene suficiente omega3 y posiblemente está recibiendo demasiado omega 6.

¿Dónde puede encontrar las grasas omega 3 que necesita? Los pescados grasosos constituyen una buena fuente. Pero le puede suceder como a la mayoría de las personas que por comer tanto pescado siente que se convierte en Flipper. Afortunadamente, tiene otra opción.

El lino es una hierba que es rica en omega 3, lo cual es raro para una planta. Tal vez la conozca como semilla de lino porque es la planta de donde proviene el tejido de lino. Durante miles de años, ciertos tipos de planta de lino han sido cultivados para obtener las semillas comestibles y el aceite obtenido al prensarlas. Pero no confunda este aceite comestible con el aceite de semillas de lino usado para la madera, que está hecho de una variedad diferente de la planta.

Algunos médicos creen que la epidemia de cardiopatías, presión arterial alta, trastornos inflamatorios, enfermedades mentales e incluso el cáncer en las sociedades modernas se puede deber a los desequilibrios en los ácidos grasos esenciales. (Consulte el capítulo *Depresión*.) La médica Artemis P. Simopoulos pasó décadas estudiando de qué manera la nutrición afecta la salud. En su libro *The Omega Diet (La dieta Omega)*, Simopoulos explica la razón por la cual se deberían agregar grasas omega 3 de nuevo en la dieta.

"Uno de los hallazgos más importantes que surgieron del programa de investigación", comenta, "es que el cuerpo funciona más eficazmente cuando comemos grasas que contienen una proporción equilibrada de las dos familias de ácidos grasos esenciales — ácidos grasos omega 6 y omega 3. Se calcula que la proporción en la dieta típica estadounidense es de 20 a 1".

Pero puede luchar contra esa elevada proporción. Puede reducir las grasas omega 6 si evita comer alimentos fritos y alimentos hechos con maíz, semillas de algodón y aceites tropicales. Puede aumentar la ingesta de omega 3 si come abundante cantidad de pescado grasoso y usa aceite de semilla de lino en verduras, ensaladas y para cocinar.

Cinco maneras en que el lino lo mantiene sano

Alivia el tracto gastrointestinal. Como regla general, los esquimales no sufren de la enfermedad inflamatoria intestinal debido a todo el omega 3 que obtienen del pescado que comen. El aceite de pescado puede ser de ayuda si tiene problemas con un intestino irritado. Pero tal vez no le agrade el sabor posterior a pescado, eructar y el mal aliento que produce. En muchos estudios, las personas a las que les recetaron cápsulas de aceite de pescado dejaron de tomarlas debido a estos efectos secundarios.

Pero el aceite de semillas de lino, con su sabor suave, puede brindarle los mismos beneficios que el aceite de pescado. Entonces, si no puede lograr comer una porción más de pescado, le recomendamos agregar este aceite a una ensalada de verduras de hojas verdes. Aumentará la ingesta de omega 3 y aliviará el intestino al mismo tiempo.

Ahuyenta el dolor de la artritis. Si nació en Japón, es probable que nunca sufra de artritis. ¿Qué protege a esta población? La misma sustancia que mantiene sanos a los esquimales — el omega3. Tener el equilibrio correcto de los ácidos grasos en el cuerpo puede evitar que el sistema inmunológico se dañe y que cause enfermedades, como la artritis.

El Dr. Donald Rudin, médico capacitado en Harvard e investigador médico, cree que los trastornos inmunológicos a menudo se pueden deber al desequilibrio de omegas en el cuerpo. Explica el efecto de los ácidos grasos en el sistema inmunológico en su libro *Omega-3 Oils: A Practical Guide (Aceites Omega 3: una guía práctica).*

"Normalmente, el sistema inmunológico se mantiene controlado gracias al sistema regulatorio a base de ácidos grasos esenciales del cuerpo", dice. "Pero ahora se sabe que las distorsiones en la dieta, en especial una escasez del ácido graso omega 3, contribuyen a — o incluso provocan — fallas en el sistema inmunológico".

Rudin recomienda una cucharada de aceite de semillas de lino por día en el caso de una persona de 100 libras que tiene una deficiencia de omega 3. También sugiere que tome un complemento multivitamínico. Si es alérgico a los alimentos, debe comenzar con menos aceite e ir agregando gradualmente. Pero no se exceda. Tomar más de seis cucharadas diarias puede realmente empeorar los síntomas.

Protege el corazón. Las grasas omega 3 contienen ácido alfa linolénico (ALA), ingrediente que debe ser un allegado del corazón. Comer alimentos ricos en ALA, como el lino, puede hacer que la sangre sea menos pegajosa, lo cual evita que se coagule demasiado rápido y que se produzcan bloqueos. También ayuda a mantener la presión arterial baja y el ritmo cardiaco regular.

Las personas que viven en la isla de Kohama, Japón, tienen la expectativa de vida más alta del mundo y la tasa más baja de cardiopatías. También tienen niveles muy altos de ALA en sangre. ¿Coincidencia? Los científicos no creen que haya coincidencias.

Los expertos recomiendan comer alrededor de cuatro comidas de pescados grasosos por semana y usar aceite vegetal rico en ALA, como el aceite de canola o de semillas de lino.

Destrona la diabetes. Si hay antecedentes de diabetes en su familia y come una típica dieta moderna, tiene altas posibilidades de sufrir de este trastorno del azúcar en sangre.

Pero, ¿quién dice eso? Los investigadores están descubriendo que la dieta está tan estrechamente relacionada con la diabetes como la historia familiar. Parece ser que mientras más grasas omega 6 consuma, más probabilidades tiene de sufrir de sobrepeso. También es más probable que tenga resistencia a la insulina — un doble contratiempo que lo prepara para la diabetes.

Las grasas omega3 no lo tratan tan mal. Es más, lo ayudan. Cuando se alimentó a animales de laboratorio con una dieta rica en omega 6, nadie se sorprendió de que engordaran. Pero los animales que fueron alimentados con la misma cantidad y calorías de grasas omega 3 pesaron 33% menos. Ésa es la diferencia entre una persona de 150 libras y una de 225. Tal vez no tiene que comer todos los alimentos reducidos en grasas y sin sabor para permanecer delgado. Tal vez está comiendo las grasas incorrectas.

Además de mantenerlo delgado, este beneficioso aceite también ayuda al azúcar en sangre. Cuando un grupo de personas con resistencia a la insulina cambió a las grasas omega 3 en lugar de omega 6, mejoraron. Tenían una presión arterial más baja, un nivel de azúcar en sangre más bajo y menos grasas perjudiciales en la sangre.

Tranquiliza una mente con problemas. Hasta hace 100 años aproximadamente, muchas personas pobres padecían una enfermedad llamada pelagra, que proviene del italiano y significa "piel áspera". Además de la piel seca y áspera, sentían zumbidos en los oídos y agotamiento y tenían problemas mentales. Pasó mucho tiempo hasta que los médicos se dieron cuenta de que a estas personas les faltaba vitamina B en sus dietas. Cuando finalmente se agregó la vitamina a los alimentos básicos, como el arroz, la enfermedad quedó en el pasado. ¿O aún sigue presente?

> ### Haga un saludable huevo revuelto
>
> Hay una estupenda manera de obtener más omega 3 en su dieta — rompa un huevo solamente. En algunos gallineros, se alimentan a las gallinas con una dieta especial que contiene semillas de lino. Según el Consejo de Lino de Canadá, estas gallinas ponen huevos que lucen y saben normal, pero contienen entre ocho y diez veces más ácidos grasos omega 3 que los huevos comunes. Busque huevos "con grasa modificada" o huevos con una etiqueta que dice "enriquecidos con omega 3".

Parece ser que la pelagra volvió — en todos los lugares — de países ricos donde las personas comen alimentos altamente procesados. Obviamente que hay abundante vitamina B en los alimentos actualmente, pero el cuerpo también requiere cierta cantidad de ácidos omega 3 para usar la vitamina B. De esta manera, puede estar bien alimentado pero desnutrido. Algunos médicos creen que las altas tasas de enfermedades mentales en todos los lugares donde se siguen dietas modernas sirven de prueba de que hay una conexión.

Cuando Rudin les dio a numerosos pacientes con enfermedades mentales de una a seis cucharadas de aceite de semillas de lino por día, la mayoría mejoraron sensiblemente. Sus pacientes eran personas con episodios maníacos, miedo a espacios abiertos e incluso esquizofrenia — trastorno grave del pensamiento. Algunos pacientes comentaron sentirse tranquilos por primera vez en años.

Indicadores de despensa

Puede comprar el lino en forma de semillas en la mayoría de las tiendas de alimentos naturales y en algunas tiendas de alimentos. Espolvoree las semillas en alimentos cocidos o agréguelas a la granola.

Para la mayor nutrición, muela las semillas con un moledor de granos de café y úselas de inmediato. La harina de lino también se encuentra en muchas tiendas de alimentos naturales. Almacénela en el refrigerador para mantenerla fresca.

Encontrará aceite de semillas de lino en botellas marrones de 1 pinta en la mayoría de las tiendas de alimentos naturales. Controle la fecha de vencimiento para asegurarse de que es fresco. Almacénelo en el refrigerador y úselo en los siguientes dos meses. Si tiene mucho olor a pescado, probablemente se echó a perder y no lo debería usar. El aceite de lino se puede conservar en el refrigerador sin congelarlo hasta un año. Puede usar el aceite en ensaladas y en verduras en lugar de manteca.

No frite nada en aceite de semillas de lino ya que se destruye a temperaturas muy altas y podría ser perjudicial.

Cálculos biliares

• • • • • • • • • • • •

Los caballos nunca tienen cálculos biliares porque, como muchos animales, no tienen vesícula biliar. La vesícula biliar es un órgano sin el cual usted puede vivir de todas maneras también.

Coma	
Cerelaes ricos en fibras	Naranjas
	Pimientos rojos
Cantalupos	dulces
Pan de trigo integral	Café
	Cebada
Evite	
Alimentos ricos en grasas saturadas, como la carne roja	
Alimentos ricos en azúcares refinados, como las confituras	

La vesícula almacena la bilis, líquido digestivo hecho por el hígado. Algunas veces las sustancias en la bilis — generalmente el colesterol — se cristalizan y forman cálculos biliares. Algunos cálculos no producen síntomas. Se llaman cálculos "silenciosos" y no requieren tratamiento.

Cuando los cálculos biliares se agrandan u obstruyen cualquiera de los conductos que transportan la bilis desde el hígado al intestino delgado, pueden producir dolores intensos en la parte derecha o alta del abdomen. El dolor también se puede irradiar al hombro derecho o entre los omóplatos. Estos síntomas, que generalmente aparecen después de comer o a la noche, se confunden a menudo con los de una cardiopatía, apendicitis, úlceras o síndrome del intestino irritable.

Si cualquiera de los conductos permanece obstruido durante un periodo significativo, se puede producir un daño grave en la vesícula biliar, en el hígado y en el páncreas. Los signos de advertencia de un problema grave son dolor constante, fiebre e ictericia (un tono amarillo en la piel u ojos). Generalmente el tratamiento incluye extraer quirúrgicamente los cálculos biliares o la vesícula biliar. Si se saca la vesícula biliar, la bilis fluye desde el hígado directamente al intestino delgado.

Muchos expertos de la salud dicen que uno puede evitar los dolorosos cálculos biliares si cambia la dieta y el estilo de vida. En un estudio reciente en la Universidad de Buffalo, se descubrió que un estilo de vida típico occidental — con demasiadas grasas saturadas y azúcar refinada y muy poco ejercicio y fibra — aumenta el riesgo de tener cálculos biliares. El autor principal Maurizio Trevisan dice: "Este estudio confirma que la enfermedad de los cálculos biliares es una de las enfermedades de la civilización occidental. Es otro mensaje más de que una dieta rica en grasas y en azúcar refinada y un patrón de escasa actividad física puede causar todo tipo de problemas". Toda persona que haya experimentado el dolor de los cálculos biliares puede decir que es todo un problema.

Nuevos descubrimientos nutricionales que combaten los cálculos biliares

Fibra. Sáciese con fibras en lugar de grasas y puede protegerse de los cálculos biliares Los vegetarianos tienen menos posibilidades de tener cálculos biliares, probablemente porque comen menos grasas saturadas y más fibra. La fibra aumenta el movimiento de los alimentos por el colon, lo cual reduce la cantidad de ácidos biliares en la vesícula biliar.

Una dieta rica en fibras también podría ayudar a reducir el riesgo de tener cálculos biliares al ayudar a controlar el peso. Tener sobrepeso es un factor de riesgo conocido para los cálculos biliares.

Cafeína. Si no puede arrancar hasta que no bebe su segunda taza de café a la mañana, puede estar protegiéndose del dolor de los cálculos biliares. En un estudio reciente, se descubrió que los hombres que tomaban entre dos y tres tazas de café por día tenían 40% menos de posibilidades de que se le formaran cálculos dolorosos comparado con aquellos hombres que no bebían café.

Los resultados de un estudio posterior indicaron que el café no protegía de los cálculos biliares, pero reducía los síntomas en mujeres que ya los tenían. Los investigadores creen que la cafeína en el café podría evitar los síntomas de cálculos biliares, pero no los cálculos biliares en sí.

Vitamina C. Las mujeres son las desafortunadas portadoras de más de dos tercios de todos los cálculos biliares. Puede cambiar su suerte si come alimentos ricos en vitamina C, como cítricos, pimientos rojos dulces, pimientos verdes, fresas y cantalupos.

En un estudio extenso, los investigadores descubrieron que un nivel alto de vitamina C en sangre estaba relacionado con un índice bajo de cálculos biliares en mujeres y no en hombres.

Los científicos creen que las mujeres son más propensas a desarrollar cálculos biliares porque el estrógeno aumenta la cantidad de colesterol en la bilis. Debido a que la mayoría de los cálculos biliares están formados por exceso de colesterol, la vitamina C puede proteger a las mujeres porque ayuda a convertir el colesterol en ácidos biliares.

Un consejo

Elimine el azúcar y podría evitar los cálculos biliares. Las personas que comen mucha azúcar tienen más probabilidades de desarrollar cálculos biliares. Los investigadores creen que podría ser porque el azúcar aumenta la producción de insulina, la cual a su vez aumenta el colesterol. Debido a que las mayoría de los cálculos biliares están hechos de colesterol, cualquier cosa que produzca más colesterol en la bilis podría aumentar el riesgo de formar cálculos.

Una de las mejores maneras de reducir el colesterol es reducir la ingesta de grasas saturadas. Entre los alimentos ricos en grasas saturadas se incluyen carne, yema de huevo, leche entera, manteca, queso y algunas grasas vegetales como el aceite de coco, el aceite de palma y margarinas vegetales hidrogenadas. Comer menos grasas saturadas es bueno para los cálculos biliares y para el corazón.

Ajo

Los vampiros no son muy saludables. O no muy inteligentes. De otra manera, devorarían el ajo en lugar de evitarlo.

El ajo ha sido apreciado durante miles de años por sus facultades curativas y por su sabor. Las antiguas culturas egipcias y chinas usaban el bulbo aromático como medicamento. Los esclavos que construían las pirámides comían ajo para conservar la fuerza. Aristóteles elogiaba sus poderes medicinales. Los guerreros romanos lo comían para darse valor para la batalla. Incluso se menciona el ajo en la Biblia. Durante el largo viaje por el desierto después de abandonar Egipto, los israelitas decían que el ajo era uno de los alimentos que extrañaban.

El ajo también es popular en la actualidad y, además, la investigación científica comprueba que comer ajo brinda beneficios para la salud. En efecto, el ajo puede protegerlo de casi todo, desde el resfrío común hasta cardiopatías y cáncer. Incluso podría ayudarlo a vivir durante más tiempo.

Entonces ¿qué hace que el ajo sea tan especial? Aplaste un ajo y obtendrá un poderoso compuesto semejante a la penicilina llamado alicina. A su vez, la alicina se descompone para crear numerosos compuestos de sulfuro además de una sustancia llamada ajoene. Estos compuestos, que le dan al ajo ese olor tan característico, cumplen un papel muy importante en la lucha contra las cardiopatías. Además, el ajo está lleno de antioxidantes que lo protegen del daño de los radicales libres y es una buena fuente de selenio, un elemento traza importante.

Por sus efectos positivos para el corazón, los expertos recomiendan comer 4 gramos de ajo, o alrededor de un diente, por día. Pero ¿por qué sólo un diente? Haga más sabrosas sus comidas con ajo y no sólo estará agregando sabor, sino también desfundando una potente arma en la lucha para estar sano.

Nueve maneras en que el ajo lo mantiene sano

Ataca la ateroesclerosis. Imagine tratar de caminar en barro pegajoso y denso. Ahora imagine que ese mismo barro pasa a través de un sorbete, y de esta manera, tendrá una idea de cómo el colesterol puede dañar las arterias.

A medida que el colesterol se acumula en las arterias, el corazón tiene que trabajar más para bombear la sangre a través de ellas. Esto causa presión arterial alta. El colesterol alto y la presión arterial alta ayudan a que se desencadene la ateroesclerosis o que se engrosen y endurezcan las arterias — causa principal de muerte en el mundo occidental. De hecho, las cardiopatías se producen cuando una o más arterias coronarias se obstruyen demasiado o se bloquean por completo.

Debido a que baja el colesterol y la presión arterial, el ajo protege las arterias de cualquier posible desastre. El ajo también hace más lento el entumecimiento de las arterias que se produce con la edad. En un estudio de adultos saludables de entre 50 y 80 años, se descubrió que el ajo ayuda a mantener la elasticidad de la aorta, la principal arterial del cuerpo.

Reduce el colesterol. Como si fuera un súper héroe nutricional, el ajo persigue el colesterol LDL malo sin dañar el colesterol HDL bueno. El resultado consiste en menos grasa acumulada en las arterias, niveles de triglicéridos bajos y una circulación generalmente más saludable. Sólo la mitad o un diente entero de ajo por día (o una cantidad equivalente de suplementos) puede ser todo lo necesario para bajar los niveles de colesterol.

Baja la presión arterial. Al haber menos colesterol circulando por las arterias, la sangre puede circular más fácilmente por el cuerpo. Eso implica menos esfuerzo para el corazón y una presión arterial más baja. Algunos estudios demuestran que el ajo puede realmente bajar unos puntos la presión arterial.

Tritura los coágulos. El ajoene, junto con otros compuestos del ajo, evita que la sangre se acumule y se coagule. Esto evita que la sangre fluya con más facilidad y reduce el riesgo de sufrir una cardiopatía o una apoplejía.

Paraliza el cáncer. En China, los investigadores descubrieron que entre las personas que comían abundante cantidad de ajo había menos casos de cáncer de estómago y de esófago que entre aquellas personas que no lo comían. Probablemente no sea una coincidencia.

Los antioxidantes trabajadores del ajo, incluyendo los compuestos de sulfuro, la vitamina C y los flavonoides, atrapan los radicales libres y evitan que dañen el cuerpo y causen cáncer. La alicina y los numerosos compuestos de sulfuro también les ordenan a las células inmunológicas del cuerpo que entren en batalla. Estos pequeños soldados eliminan tumores y células cancerígenas.

Los expertos siguen encontrando más evidencia sobre las facultades del ajo para combatir el cáncer. Un estudio de la Universidad Estatal de Penn demostró que el ajo y el selenio evitaban el cáncer de mama en animales expuestos a una sustancia fuerte que produce cáncer. Otros estudios han establecido una relación entre comer ajo y los bajos riesgos de contraer cáncer de colon, de próstata, de piel, de vesícula y de pulmón.

Acaba con las bacterias, los virus y otras organismos. Cuando había escasez de penicilina durante la Segunda Guerra Mundial, los soldados rusos usaban ajo para combatir las infecciones. Estudios realizados durante las guerras también demostraron que entre los soldados que comían ajo había menos casos de disentería que entre aquellos que no comían.

Eso es debido a la alicina, un potente antibiótico que elimina una diversidad de bacterias, virus, hongos, candidiasis y parásitos. Algunas víctimas del ajo incluyen la *H. pylori, la Salmonella, el estafilococo, la E. coli*, y *la Cándida.* La alicina es tan poderosa que parece vencer algunas infecciones que normalmente resisten los antibióticos.

Es útil recordar esto cuando se cocinan hamburguesas u otras comidas con carne molida. Si la *E. coli* se encuentra en carne poco cocida, puede causar enfermedades graves e incluso la muerte. Investigadores en la Universidad Estatal de Kansas descubrieron recientemente que agregar entre 3 y 5 cucharaditas de ajo en polvo a 2 libras de carne molida ayuda a proteger de la intoxicación por *E. coli* .

Fortalece el sistema inmunológico. ¿Está cansado de sonarse la nariz? Recurra al ajo en lugar de a una caja de pañuelos descartables. El ajo estimula el sistema inmunológico por eso es menos probable que se contagie de resfríos o gripes. Una vez más, los compuestos de sulfuro en el ajo cumplen con su función de pedirles a las células inmunológicas que actúen. El ajo también hace transpirar, que es una manera del cuerpo de deshacerse de la basura.

Aplasta el nivel de azúcar en sangre. ¿Está preocupado por la diabetes? El ajo también ayuda a reducir el nivel de azúcar en sangre. El nivel alto de azúcar en sangre es uno de los síntomas claves de la diabetes. De hecho, debido a que el ajo también baja el colesterol y la presión arterial, agregar un poco a la dieta puede ser de ayuda si es diabético o está en riesgo de desarrollar diabetes.

Elimina la artritis reumatoide. Si el cuerpo tiene niveles bajos de antioxidantes y selenio, puede estar en mayor riesgo de sufrir de artritis reumatoide. Debido a que el ajo contiene abundante cantidad de ambas sustancias, puede ayudar a detener este tipo de artritis antes de que aparezca.

Indicadores de despensa

Cuando compre ajo, elija bulbos firmes con una cáscara blanca y parecida al papel. Evite los dientes marrones. No almacene el ajo en bolsas de plástico, recipientes cerrados o expuestos a la luz solar directa. Si guarda el ajo en un lugar fresco y seco con poca humedad, puede durar de cuatro a seis meses.

Una manera rara pero efectiva de almacenar el ajo es el método de las pantimedias. Tome un par de pantimedias y córtele las piernas. Coloque un bulbo de ajo en los pies y ate un nudo arriba del bulbo. Luego

---

Un consejo

Aunque la capacidad del ajo de evitar la formación de coágulos en la sangre puede ayudar a reducir el riesgo de sufrir una cardiopatía o una apoplejía, puede ser peligroso si está tomando warfarina u otro medicamento anticoagulante. Consulte con su médico antes de agregar el ajo a su dieta.

El ajo tiene otros efectos secundarios desagradables. Demasiada cantidad de ajo puede producir acidez, indigestión, o gases. Después de comer ajo, tendrá también un aliento horrible, que puede hacer que no se acerque a nadie, ni siquiera a alguien especial. Pruebe masticar un ramito de perejil después de una comida con ajo para disfrazar el olor.

coloque un segundo bulbo y ate otro nudo. Continúe haciendo esto hasta que no haya más espacio, luego cuelgue la pierna en un lugar oscuro y fresco. Cada vez que necesite un bulbo nuevo, sólo corte una sección de la pantimedia.

El ajo se debe picar en trocitos o aplastarlo para aprovechar al máximo sus facultades curativas. Existe alguna evidencia que demuestra que esperar 10 minutos entre picarlo y cocinarlo conserva mejor las facultades que cuando se lo cocina enseguida. Tampoco lo cocine demasiado porque disminuye su potencial curativo.

Beneficios
Neutraliza las náuseas
Combate el cáncer
Ayuda en la digestión
Trata el dolor de artritis
Mejora el flujo sanguíneo
Alivia la acidez

Jengibre

Probablemente piense que el jengibre es sólo otra especia más en el estante — que sólo se usa en los platos chinos salteados y en los platos hindúes con curry. Pero si supiera que el jengibre también es beneficioso para otras cosas, podría usarlo mucho más.

El jengibre ayuda a que el cuerpo esté más sano y a su vez le da más sabor a la comida. Durante miles de años, ha sido una hierba muy famosa. Muchas personas en todo el mundo han confiado en el ajo para ayudar a la digestión, mejorar la circulación, aliviar las náuseas y calmar los dolores de cabeza y otros dolores. Es tan bueno que en una época, una libra de ajo tenía el mismo precio que una oveja.

El jengibre es mucho más barato en la actualidad, pero aún hace maravillas con las dolencias diarias. Aunque parezca increíble, el jengibre también podría ser un arma contra problemas más graves, como el cáncer y la cardiopatía.

Pero ahora que ya las conoce, aproveche más seguido las facultades beneficiosas del jengibre. Agregue un poco de jengibre picado en un plato de arroz o deje reposar un poco en una tetera. Coma puñados de jengibre confitado o en vinagre o tome suplementos de jengibre. No importa de la manera en que lo corte, el jengibre es muy bueno — y es muy beneficioso — para dejarlo pasar.

Seis maneras en que el jengibre lo mantiene sano

Calma la sensación de mareo. Los investigadores ahora saben lo que los navegantes chinos descubrieron hace miles de años; el jengibre combate la cinetosis sin la necesidad de sufrir los irritantes efectos secundarios. Trata mareos, náuseas y vómitos cuando uno se encuentra en cualquier vehículo que salte y se agite — un bote, un avión o un auto. Al relajar los nervios y los músculos del tracto digestivo, el jengibre promete un buen paseo.

En uno de los últimos estudios de la cinetosis, los científicos siguieron a casi 2,000 personas durante un safari de ballenas. El jengibre se destacó de entre los siete diferentes medicamentos para combatir el mareo de mar usados en el paseo. Funcionó de la misma manera que cualquier otro medicamento intenso, pero a diferencia de ellos, el jengibre no produjo somnolencia.

Aunque algunos médicos son muy fanáticos del jengibre, hay otros que no están muy convencidos. Tenga en cuenta que el jengibre puede no funcionar para todos. Para saber si es útil para usted, elija suplementos de jengibre en cualquier tienda de productos naturales y tome dos pastillas de 500 miligramos (mg) una hora antes de viajar. Si aún se siente descompuesto, tome una o dos más cada cuatro horas. También puede usar jengibre confitado o abrillantado. Un trozo de 1 pulgada cuadrada y un cuarto de pulgada de grosor equivale a una pastilla de 500 miligramos. Puede comprar jengibre confitado en la mayoría de las tiendas de alimentos o en supermercados asiáticos.

Alivia otro tipo de náuseas también. El jengibre no sólo detiene la cinetosis. También evita las náuseas causadas por las cirugías y la quimioterapia. Consulte a su médico antes de consumir jengibre y no tome dosis excesivamente grandes.

Previene el cáncer. El jengibre está repleto de nutrientes llamados fitoquímicos que les dan a las frutas y a las verduras el color, el sabor, el olor y la textura. Lo más importante es que muchos son antioxidantes que pueden proteger de enfermedades como el cáncer. Los expertos descubrieron que el jengibre contiene al menos 12 fitoquímicos diferentes, lo cual lo convierte en unas de las fuentes alimentarias de antioxidantes más potentes. La curcumina se destaca de entre los doce fitoquímicos por ser un posible luchador contra el cáncer. Al igual que todos los antioxidantes, ayuda al cuerpo a capturar y a eliminar los radicales libres que causan el cáncer.

Limpia los coágulos sanguíneos. Otros dos fitoquímicos en el jengibre, el gingerol y el shogaol, podrían proteger el corazón al evitar la formación de coágulos sanguíneos. Recientes estudios donde se usaban diferentes cantidades de jengibre fresco y seco parecían demostrar esta conexión. Tampoco coloque todas sus esperanzas de tener un corazón sano en el jengibre ya que esta relación aún es controversial. Simplemente incluya el jengibre en una dieta sana llena de otras frutas y verduras.

> ### Jengibre en todas las estaciones
>
> Cuando compre jengibre, tal vez lo tenga que buscar con otro nombre — raíz de jengibre. La planta es semejante a algo q saca de la tierra, pero no es una raíz — es un rizoma, un tallo grueso y subterráneo.
>
> Para ver cómo crece el jengibre, plante uno usted mismo — es una de las hierbas más fáciles de cultivar. Sólo córtele 2 pulgadas a un jengibre fresco. Asegúrese de que tenga una yema, o un ojo, como la que aparece en una papa. Luego plántela con el corte hacia abajo, en una maceta de 4 pul-gadas — alrededor de 1 pulgada debajo de la tierra — y colóquela en una ventana donde reciba el sol. Mantén-gala húmeda y en un mes, aparecerá una plantita de jengibre.

Trata los problemas de estómago. Durante miles de años, los herboriteristas han recetado el jengibre para la hinchazón y la acidez, y actualmente los expertos no parecen oponerse a esta práctica. La Comisión E del gobierno alemán, similar a la FDA de los Estados Unidos, incluso recomienda consumir jengibre diariamente para mejorar la digestión. Sugieren comer de 2 a 4 gramos por día, lo cual equivale a alrededor de un trozo de 1 pulgada de jengibre fresco o de 500 a 1,000 mg de suplementos de jengibre.

Alivia el dolor. Muchos medicamentos para el dolor — incluso la aspirina — causan daño al mismo tiempo que ayudan. Incluso cuando los toma sólo durante un corto periodo, tiene que tener cuidado de los efectos secundarios.

El jengibre, en cambio, podría aliviar las molestias sin este problema. Investigadores en Dinamarca sugieren que el jengibre podría aliviar el dolor muscular diario, las migrañas y eliminar el dolor y la inflamación de la artritis — sin sufrir las secuelas. No resulta extraño que por eso la Fundación para la Artritis incluya el jengibre como un remedio a base de hierbas para el dolor.

Aunque la investigación parece ser prometedora, la artritis es una afección grave. Hable con su médico antes de cambiar los medicamentos por el jengibre.

Indicadores de despensa

El jengibre no es la verdura más atractiva en la sección de frutas y verduras. Pero no juzgue el libro por su tapa — el jengibre es un agregado sano y delicioso en el carrito de las compras. Su mejor elección es una pieza con ramas gruesas y cáscara tensa. Si está reseco y arrugado o agrietado, déjelo.

Cuando compre jengibre fresco, en su casa almacénelo como si fuera una papa — a temperatura ambiente. Si le preocupan los insectos, almacénelo en el refrigerador. Asegúrese de envolverlo en toallas de papel para evitar la formación de moho.

Para usar el jengibre, primero retire la cáscara y corte en rodajas, ralle o pique la cantidad que necesite. Luego agréguelo en salteados, marinadas, guisos, salsas o ensaladas. O hiérvalo en agua durante 10 minutos para preparar té. En cualquiera de los casos, pruebe un poco primero — puede tener un sabor fuerte y a veces picante — y no reemplace por jengibre seco o en polvo en una receta si se pide jengibre fresco. Se desilusionará por los resultados.

Un consejo

Aunque la mayoría de las personas pueden disfrutar el jengibre fresco o en polvo sin sufrir ningún efecto secundario, consulte a su médico antes de tomar suplementos si usted toma regularmente medicamentos antiinflamatorios no esteroideos (AINES) o medicamentos anticoagulantes, como warfarina. Debido a que el jengibre puede evitar que la sangre coagule, puede causar contusiones y problemas de hemorragias.

Si será sometido a una cirugía, deje de tomar suplementos herbarios mucho antes. Además de los problemas de hemorragias, puede tener una interacción con la anestesia.

Consulte a su médico sobre el jengibre si tiene cálculos biliares. Antes de recomendarles jengibre a sus amigas embarazadas, recuerde que puede ser peligroso para bebés no nacidos.

Gota

● ● ● ● ● ● ● ● ●

Una vez Charles Dickens escribió, "La gota es una queja que surge por mucha tranquilidad y comodidad". Desde la antigüedad, se creía que la gota solamente afectaba a reyes, barones y a otras personas ricas que derrochaban todo en comida y alcohol. Por eso la llamaban la "enfermedad de los reyes".

En la actualidad los expertos saben que la gota es una forma de artritis que tiende a aparecer en una familia. Si usted sufre de gota, el cuerpo tiene problemas relacionados con el ácido úrico, un subproducto natural del metabolismo. El cuerpo produce demasiado o los riñones no lo pueden eliminar. Esto hace que el ácido úrico se acumule en la sangre, lo cual produce ataques repentinos y repetidos de gota.

De hecho, puede acostarse a dormir una noche sintiéndose bien, y despertarse con el dedo gordo del pie enrojecido, inflamado y con dolor. De esa manera ataca la gota. Los cristales de ácido úrico se depositan en las articulaciones — en especial en las articulaciones más alejadas del pecho, como el dedo gordo del pie — y desencadenan una terrible inflamación. Un ataque doloroso puede dejarlo postrado en la cama durante días o semanas.

Las personas mayores deben ser cautelosas con tomar aspirina muy seguido. Sólo 75 miligramos (un poco menos que una aspirina para niños) por día puede afectar la manera en que los riñones liberan el ácido úrico.

Si tiene síntomas de gota, consulte a su médico. Puede descubrir la raíz del problema y recetarle un medicamento para prevenir futuros ataques. Si la gota no se trata, podría causar desfiguraciones permanentes en las articulaciones y cálculos renales.

Tener sobrepeso y sufrir de presión arterial alta son las dos causas principales de la gota. Entonces para estar seguro — reduzca la cantidad de alimentos grasos que consume, aumente la ingesta diaria de frutas, verduras y granos integrales y haga ejercicio regularmente. El alcohol también puede causar un ataque por eso es una práctica prudente beber con moderación si bebe.

Nuevos descubrimientos nutricionales que combaten la gota

Cerezas. Según una investigación realizada en la Universidad Estatal de Michigan, si la gota ataca, coma algunas cerezas. El Dr. Muralee Nair, autor principal de este estudio, recomienda comer cerca de 20 cerezas por día para reducir la inflamación y el dolor de un ataque de gota repentino. "El consumo diario de cerezas", dice Nair, "tiene el potencial de reducir el dolor relacionado con la inflamación, la artritis y la gota".

Algunos investigadores creen que las cerezas podrían funcionar de la misma manera que las drogas, pero sin causar los efectos secundarios. Los estudios en tubos de ensayo realizados por Nair demostraron que los compuestos de cerezas son muy efectivos cuando se los compara con la aspirina, el ibuprofeno y los medicamentos antiinflamatorios no esteroideos (AINES).

Estos impresionantes compuestos de la cereza son los mismos que le dan a la fruta el color rojo. Las llamadas antocianinas evitan que el cuerpo produzca prostaglandinas, sustancias químicas que causan inflamación.

Si comer un tazón completo de cerezas le resulta una tarea imposible de lograr, las cerezas secas pueden brindar una dosis más concentrada.

Jengibre y cúrcuma. Según la Fundación para la artritis, el jengibre y la cúrcuma podrían ser dos armas más naturales para combatir la gota. Ambas especias contienen curcumina, un fitoquímico conocido por sus facultades antioxidantes y antiinflamatorias. Podría funcionar de la misma manera que el ibuprofeno y otros AINES, según investigaciones recientes.

Para probar los poderes curativos de la curcumina, agregue jengibre fresco a su próxima salteada o prepare un poco de té de jengibre. Conseguir cúrcuma es tan fácil como pedir curry en el restaurante hindú de la zona.

Si tiene problemas de cálculos biliares o toma AINES o medicamentos anticoagulantes, como warfarina, consulte a su médico antes de tratar la gota con estas especias.

Un consejo

Si tiene gota, no coma alimentos ricos en purinas. Pueden empeorar la gota.

Las purinas hacen que el cuerpo produzca demasiado ácido úrico. Esto desencadena la formación de cristales de ácido úrico en las articulaciones, lo cual causa inflamación y dolor.

Los alimentos ricos en purinas incluyen las arvejas y alubias secas, el pavo, el tocino, las anchoas, el hígado y la coliflor. Consulte a su médico sobre una dieta reducida en purinas.

Agua. El cuerpo necesita al menos ocho vasos diarios de agua de 6 onzas. El agua no sólo ayuda a evitar la deshidratación, sino también a eliminar el ácido úrico.

Trate de consumir agua común. Las bebidas con azúcar — incluso las bebidas deportivas de moda que prometen una rápida hidratación — están llenas de calorías vacías.

Lácteos. Si no quiere sufrir otro ataque de gota, alivie el sistema con alimentos lácteos. Según un estudio reciente en Canadá, comer al menos 30 gramos de proteína láctea por día puede ayudar a controlar la cantidad de ácido úrico que circula en sangre. Si consideramos que una porción de yogur tiene 12 gramos de proteína y un vaso de leche tiene 8 gramos, es fácil consumir suficiente proteína de alimentos lácteos.

Pomelo

• • • • • • • • • • • • •

Beneficios

Protege contra las cardiopatías

Estimula la pérdida de peso

Ayuda a evitar las apoplejías

Combate el cáncer de pulmón, mama y próstata

Baja el colesterol

El pomelo es relativamente nuevo en el mundo de las frutas y las verduras, ya que sólo tiene alrededor de 200 años. Si lo comparamos con la manzana, que los científicos creen que ya se comía en la prehistoria, el pomelo es sólo un bebé — pero un bebé saludable que rebosa de nutrición.

Esta exquisita fruta contiene potasio e inositol del grupo de las vitaminas B y es una excelente fuente de vitamina C — sólo una mitad de pomelo proporciona el suministro diario total. Si come las variedades de pulpa roja y rosada, recibirá los beneficios del licopeno, que parece proteger de problemas de salud graves, incluso del cáncer. Y lo mejor de todo es que es reducido en calorías y no contiene grasas.

Puede agradecerles a los jamaiquinos por regalarnos esta fruta sana y deliciosa. El pomelo primero se cultivó en las costas de este pequeño país caribeño y recibió su nombre por la manera en que crecía en racimos, como las uvas. El árbol de pomelo se introdujo a Florida en 1820, y en la actualidad, la mitad del suministro de pomelos del mundo se cultiva en ese estado.

Cuatro maneras en que el pomelo lo mantiene sano

Brinda triple protección contra cardiopatías. El pomelo, como todos los alimentos vegetales, no contienen colesterol. También protege el corazón de los efectos perjudiciales del colesterol con un trío de nutrientes.

◆ **Pectina** — El pomelo contiene pectina, un tipo de fibra soluble que reduce el colesterol. En un estudio, la pectina del pomelo redujo más del 10% el colesterol LDL malo. En un estudio realizado a cerdos con alto colesterol se descubrió que la pectina del pomelo no bajaba los niveles de colesterol sino que reducía alrededor del 50% el estrechamiento de las arterias coronarias. Esto significa que la pectina podría tener un efecto beneficioso en las arterias aunque no disminuya el colesterol.

◆ **Vitamina C** — La vitamina C ayuda a evitar que el colesterol LDL se oxide, lo cual protege de cardiopatías. En numerosos estudios se ha descubierto que los altos niveles de vitamina C están relacionados con los bajos niveles de colesterol LDL y los altos niveles del colesterol HDL bueno.

◆ **Licopeno** — El pomelo rojo y rosado contiene licopeno, un carotenoide que le da su color a la fruta. En un estudio se descubrió que el riesgo de sufrir cardiopatías era 60% menor en las personas con la más alta concentración de licopeno en el cuerpo que en las personas con la menor cantidad de licopeno.

Ayuda a perder peso. Una versión de la "dieta del pomelo" se conoce desde la década del 30 cuando se hizo popular la Dieta de Hollywood, que consistía en comer algunos alimentos determinados. Se incluía al pomelo varias veces al día porque supuestamente contenía una enzima que quema la grasa. Desde entonces han surgido otras versiones de la misma dieta.

Kim Gaddy, dietista matriculado, advierte que basar una dieta en un solo alimento a largo plazo probablemente sea una mala idea. "La razón principal por la cual no doy este tipo de plan de comidas es porque quedan afuera importantes nutrientes. Por ejemplo, si se sigue una dieta solamente de pomelos, se pierden nutrientes como proteína, calcio y muchos más. Cada vez que se restringen grupos de alimentos, se arriesga a tener una deficiencia de nutrientes".

Aunque no debe depender sólo del pomelo para poder perder peso, es una fruta saludable y reducida en calorías y puede cumplir un papel importante en un plan para perder peso. Para obtener un plan de dieta equilibrada que incluya el pomelo, visite el sitio Web de Florida Citrus en Internet en <www.floridajuice.com/floridacitrus/diet.html>, o escriba a Florida Department of Citrus, P.O. Box 148, 1115 East Memorial Boulevard, Lakeland, FL 33802-0148. Esta dieta en particular se estudió en la Universidad Johns Hopkins y está aprobada por la experta en preparación física Denise Austin.

Reduce el riesgo de contraer cáncer. Incluya un pomelo en su desayuno y podrá recibir algún tipo de protección natural contra el cáncer. El pomelo blanco contiene un flavonoide llamado naringina que puede ser el responsable de los efectos protectores de cáncer. En un estudio realizado en la Universidad de Hawaii se descubrió que las personas que comían gran cantidad de pomelos blancos tenían 50% menos de probabilidades de desarrollar cáncer de pulmón que las personas que comían menos cantidad. En estudios realizados en animales, se descubrió que la naringina podría ayudar a prevenir el cáncer de mama.

Si el pomelo rosado es su favorito, le podría estar haciendo un gran favor a la próstata. Los estudios demuestran que comer alimentos que contienen licopeno puede reducir el riesgo de contraer cáncer de próstata. También abarca a hombres que ya tienen la enfermedad de próstata.

Detiene el desarrollo de apoplejía. Comer pomelo puede realmente recompensarlo porque lo protege de la apoplejía. En un estudio realizado a más de 100.000 personas, se descubrió que aquellos que comían abundante cantidad de frutas y verduras tenían un 30% menos de riesgo de sufrir una apoplejía. Cada porción de frutas o verduras que agrega a su dieta diaria — hasta seis porciones reduce un 6% el riesgo de sufrir una apoplejía. Más de esa cantidad parece no ayudar, según el estudio.

El pomelo como fruta y jugo se encuentra entre los alimentos más beneficiosos que se han estudiado. Los investigadores creen que el potasio en el pomelo es lo que lo hace protector en especial de la apoplejía. En un estudio extenso, se descubrió que los hombres que ingerían la mayor cantidad de potasio tenían un 38% menos de riesgo de sufrir una apoplejía.

Un consejo

Si le encanta el jugo de pomelo, debe tener cuidado con dos cosas — las interacciones con los medicamentos y los cálculos del riñón.

El jugo de pomelo puede afectar la manera en que el cuerpo maneja ciertos medicamentos. A veces obstruye la absorción y otras veces hace que el cuerpo absorba el medicamento más rápido. Siempre consulte a su médico o farmacéutico antes de tomar cualquier medicamento con jugo de pomelo.

Si es propenso a desarrollar cálculos de riñón, una investigación demuestra que usted puede reducir el riesgo de desarrollarlos si bebe más líquidos. Pero no elija el jugo de pomelo. En un estudio reciente, una porción de ocho onzas de vino redujo 59% el riesgo de desarrollar cálculos de riñón, mientras que el café y el té reducen entre 8 y 10% el riesgo. Pero el jugo de pomelo *aumentó* 44% el riesgo desarrollar cálculos.

Indicadores de despensa

El pomelo no se cosecha hasta que no está maduro, así que no debe preocuparse en tomar uno "verde". Elija un pomelo que parezca pesado por su tamaño y tendrá una fruta que es jugosa y sabrosa. Puede almacenar el pomelo a temperatura ambiente durante una semana o en el refrigerador entre seis y ocho semanas. Para preparar un manjar con la juguera, déjelo estar a temperatura ambiente durante unos minutos antes de comer.

Beneficios

Protegen el corazón

Combaten el cáncer

Protegen la visión

Combaten los cálculos
de riñón

Mejoran el flujo
sanguíneo

Uvas

• • • • • • • • •

Si llama a un amigo en España para saludarlo por el Año Nuevo, seguramente su amigo estará comiendo uvas, siguiendo la tradición española. Cuenta una leyenda que si puede comer 12 uvas — una por cada mes — en los últimos 12 segundos previos a la medianoche, tendrá buena suerte durante todo el año. Siempre y cuando no se ahogue con las uvas, podría gozar de buena salud también.

Las uvas prácticamente desbordan de polifenoles, compuestos vegetales que actúan como los antioxidantes y lo protegen de cardiopatías y del cáncer. También tienen fibra, pequeñas cantidades de vitaminas e importantes minerales, como potasio, calcio, manganeso y hierro. Por eso las uvas son un alimento popular desde el 3000 a.C. En la actualidad, las uvas crecen en parras y arbustos en áreas cálidas alrededor del mundo.

Resulta fácil incluir esta deliciosa fruta en su dieta. Pruebe la mermelada de uva o el vino tinto, y no se pierda las masticables pasas de uva. Pero la mejor manera podría ser la más simple — coma un puñado de uvas como bocadillo.

Recuerde que a menos que sea la fiesta de Año Nuevo, no se apure.

Cuatro maneras en que las uvas lo mantienen sano

Le ponen fin a las cardiopatías. Tal vez escuchó sobre la "Paradoja francesa". Consiste en la combinación de un estilo de vida aparentemente no sano — comer alimentos ricos en grasa, fumar, hacer poco ejercicio y beber vino — y una tasa de cardiopatías baja. Muchos expertos dicen que el vino tinto es la clave. Numerosos estudios europeos sugieren que beber vino tinto con moderación — entre uno y dos vasos por día — reduce alrededor del 40% el riesgo de morir de una cardiopatía.

El secreto está en la piel. La piel de la uva contiene resveratrol, un tipo de estrógeno vegetal, también llamado fitoestrógeno. En el cuerpo, el resveratrol combate la inflamación y evita la formación de los coágulos de sangre.

La piel de la uva también contiene quercentina, un poderoso flavonoide. También funciona como un antioxidante para evitar que el colesterol de lipoproteína de baja densidad (LDL o "malo") se acumule en las paredes arteriales y obstruya el flujo sanguíneo que va al corazón y al cerebro. También evita que la sangre se adhiera y se acumule. La sangre fluye por las arterias con más facilidad, lo cual reduce un poco la presión en el corazón y disminuye el riesgo de una apoplejía.

Por eso, el vino tinto, que incluye la piel de la uva, ayuda al corazón a diferencia del vino blanco. Si se da el gusto con un poco de champán, recibe más flavonoides que de la mayoría de los vinos blancos. Eso es porque se deja en el jugo la piel saludable de la uva durante una parte del proceso de fermentación del champán.

Pero sólo porque el vino tinto puede proteger de cardiopatías no significa que deba comenzar a beber. Si no le gusta el alcohol, puede recibir beneficios similares del vino sin alcohol o del jugo de uvas, que tiene alrededor de la mitad de los flavonoides del vino tinto. O puede comer más uvas. Si bebe alcohol, recuerde que la moderación es el secreto para una buena salud.

Combaten el cáncer. Cuando se trata de combatir el cáncer, el resveratrol es parecido a un súper héroe. Los investigadores en la Universidad de Illinois descubrieron que este estrógeno vegetal previene el cáncer en cada momento porque actúa como un antioxidante y combate la inflamación, la mutación de células y los tumores.

Agregue la poderosa acción antioxidante de la quercentina y de otros flavonoides — incluyendo las antocianinas que le dan a las uvas el color rojo — y así obtendrá una defensa mucho más fuerte contra los peligrosos radicales libres que dañan las células y causan cáncer.

Estará contento por saber que hay investigaciones que lo confirman. En estudios realizados, beber vino de manera moderada redujo un 22% las muertes por cáncer. Recuerde que beber mucho — más de dos vasos de vino por día — aumenta mucho el riesgo de cáncer.

Pero repetimos, no tiene que beber vino para obtener estos beneficios anticancerígenos. Las uvas y el jugo de uvas también protegen de esta enfermedad. De hecho, los expertos establecen una relación entre comer más uvas y tener un menor riesgo de cáncer de boca.

Evitan los problemas visuales. Si está preocupado por su visión, podría querer enfurecerse con las — uvas rojas. Las uvas rojas sin semillas son una buena fuente de carotenoides, como luteína y zeaxantina. Estos carotenoides pueden proteger de la degeneración macular relacionada con la edad, que es la causa principal de la pérdida de visión en personas mayores a 50 años de edad.

Eliminan los cálculos de riñón. El dolor de los cálculos de riñón es suficiente para hacer que cualquier persona beba. Por extraño que parezca, podría ser una buena solución. Beber más líquidos ayuda a eliminar del cuerpo las toxinas que causan los cálculos, pero el vino es más beneficioso que el líquido promedio. Estudios realizados en Harvard indican que cada vaso de vino de ocho onzas por día reduce un 39% el riesgo de formación de cálculos en hombres y un impresionante 59% en mujeres.

Indicadores de despensa

Las uvas, como vino, se pueden clasificar en rojas o blancas. El color de la piel varía desde verde pálido hasta violeta oscuro. Algunas uvas tienen semillas mientras que otras no. Algunas variedades se usan para el vino, otras para alimentos, como jugo, mermelada y jalea de uvas. Otras son uvas de mesa — el tipo dulce y jugoso que puede comer.

Cuando compre uvas de mesa, elija las uvas carnosas que todavía estén unidas al tallo. Puede almacenar las uvas en una bolsa de plástico en el refrigerador durante una semana aproximadamente. Antes de comerlas, asegúrese de lavarlas bien en caso de que les hayan rociado insecticidas.

Té verde

· · · · · · · · · · · · · ·

Es difícil creer que algo tan tranquilizador como una taza de té caliente pueda proteger de enfermedades, pero es verdad. Durante miles de años, el mundo oriental ha tenido conocimiento de los secretos de salud de esta simple bebida.

Beneficios
Combate el cáncer
Protege el corazón
Ayuda a evitar las apoplejías
Estimula la pérdida de peso
Fortalece los huesos
Elimina bacterias

Según la leyenda, el emperador chino Shen-Nung descubrió esta sabrosa bebida por accidente en 2737 a.C. Según la historia, el emperador estaba hirviendo una pava de agua en una terraza cuando algunas hojas de un arbusto cercano cayeron dentro del agua. El emperador probó la infusión y le pareció deliciosa. No pasó mucho tiempo hasta que las personas empezaron a agregarles hojas a pavas con agua en China y en el Lejano Oriente y a disfrutar los beneficios protectores de esta planta.

Los comerciantes holandeses trajeron el té al Mundo Occidental cerca del 1600 y los ingleses pronto comenzaron una ruta de comercio similar y prefirieron el sabor del té negro. En la actualidad, el Mundo Occidental bebe mayormente té negro, mientras que los chinos y los japoneses beben normalmente el té verde.

Los tés negros y verdes se hacen del mismo arbusto, autóctono de China e India, *Camellia sinensis*. El té verde sólo difiere en la manera en que se prepara. A diferencia del té negro, que se fermenta, las hojas de té verde se cocinan al vapor inmediatamente después de cosecharlas. Este proceso de cocinar al vapor ayuda a conservar los antioxidantes de la planta, llamados taninos o polifenoles.

Los científicos creen que los antioxidantes del té verde son más poderosos que los presentes en la mayoría de las verduras. El té verde también contiene vitamina B y C y tiene menos cafeína que el té negro. Debido a la poderosa capacidad de uno de sus antioxidantes de combatir los radicales libres que dañan las células, esta bebida natural gana una reputación de luchador contra el envejecimiento y las enfermedades.

Muchos estudios clínicos recomiendan beber ciertas cantidades de té todos los días. Recuerde que no todas las tazas de té son iguales. Las tazas japonesas tradicionales son bastante pequeñas y contienen sólo unas pocas onzas mientras que la mayoría de las tazas de café son gigantes. Su mejor opción es elegir una taza de tamaño medio.

Ocho maneras en que el té verde lo mantiene sano

Dígale sayonara a las afecciones. Miles de mujeres que practican la antigua ceremonia del té japonés llamada Chanoyu reducen a la mitad el riesgo de morir de numerosas enfermedades fatales — y lo que colocan en sus tazas es lo que importa.

Ya se sabe que el extracto de té verde combate muchas bacterias que causan diarrea y náuseas, incluso algunas sepas de *E. coli*. También puede evitar que los gérmenes que causan la acumulación de placa y caries se desarrollen en la boca. Pero los investigadores creen que la costumbre de beber té verde en pequeñas cantidades durante el día podría ser el secreto para mantener a los antioxidantes circulando por el cuerpo. No necesita una ceremonia para obtener estos mismos beneficios — sólo llene siempre la taza.

Anula el cáncer. Si el cáncer está presente en su árbol genealógico, el té verde podría convertirse en su nuevo mejor amigo. Los estudios demuestran que combate el cáncer de mama, de estómago, de colon, de próstata y de piel. Pero no se detiene allí. El té verde incluso puede ayudar a los pacientes de quimioterapia a aprovechar el tratamiento. A menudo durante la quimioterapia, las células cancerígenas dejan de responder a las drogas. Pero en un estudio en Alemania se demostró que el té verde podría hacer que las células cancerígenas resistentes comiencen a responder nuevamente.

Elimina el riesgo de cáncer de boca. Si no le gusta tomarse unos minutos, considere esto — beber lentamente y mantener el té verde en la boca durante algunos segundos por vez mantiene altos los niveles de antioxidantes en la boca y en la garganta. Los científicos creen que esto podría ser la razón por la cual entre los bebedores de té verde haya menos casos de cáncer esofágico y de boca que en otras personas. Es una gran razón para relajarse tomando una taza.

Otra buena protección contra el cáncer de boca y de garganta es tan simple como condimentar una comida con cúrcuma y beber mucho té verde. Investigadores en el Centro de Cáncer Memorial Sloan-Kettering en Nueva York descubrieron que el té verde combinado con curcumina, de la cúrcuma, crea un súper héroe que combate el cáncer y que hace más lento de manera drástica el crecimiento de células cancerígenas en la boca.

Combate el cáncer de mama. Hay buenas noticias para las mujeres que beben té verde con regularidad. Beber cinco o más tazas por día podría implicar tener más oportunidades de sobrevivir al cáncer de mama. Además, si el médico descubre el cáncer en una etapa temprana, es menos probable que se extiendan los nódulos linfáticos. Beber más de ocho tazas por día, en el caso de mujeres posmenopáusicas, podría implicar incluso una mayor protección. En general, las personas que beben té verde tienen más posibilidades de tener tipos de cáncer que respondan a tratamientos médicos y tienen menos probabilidades de volver a tener cáncer que otras mujeres.

Evita cardiopatías y apoplejías. Mientras continúa con otra taza, el té verde baja la presión arterial y el colesterol. Eso significa menos riesgo de sufrir una cardiopatía o una apoplejía. Un estudio a largo plazo realizado en hombres mayores en los Países Bajos demostró que existía una relación entre el riesgo de cardiopatías y apoplejía y la cantidad de frutas, verduras y té que los hombres consumían. Aquellos hombres con la mayor ingesta de alimentos y bebidas ricos en antioxidantes tenían muy pocas probabilidades de morir de cardiopatías o apoplejías.

Si es una persona que bebe mucho café, sería bueno que cambie al menos algunas de las bebidas calientes por esta bebida maravillosa. En un estudio en la Facultad de Medicina de Harvard, se descubrió que las personas que bebían té tenían menos riesgo de sufrir una cardiopatía que los fanáticos del café. Los científicos creen que un aminoácido en el té verde, llamado teanina, es el responsable de hacer que la sangre no se adhiera demasiado para que pueda moverse con facilidad por las arterias. Evitar la acumulación de placas de esta manera puede reducir el riesgo de cardiopatías, apoplejías y otros problemas de salud.

Favorece al hígado. Una taza de té verde a la semana podría evitar que las toxinas dañen las células del hígado. Pero beber más de 10 tazas por día puede ser una buena protección contra enfermedades hepáticas. Debido a que el té tiene cafeína, sería bueno elegir descafeinado si bebe esta cantidad.

> ## La ceremonia japonesa del té
>
> **Los japoneses, que han perfeccionado el arte de beber té durante siglos, han desarrollado una ceremonia del té que puede ser un evento social, artístico y a veces religioso.**
>
> **Aunque el té puede ser una reunión informal para amigos, el té bien formal, llamado un chaji, puede durar desde tres a cinco horas. Este evento especial puede consistir de una comida de varios platos y un intermedio en un jardín. Cada movimiento de la persona que lo sirve es importante para la experiencia en general, y las personas que sirven el té serio incluso practican las posiciones de los dedos. Algunos llegan a esculpir las cenizas para el fuego que se usa para calentar el agua.**

Combate la enfermedad de huesos frágiles. ¿Sabía que una taza de té puede ser una poderosa arma contra la osteoporosis? En Inglaterra, se les midió la densidad ósea a más de 1000 mujeres que bebían té. Sorprendentemente tenían huesos más fuertes que las mujeres que no bebían té. Aunque estas mujeres inglesas bebían té negro, el beneficio lo proporcionaban los antioxidantes encontrados en el té negro y en el verde. Además, no parecía influir si las mujeres fumaban, recibían terapia de reemplazo hormonal, bebían café o agregaban leche al té — los resultados eran los mismos.

Según el Departamento de Salud y Servicios Humanos de los EE.UU., un cuarto de las mujeres mayores de 65 años de edad y la mitad de las mujeres mayores de 85 sufren de osteoporosis. Esto significa que el té podría convertirse en una parte importante de la dieta de cada mujer.

Le permite beber y adelgazar. Como si el té verde no tuviera ya suficiente trabajo salvando el mundo de enfermedades, también puede ayudar a perder peso. En numerosas pruebas, los investigadores le dieron a un grupo de personas extractos de té verde — equivalentes a tres y cinco tazas de té — en cada comida. Su metabolismo aumentó incluso más que el del grupo que tomaba pastillas de cafeína. Esto es una buena noticia para las personas que hacen dieta ya que un metabolismo más alto significa que las calorías se queman más rápido.

Además, el té verde puede ayudarlo a perder el exceso de líquidos retenidos — que lo hace sentir hinchado. Sólo piense, tomar té para tener una buena salud podría también ayudarlo a caber de nuevo en la ropa ajustada.

Indicadores de despensa

Puede comprar el té verde en la mayoría de las tiendas de alimentos y en las tiendas de alimentos naturales, ya sea en hebras o en saquitos. Almacénelo en un recipiente oscuro y hermético y guarde el recipiente en un lugar fresco y seco. Es mejor usar el té verde dentro del primer o segundo mes para obtener los mejores beneficios para la salud.

Debido a que el agua hirviendo destruye algunos de los antioxidantes en el té, debe remojar el té en agua caliente pero que no esté hirviendo, alrededor de tres minutos. Bébalo antes de que se enfríe demasiado y que tenga un marrón más oscuro — señal de que los antioxidantes ya no se encuentran activos. Pruébelo sin agregar ningún edulcorante, pero si no puede dejar de ser goloso, agréguele media cucharadita de miel por taza. Si se le agrega un poco de leche descremada, incluirá un poco de calcio adicional a su dieta sin cambiar los beneficios para la salud que brinda el té.

Un consejo

Aunque el té verde tiene menos cafeína que el té negro y alrededor de un tercio de la cantidad de cafeína que tiene el café, mucha cantidad de esta bebida puede mantenerlo despierto a la noche o sentirse acelerado durante el día. Incluso algunas personas sufren de irritación estomacal si beben mucho té. Si esto le sucede a usted, elija té descafeinado, verde o negro, que le brindará una poderosa protección antioxidante sin esos efectos secundarios.

Guayaba

•••••••••••••••

Las guayabas se destacan en la competencia nutricional — y llegan a ser campeones. Si creía que las naranjas y otros cítricos eran los reyes de la vitamina C, debe conocer las guayabas. Una guayaba tiene 165 miligramos (mg) de vitamina C, mientras que la naranja tiene solamente 69 mg. Esta deliciosa fruta es también una buena fuente de betacaroteno, licopeno, potasio y fibras solubles.

Se cree que las guayabas tienen su origen en América Central hace más de 2000 años. Es difícil cultivarla en algunas áreas, pero en las regiones tropicales como el Caribe donde las condiciones son las correctas, la guayaba se puede extenderse rápidamente y se la considera una molestia. También se cultiva en Hawai, en California y en Florida.

Aunque Tampa, Florida, no es el mayor productor de guayaba, se la llama la "Gran Guayaba", adaptación del apodo de Nueva York la "Gran Manzana". Todos los años para el Día de todos los Santos, Tampa presenta el "Festival anual de la guayaba" con estilo latino en el área de Ybor City — que se completa con un concurso de cocina "Amo las guayabas"

Sería buena idea ampliar las opciones de frutas y probar algunas guayabas — o colocar jalea de guayaba en la tostada en lugar de usar la típica jalea de uva o de manzana.

Tres maneras en que las guayabas lo mantienen sano

Ayudan al corazón. Las guayabas pueden mejorar la salud del corazón al ayudar a controlar la presión arterial y el colesterol.

En un estudio, los investigadores les dieron guayabas a personas con presión arterial alta antes de las comidas durante 12 semanas. Al finalizar el estudio, la presión arterial sistólica (el número superior) promedio cayó 8 puntos y la diastólica (el número inferior) cayó 9 puntos.

La capacidad de las guayabas de bajar la presión arterial puede ser el resultado del potasio. Este mineral es un electrolito que es esencial en las reacciones eléctricas en el cuerpo, incluyendo el corazón. También mantiene el ritmo cardíaco estable y ayuda a los riñones a eliminar los desechos del cuerpo.

Además, el colesterol total de los participantes del estudio cayó casi 10%. Los expertos creen que el efecto de bajar el colesterol que tiene la guayaba puede deberse al contenido de fibras solubles. Las fibras solubles suavizan y forman un gel que envuelve el colesterol y lo transporta fuera del cuerpo.

La vitamina C presente en las guayabas puede ser un antioxidante particularmente efectivo contra las cardiopatías. Los estudios demuestran que aumenta el colesterol HDL bueno y ayuda a evitar que el colesterol LDL malo se oxide y se convierta en placas que obstruyan las arterias. La vitamina C también puede ayudar a los vasos sanguíneos pequeños elásticos y sanos.

> ## Una manera poco común de tratar la diarrea
>
> El fruto de la planta de guayaba puede ser sabroso y nutritivo, pero las hojas se han usado como medicamento durante siglos. Los indígenas de las zonas donde se cultivan las guayabas usan las hojas para tratar problemas digestivos, en especial la diarrea. También colocan las hojas trituradas sobre heridas y mastican las hojas para aliviar el dolor de muelas. Aunque la mayoría de estos remedios caseros tienen poca evidencia científica que los respalde, en un estudio se descubrió que en parte podría ser real el efecto antidiarreico de las hojas de guayaba.

Reprimen el cáncer. Las guayabas son una buena fuente de licopeno. Este carotenoide, que les da a muchos alimentos vegetales el color rojo o rosado, puede ayudar a evitar el cáncer y mejorar el estado del corazón.

La evidencia que prueba el efecto protector del licopeno contra el cáncer es más fuerte en los casos de cáncer de próstata, de pulmón y de estómago.

Los tomates y los productos a base de tomate son una de las principales fuentes de licopeno para la mayoría de las personas. Por eso la mayor parte de la investigación sobre el cáncer y el licopeno se ha concentrado en los productos del tomate.

La vitamina C en la guayaba también puede protegerlo del cáncer. Los estudios descubrieron que una gran ingesta de vitamina C podría reducir el riesgo de desarrollar cáncer de colon, de estómago, de mama, y de pulmón.

Tratan la diabetes. Según las tradiciones, las guayabas se han usado en la medicina china para tratar la diabetes durante muchísimo tiempo. En la actualidad, un estudio reciente comprobó que podrían reducir el azúcar en sangre. Los efectos no fueron tan potentes como el de la clorpropamida y la metformina, drogas normalmente usadas para disminuir el azúcar en sangre. Sin embargo, puede ser una manera natural de ayudar a tratar o a prevenir la diabetes.

Indicadores de despensa

¿Alguna vez vio una guayaba? Esta fruta exótica tiene una fina piel verdosa o amarilla clara. Cuando compre guayabas, busque las que "resisten" una presión suave. Pero tenga en cuenta que las guayabas maduras se marcan con facilidad por eso trátelas con cuidado.

Una vez que maduran, cómalas rápidamente porque sólo están en su pico alrededor de dos días. Puede refrigerarlas durante un periodo corto, pero vuelven duras después de un par de días.

Las guayabas maduran prácticamente todo el año, pero la guayaba fresca probablemente esté disponible en los supermercados o en mercados hispánicos desde fines de la primavera hasta principios del otoño. Las guayabas en lata, la pasta de guayaba y el jugo de guayaba son buenas alternativas de la guayaba fresca. La guayaba también es excelente para mermelada y jalea.

Dolores de cabeza y migrañas

· · · · · · · · · · · · · · · · ·

Por suerte, los remedios para los dolores de cabeza no son lo que solían ser. En la antigüedad, se creía que los espíritus malignos causaban este dolor a veces insoportable. Llegaban a taladrar orificios en la cabeza de las personas que sufrían de estos dolores para permitir que los espíritus malignos salieran. El dolor de cabeza debe haberse sentido mucho mejor comparado con la cura. Afortunadamente, en la actualidad muchos expertos creen que uno puede encontrar alivio del dolor de cabeza con sólo controlar lo que come.

Alrededor del 90% de los dolores de cabeza son dolores de cabeza por tensión. Se siente como si tuviera una banda ajustada alrededor de la cabeza que causa dolor en la frente y en las sienes o en la parte posterior de la cabeza y del cuello. Menos comunes son los dolores de cabeza en racimo, con un dolor típico agudo y repentino detrás de uno de los ojos. Este tipo de dolor de cabeza afecta mucho más a los hombres que a las mujeres. Sin embargo, las mujeres tienen cerca de tres veces más dolores de cabeza de migrañas que los hombres. En el caso de la migraña, se siente un dolor fuerte, generalmente en uno de los lados de la cabeza. La luz y los sonidos molestan a los ojos y a los oídos, y se puede sentir mareado y tener descompostura de estómago.

Cualquiera sea el nombre con que llama al dolor, muchas cosas pueden causar un dolor de cabeza — estrés, fatiga, ruidos fuertes, luces brillosas y cambios en los niveles de estrógeno en una mujer, como se produce durante el periodo. Incluso saltear comidas o comer los alimentos equivocados — en especial los que contienen sustancias que afectan el flujo sanguíneo al cerebro — pueden causar problemas. Algunos de los desencadenantes más comunes de la migraña incluyen el vino tinto, el queso y el chocolate. Los panchos, el tocino, el MSG como

197

aditivo en la comida china, los frutos secos y los cítricos también pueden causar dolor de cabeza.

La buena noticia es que no tiene que eliminar todos estos alimentos de su dieta. Diferentes alimentos afectan a las personas de formas diferentes. Para averiguar cuál de los alimentos le causa problemas, lleve un diario con los dolores de cabeza y los alimentos. Si observa un patrón — por ejemplo, los dolores de cabeza siempre aparecen después de comer una barra de chocolate — debería pensarlo dos veces antes de comer ese alimento.

De la misma manera en que algunos alimentos pueden desencadenar dolores de cabeza, algunos alimentos pueden ayudar a evitarlos. Para detener el dolor antes de que aparezca, elija un menú con abundantes nutrientes.

Nuevos descubrimientos que combaten los dolores de cabeza y las migrañas

Magnesio. Las personas que sufren de migrañas — alrededor de 28 millones en los Estados Unidos solamente — tienen bajos niveles de este mineral en los glóbulos rojos y en el cerebro comparado con otras personas. Debido a esto, los investigadores creen que una deficiencia de magnesio podría causar migrañas.

Investigadores alemanes probaron esta idea y descubrieron que los suplementos de magnesio ayudaban a reducir la cantidad y la gravedad de las migrañas. Tendría que comer casi 11 tazas de avena o 26 batatas para obtener suficiente magnesio natural como el que usaron en este estudio, pero a no desesperarse. Con sólo incluir en su menú diario alimentos ricos en magnesio, como arroz integral, palomitas de maíz, brócoli, arvejas, papas, camarones, almejas y leche descremada, para hacerlo más saludable puede ser suficiente para aliviar el dolor de cabeza.

Riboflavina. Esta vitamina B puede ser tan efectiva como la aspirina en el momento de aliviar el dolor de las migrañas. En un estudio, las personas con migraña que tomaron suplementos diarios de riboflavina sintieron una mejora semejante a la de aquellas que tomaron riboflavina con aspirina.

Como en el caso del magnesio, esta vitamina se estudió en grandes dosis. Pero eso no significa que usted no pueda mejorar los niveles de riboflavina a través de la dieta. La leche, los huevos, la carne, la carne de ave, el pescado y las verduras de hoja verde le brindan generosas cantidades de esta vitamina clave.

Calcio y vitamina D. Si es una mujer que tiene migrañas en el momento de su periodo, una cantidad adicional de calcio y vitamina D puede significar menos dolores de cabeza y menos síntomas del síndrome premenstrual. Esta combinación también ayudó a mujeres posmenopáusicas que sufrían de migrañas. Para comenzar esta terapia de un trago, beba más leche fortificada con vitamina D.

Ácidos grasos omega 3. La batalla entre los ácidos grasos omega 3 y omega 6 se produce todos los días — usando el cuerpo como campo de batalla. Necesita ambos ácidos grasos esenciales y debe obtenerlos mediante la dieta porque el cuerpo no los puede producir. Pero los necesita en las cantidades correctas. Cuando un tipo de ácido graso supera drásticamente al otro, todo puede descontrolarse.

Los expertos dicen que la mayoría de las personas reciben mucho más omega 6 del necesario de una dieta llena de aceites vegetales comunes. Demasiado omega 6 causa demasiadas señalizaciones en el cerebro. Este caos desencadena inflamación, que puede producir todo tipo de problemas, incluyendo dolores de cabeza.

"El omega 6 circula rápidamente, cuando está en exceso, y causa el dolor de cabeza — literal y figuradamente" dice el Dr. William Lands de los Institutos Nacionales de Salud. "Se gastan miles de millones de dólares

---

Cafeína: ¿amiga o enemiga?

En los casos de dolor de cabeza, la cafeína funciona como un "doble agente". Por un lado, beber demasiada cafeína o eliminar la cafeína puede causar dolores de cabeza. Por otra parte, pequeñas cantidades de cafeína pueden ayudar a aliviar el dolor de cabeza una vez que comienza.

La cafeína comprime, o estrecha, los vasos sanguíneos. Esto ayuda al dolor en el cráneo porque los vasos sanguíneos generalmente se inflaman antes de un dolor de cabeza. La cafeína también ayuda a que otros medicamentos para el dolor de cabeza funcionen mejor; entonces los necesita menos.

Sólo recuerde que la cafeína es una droga — con la cual puede crear dependencia. La Fundación Nacional para el Dolor de Cabeza recomienda limitarse a dos bebidas cafeinadas por día. Si bebe mucho más café, reduzca la cantidad gradualmente. Si deja el café de repente, puede causar lo que se llama un dolor de cabeza de "rebote".

para desarrollar cosas que hagan más lento el exceso de señalizaciones de omega 6".

Sin embargo, una estrategia más barata — y una que usted mismo puede controlar — es obtener más ácidos grasos omega 3 que disminuyen la hiperactividad de omega 6. La mejor fuente de omega 3 es el pescado, en especial pescados grasosos, como el salmón, la caballa o el atún. Pero también lo encuentra en nueces, germen de trigo y en algunas verduras de hojas verdes.

Jengibre. Esta especia ha sido durante mucho tiempo aclamada por sus facultades para evitar las náuseas. Debido a que un estómago perturbado a menudo acompaña a las migrañas, comer jengibre puede ayudar a disminuir la agonía de un ataque de migraña.

Una mujer en Dinamarca tomó entre 500 y 600 miligramos de jengibre en polvo ante la primera señal de una migraña. En media hora, se sintió mejor. Además, integró el jengibre crudo a su dieta diaria y así tuvo menos cantidad de migrañas y menos agudas.

Aunque no hay prueba científica sobre el jengibre y las migrañas, pruebe a tomar hasta 2 gramos de jengibre en polvo disueltos en agua durante el día o incluya trozos de jengibre fresco en sus recetas favoritas.

Coma

Cereales ricos en fibras
Aceite de oliva
Bananas
Germen de trigo
Brócoli
Espinaca
Atún
Naranjas
Tomates
Salmón
Arroz integral

Evite

Alimentos que contengan un elevado nivel de grasas saturadas, tales como las carnes rojas y los productos lácteos enteros

Cardiopatía

• • • • • • • • • • • • • • • • • •

Japón tiene la expectativa de vida sana más alta de todo el mundo, según las estadísticas de la Organización Mundial de la Salud.

¿Por qué Japón terminó primero en las cifras de expectativa de vida? Principalmente debido a la tradicional dieta japonesa reducida en grasas que ayuda a mantener sano el corazón.

La cardiopatía es la principal causa de muerte en los Estados Unidos y en otros países desarrollados, pero está convirtiéndose rápidamente en un problema a nivel mundial. La buena noticia es que la cardiopatía es una enfermedad sobre la que usted puede hacer algo — sin importar donde viva.

Debido a que la cardiopatía es un problema grave, la Asociación Estadounidense del Corazón (AHA) publica pautas para dietas para ayudar a las personas a combatir esta enfermedad asesina. La AHA recomienda comer al menos cinco porciones de diferentes frutas y verduras todos los días, seis o más porciones de granos todos los días, dos o más porciones de pescado por semana, y limitar la ingesta de grasas saturadas, colesterol, sal y alcohol.

Nuevos descubrimientos nutricionales que combaten la cardiopatía

Fibra. ¿Quiere conocer una manera fácil de seguir las recomendaciones de la Asociación Estadounidense del Corazón para tener una dieta para un corazón sano? Sólo agregue dos tazones de cereales ricos en fibras a su dieta diaria.

En un estudio reciente, los hombres que comían dos porciones de cereales ricos en fibras todos los días — una en el desayuno y otra durante el día como bocadillo — cambiaron sus dietas lo suficiente como para cumplir con las recomendaciones de AHA sobre las grasas y el colesterol. Comer cereales en el desayuno implicó comer menos alimentos grasos en el desayuno, como tortillas de huevo, confituras y sándwiches para el desayuno. Algunos hombres comían cereales como un bocadillo después de la comida, en lugar de su tazón normal de helado.

Los investigadores no les dijeron que hicieran otros cambios con excepción de agregar el cereal a sus dietas regulares, pero los hombres descubrieron que automáticamente comían menos alimentos grasos porque la fibra los llenaba.

Debido a que la fibra ayuda a bajar el colesterol, la AHA recomienda comer fibra soluble, presente en alimentos, como la avena, el salvado de avena, el salvado de arroz, las alubias, la cebada, los cítricos, las fresas, y las manzanas, así como también fibra insoluble presente en panes de trigo integral y cereales, arroz integral y en muchas frutas y verduras.

Folato. La homocisteína, aminoácido que el cuerpo produce como un subproducto del metabolismo de proteínas, puede causar tanto daño al corazón y a los vasos sanguíneos como el colesterol. Los científicos descubrieron que las personas con cardiopatías, apoplejías o arterias tapadas en las piernas tienen muchas probabilidades de tener altos niveles de homocisteína en la sangre.

Afortunadamente, es fácil combatir la homocisteína con los alimentos adecuados. El folato y otras vitaminas B destruyen la homocisteína en el cuerpo. Por eso las personas con altos niveles de folato normalmente tienen bajos niveles de homocisteína.

Para aumentar el nivel de folato, coma muchas verduras de hojas verdes, alubias, cítricos y cereales fortificados y panes.

Omega 3. Si quiere tener un corazón sano, coma pescado más seguido. En un estudio extenso sobre médicos, se descubrió que aquellos hombres que comían al menos una comida con pescado por semana tenían un 52% menos de posibilidades de morir de una cardiopatía súbita que aquellos que comían pescado menos de una vez al mes.

Los ácidos grasos omega 3 son los héroes del corazón en el pescado. Investigaciones indican que el omega 3 puede bajar la presión arterial, reducir la viscosidad de la sangre y ayudar a regular el ritmo cardiaco.. Los pescados grasosos, como el atún y el salmón, contienen abundante cantidad de omega 3. Si no es muy fanático del pescado, puede obtener omega 3 del aceite de semillas de lino y de algunas verduras de hojas verdes, como la espinaca y la col.

Antioxidantes. La AHA recomienda que consuma al menos cinco porciones de frutas y verduras por día. Las frutas y las verduras frescas están llenas de antioxidantes, que pueden evitar que el colesterol LDL se oxide. La Dra. Lori J. Mosca, directora del área de investigación y educación sobre cardiología preventiva en la Universidad de Michigan, dice que "cuando una grasa como el LDL se oxida, es más propensa a acumularse en los vasos sanguíneos para formar placas. Con el tiempo, las placas estrechan los vasos sanguíneos o dan rienda suelta a un coágulo de sangre, que puede producir una cardiopatía o apoplejía. Cuando el LDL no se oxida, no parece causar problemas".

Estos poderosos antioxidantes pueden mantener sano el corazón.

◆ **Vitamina E.** Debido a que la vitamina E es una vitamina soluble en grasas, se almacena en las células grasas del cuerpo. Eso las coloca justamente donde está toda la acción, y así evita que el colesterol LDL se oxide. Un estudio descubrió que mujeres que comían muchos alimentos ricos en vitamina E tenían menos probabilidades de que el LDL se oxidara en la sangre. Un estudio anterior descubrió que mujeres que comían alimentos ricos en vitamina E tenían un 62% menos de probabilidades de morir de una cardiopatía que aquellas mujeres con baja ingesta de vitamina E. Entre los alimentos ricos en vitamina E se incluyen los frutos secos, los aceites vegetales, los granos enteros y el germen de trigo.

◆ **Vitamina C.** Además de proteger a las células de la oxidación, la vitamina C también ayuda a mantener los vasos sanguíneos bien abiertos y funciona bien con la vitamina E para recibir un impulso adicional de antioxidantes. Los cítricos, las fresas, los cantalupos, los tomates, los repollitos de Bruselas y el brócoli proporcionan beneficiosas cantidades de vitamina C.

◆ **Flavonoides.** Si aspira a las recomendaciones de la AHA de cinco o más porciones de frutas y verduras por día, obtendrá fácilmente una saludable dosis de flavonoides buenos para el corazón. Los flavonoides funcionan como antioxidantes y protegen el corazón al evitar que se acumule placa en las arterias. Un estudio descubrió que el brócoli era especialmente protector. El té, la cebolla y la manzana se convirtieron en los ganadores como protectores del corazón en otro estudio.

Grasas no saturadas. Si a menudo pide "hamburguesa de queso, papas fritas y un batido de chocolate" en el altoparlante desde su auto, es un ejemplo perfecto de por qué las cardiopatías son la causa principal de muerte en la mayoría de los países desarrollados. Las personas comen demasiadas grasas.

Sin embargo, no todas las grasas son iguales cuando se trata de mantener sano el corazón. Las grasas en las orillas soleadas del Mediterráneo pueden ser realmente buenas para el corazón. Las personas que comen una dieta mediterránea típica, rica en aceite de oliva, tienen menos probabilidades de sufrir de una cardiopatía.

Un consejo

Comer los alimentos correctos puede ayudar a mantener un corazón sano, pero comer demasiado de una vez podría ser un error fatal.

En un estudio reciente, se descubrió que tiene cuatros veces más posibilidades de sufrir una cardiopatía en las dos primeras horas después de comer una comida pesada.

Comer en exceso podría causar una cardiopatía tal como los arranques de ira y un esfuerzo físico extremo, en especial en personas que sufren de cardiopatías.

Comer comidas más pequeñas y con más frecuencia podría evitar una cardiopatía antes de que comience.

Para proteger el corazón de las grasas dañinas, coma menos grasas saturadas, presentes en la carne, en productos lácteos y en algunos aceites vegetales, como el aceite de coco y el aceite de palma.

Dieta vegetariana. Los estudios descubrieron que los vegetarianos tienen menos probabilidades de desarrollar cardiopatías que las personas que comen carne. El conocido programa del Dr. Dean Ornish para revertir cardiopatías incluye seguir una dieta vegetariana muy reducida en grasas. El programa también incluye hacer ejercicio de manera regular, controlar el estrés y dejar de fumar. Si decide seguir el programa del Dr. Ornish, inténtelo al menos durante tres o cuatro semanas. Se tarda ese tiempo para eliminar los malos hábitos y establecer un nuevo estilo de vida saludable.

Coma

Yogur	Arroz integral
Agua	Pan de trigo
Berro	integral
Jengibre	Té de
Alcachofas	manzanilla
Salvado	Cebada
de avena	

Evite

Alimentos ricos en ácido, como los tomates, las naranjas y los pomelos

Acidez e indigestión

Más de 60 millones de estadounidenses sufren de acidez e indigestión. Si eructa demasiado — a veces con un sabor ardiente en la boca — y tiene una sensación de hinchazón e incomodidad después de las comidas, probablemente forme parte de ese grupo. Estos síntomas generalmente empeoran en momentos de estrés. Tal vez ya se ha resignado a la incomodidad, y cree que nada lo podrá ayudar con la sensación de ardor en el intestino. Pero no debe ignorar el problema por completo. Aunque la acidez no es una enfermedad, puede ser un síntoma de algo más grave.

Ese ardor en la garganta después de comer es probablemente reflujo ácido, afección que aparece cuando el ácido estomacal llega hasta la garganta. Esto puede causar náuseas y vómitos. El reflujo ácido, también llamado ERG (enfermedad por reflujo gastroesofágico) es grave porque puede dañar el esófago y causar hemorragia aguda. También aumenta el riesgo de contraer cáncer esofágico. Si la indigestión lo hace vomitar sangre o viene acompañada de un dolor ardiente y agudo en el estómago, consulte a su médico de inmediato. Podría tener gastritis — inflamación del estómago que necesita ser tratada.

La causa de muchos casos de acidez es simplemente hábitos alimenticios malos. Los alimentos que consume y los medicamentos que toma afectan directamente el sistema digestivo. Por ejemplo, comer mucha grasa y carne roja y pocas frutas y verduras puede causar con facilidad reflujo ácido. Tomar antibióticos puede eliminar las bacterias buenas y las malas, lo cual provoca indigestión y otros problemas. Y tomar constantemente antiácidos para la acidez puede fallar al hacer que el cuerpo produzca más ácido.

Sería una buena opción llegar a la raíz de la acidez — lo que come y lo que no come. Si su médico descartó una enfermedad, trate de curar la acidez y la indigestión con nutrición.

Nuevos descubrimientos que combaten la acidez y la indigestión

Agua. Beba mucha agua durante el día. Beber entre seis y ocho vasos de ocho onzas ayuda en la indigestión. El agua lava el ácido de la garganta y diluye los ácidos en el estómago. Pero no beba líquidos con las comidas ya que necesita ácidos estomacales para digerir los alimentos. Una hora antes o una hora después es mejor.

El Dr. Fereydoon Batmanghelidj, autor de *Los numerosos pedidos de agua por parte del cuerpo* , menciona que el cuerpo necesita mucha agua

Lo que debe y no debe hacer para aliviar la gastritis

Si sufre del dolor de gastritis, el dietista matriculado Yun Blair del Centro Médico de la Universidad Vandebilt le recomienda:

Lo que debe hacer

- Coma comidas pequeñas y frecuentes que no expandan el estómago.
- Beba líquidos entre las comidas y no con las comidas.
- Coma abundante cantidad de alimentos ricos en fibras, como las frutas, las verduras y el salvado de avena. Un suplemento de fibras, como el Metamucil, también podría ser de ayuda.
- Haga con regularidad algún tipo de actividad física, como caminar o nadar tres veces por semana.

Lo que no debe hacer

- No se vaya a dormir hasta que no hayan pasado como mínimo cuatro horas desde que cenó.
- No coma alimentos fritos u otros alimentos ricos en grasa.
- No beba cafeína.
- No use especias que irriten el estómago.
- No coma alimentos ricos en ácidos, como cítricos, refrescos y jugo de naranja.

para hacer una digestión adecuada. Si se llena de café y bebidas cola, en realidad pierde agua ya que la cafeína en esas bebidas les da la señal a los riñones de bombear agua del cuerpo. El Dr. B., como lo llaman sus pacientes, ha tenido mucho éxito al tratar la indigestión sólo con agua.

"El dolor dispéptico", explica, "es la señal más importante para el cuerpo humano. Indica deshidratación. Es una señal de sed del cuerpo. Puede aparecer en personas muy jóvenes y en ancianos".

La próxima vez que el estómago le pida ayuda, déle un par de vasos de agua para apagar el fuego.

Yogur. El yogur es un alimento "probiótico", lo cual significa que ayuda a que las bacterias buenas crezcan. Aunque la mayoría de los productos lácteos le causen indigestión, puede posiblemente comer yogur ya que las bacterias beneficiosas en el yogur han predigerido el azúcar de la leche por usted. El yogur es especialmente bueno si ha estado tomando antibióticos recientemente. Para asegurarse de que recibe estas beneficiosas bacterias, y no sólo la leche y el azúcar, revise la etiqueta y vea si el yogur tiene cultivos activos. Compre yogur natural y saborícelo con algunos arándanos azules o duraznos frescos.

Alimentos reducidos en grasa y en ácido. Reemplace las carnes ricas en grasas y los alimentos fritos que estimulan el ácido estomacal por frutas y verduras reducidas en ácidos y granos integrales, como el pan de trigo integral y el arroz integral. Estos alimentos naturales lo deben mantener satisfecho pero no lleno. Los granos lo ayudarán a absorber el exceso de ácido. Evite alimentos ácidos, como tomates, naranjas, pomelos, rábanos, alcohol, café, té y bebidas cola.

Bebidas herbales amargas. Los perros pueden ser más inteligentes que las personas cuando se trata de aliviar el estómago descompuesto. Cuando a un perro le duele el estómago, busca pasto amargo para comer. Eso es bastante inteligente ya que las hierbas amargas ayudan a que los jugos digestivos fluyan.

Algunas personas tienen demasiado ácido estomacal y algunas, muy poco — en especial las personas mayores. Si no tiene suficiente ácido, los alimentos pueden permanecer sin digerirse en el estómago durante mucho tiempo y eso causa dolor. Para combatir este tipo de indigestión, coma plantas amargas, como berro, endivia, diente de león, alcachofas y cáscara de naranja rallada (pero no la fruta). El jengibre, una especia amarga, se ha usado durante siglos para tratar la indigestión. Remoje una cucharadita de jengibre rallado en agua caliente durante 10 minutos y beba el agua durante el día según sea necesario.

Té de manzanilla. El té de manzanilla, otro remedio antiguo, asienta el estómago y ayuda a hacer la digestión. Beba una taza entre comidas tres o cuatro veces por día. Puede comprar las flores secas de manzanilla en una tienda de alimentos naturales. Remoje una cucharada colmada de 10 a 15 minutos antes de beber el agua. Sin embargo, tenga cuidado si es alérgico a la ambrosía. También podría ser alérgico a la manzanilla.

Un consejo

A veces comer demasiado y muy rápido puede causar indigestión ácida. Al ingerir los alimentos, uno traga aire con el alimento, lo cual causa gases y una sensación de hinchazón. Si no masticó el alimento adecuadamente, el estómago recibe trozos grandes de alimento que son más difíciles de digerir que los pequeños. Por eso tranquilícese, mastique con cuidado y coma pequeñas porciones de alimentos sanos y reducidos en grasa.

Para evitar indigestión a la noche, coma mucho antes de irse a dormir. Si todavía tiene reflujo, pruebe a colocar ladrillos debajo de la patas de la cabecera para tener la cabeza a un nivel más alto que el estómago.

Presión arterial alta

¿Trabaja mucho el corazón en su caso? En algunas personas, la respuesta es "muchísimo" y no lo saben.

La presión arterial alta, también llamada hipertensión, aparece — sin síntomas, ni señales, ni advertencias. Este asesino silencioso, si no se lo trata, puede causar cardiopatías, enfermedades renales y apoplejías. Si no controla la presión arterial con regularidad, tal vez nunca sepa que está muy alta hasta que ya es tarde.

A continuación le contamos cómo saber si está en riesgo. Las lecturas de la presión arterial tienen dos números. El número superior, llamado presión arterial sistólica, mide la fuerza de la sangre contra las paredes arteriales cuando el corazón late. El número inferior, llamado presión arterial diastólica, mide la fuerza entre los latidos. Una presión arterial de 130/85 o menor es normal, y una presión arterial superior a 140/90 es alta. Eso significa que el corazón está trabajando demasiado para bombear la sangre a través de las arterias.

A medida que uno envejece, el riesgo de tener presión arterial alta aumenta rápidamente. La mitad de las personas mayores de 60 años de edad tienen presión arterial alta. Si es afroamericano, podría tener más riesgo. Algunos factores de riesgo, como la edad y la raza, no se pueden controlar. Pero puede bajar de peso y prestar atención a lo que come — claves para tratar esta afección peligrosa.

El Enfoque dietario para detener la hipertensión (DASH) del Instituto Nacional del Corazón, los Pulmones y la Sangre recomienda reducir la sal, el alcohol, las grasas saturadas y totales y el colesterol. También recomienda comer más frutas, verduras, granos integrales y productos lácteos reducidos en grasa.

Agregue los siguientes elementos a su dieta y déle un descanso al corazón que trabaja mucho.

Nuevos descubrimientos nutricionales que combaten la presión arterial alta

Minerales. Tal como los Tres Mosqueteros, el potasio, el calcio y el magnesio reúnen fuerzas para batirse en duelo con la presión arterial alta. La dieta DASH incluye entre dos y tres veces más de estos minerales que la dieta estadounidense promedio.

◆ **Potasio.** Este mineral vital combate la presión arterial alta. Neutraliza el sodio, que es a menudo el enemigo cuando se trata de controlar la presión arterial, eliminándolo por la orina. El potasio también relaja los vasos sanguíneos, lo cual mejora el flujo de sangre. Coma más arvejas, alubias, damascos, duraznos, bananas, ciruelas secas, naranjas, espinaca, tomates cocidos, batatas, aguacates e higos si quiere incluir más potasio en su dieta.

◆ **Magnesio.** Este mineral también ayuda a bajar la presión arterial al relajar los vasos sanguíneos. Mantiene el equilibro entre el sodio y el potasio que se encuentran en las células sanguíneas — menos sodio, más potasio. Los alimentos ricos en magnesio incluyen los panes de trigo integral y los cereales, el brócoli, la acelga, la espinaca, el quingombó, las ostras, las vieiras, la lubina, la caballa, las alubias, los frutos secos y las semillas.

◆ **Calcio.** Las personas que ingieren muy poco calcio en sus dietas a menudo tienen presión arterial alta. El calcio al igual que el potasio funciona al ayudar al cuerpo a eliminar el sodio a través de la orina. El queso, la leche, el yogur, el brócoli, la espinaca, las hojas de nabo, la caballa, la perca y el salmón son excelentes fuentes de calcio.

Vitamina C. Tener un nivel alto de vitamina C implica tener presión arterial baja. Numerosos estudios demuestran que las personas con niveles altos de vitamina C en sangre tienen presión arterial baja — y aquellas personas con niveles bajos de vitamina C tienen presión arterial alta.

Esta vitamina antioxidante puede bajar la presión arterial alta al fortalecer el tejido conectivo, o colágeno, que sostiene las paredes de los vasos sanguíneos. Eso hace que los vasos sanguíneos soporten más la presión de la sangre que se bombea.

Los investigadores en la Facultad de Medicina de la Universidad de Boston informaron que una dosis diaria de 500 miligramos (mg) de vitamina C reducía un promedio de 13 puntos la presión arterial sistólica después de un mes. Sería equivalente a comer siete naranjas o beber cinco vasos de jugo de naranja por día.

Otras excelentes fuentes de vitamina C son los pimientos rojos dulces, los pimientos verdes, las fresas, los cantalupos, las grosellas negras, los repollitos de Bruselas, el brócoli, el jugo de tomate, las hojas de berza y el repollo.

Ácidos grasos omega 3. Tenga cuidado con las grasas, pero recuerde que — algunas grasas son buenas. Los ácidos grasos omega 3, el tipo poliinsaturado presente en el pescado, ayuda a tratar la presión arterial alta.

La mayoría de las personas comen mucho más omega 6, una grasa poliinsaturada presente en los aceites vegetales, que omega 3. El cuerpo convierte el omega 6 en una sustancia que comprime las arterias. Esto hace que el corazón funcione más para bombear la sangre a través del cuerpo, lo cual aumenta la presión arterial. Numerosos estudios demuestran que comer pescado o tomar suplementos de aceite de pescado bajan la presión arterial. Eso se debe a que el cuerpo convierte el omega 3 en una sustancia más suave que no estrecha tanto las arterias. Cambiar de omega 6 a omega 3 puede ser una manera fácil de bajar la presión arterial.

Obtiene omega 3 principalmente de los pescados grasosos, como el salmón, la caballa y el atún. Otros alimentos con omega 3 son la linaza, el aceite de canola, las nueces, el germen de trigo y algunas verduras de hoja verde, como las hojas de berza y las hojas de nabo.

Grasa monoinsaturada. Evidencia adicional de que no todas las grasas son malas provienen del aceite de oliva. Este alimento básico de la dieta mediterránea contiene en su mayoría grasa monoinsaturada. En un estudio reciente donde se comparaban dietas ricas en aceite de oliva y en aceite de girasol, una grasa poliinsaturada, la dieta con aceite de oliva bajó drásticamente la presión arterial mientras que la dieta con aceite de girasol sólo la bajó levemente. La dieta con aceite de oliva produjo semejante diferencia que muchas personas a dieta redujeron a la mitad la cantidad de medicamentos para la presión arterial que tomaban, según el consejo de sus médicos.

Fibra. Ya se sabe que debe comer fibras para protegerse de cardiopatías, apoplejías y del cáncer Tenemos otra razón. En un estudio de seguimiento de cuatro años, se descubrió que las mujeres que comían más de 25 gramos de fibras por día tenían alrededor de 25% menos de posibilidades de sufrir de presión arterial alta que aquellas mujeres que comían menos de 10 gramos de fibras por día.

Las frutas, las verduras y los panes de grano integral y los cereales son excelentes fuentes de fibras. Por ejemplo, una papa con cáscara tiene 5 gramos de fibras, una naranja tiene 3 gramos y una taza de cereales de salvado con pasas tiene 8 gramos.

La fibra funciona mejor a largo plazo. No se desanime si la presión arterial no baja de inmediato.

Ajo. Esta hierba aromática hace mucho más que darle sabor a las comidas. También disminuye el colesterol y evita que las arterias se obstruyan. De esa manera, la sangre puede fluir con menos esfuerzo por parte del corazón. Algunos estudios demuestran que el ajo baja casi 7% la presión arterial sistólica y casi 8% la presión arterial diastólica.

DASH recomienda usar el ajo y su prima, la cebolla, como sabrosas alternativas de la sal.

Ser vegetariano

Comer verduras podría ayudar a sacar de la zona de peligro la presión arterial, pero asegúrese de hacer una planificación antes de cambiar a una dieta vegetariana.

Las frutas y las verduras tienen abundante cantidad de fibra, vitaminas y minerales, como el potasio, el magnesio y el calcio. También proporcionan muy poca cantidad de grasa y de sodio y no tienen colesterol. Todo eso suma a una gran estrategia para combatir la presión arterial alta.

Sin embargo, los vegetarianos a menudo carecen de proteína y de hierro. Si no come pescado y cocina sólo con aceite de soja o de maíz, la proporción de ácidos grasos omega 6 a omega 3 podría estar desequilibrada también.

Para asegurarse de que obtiene todos los nutrientes que necesita, agregue estos alimentos a su plan de comida — alubias y legumbres para incluir proteína, avena y trigo integral para incluir hierro, y nueces y aceite de canola para incluir omega 3.

Colesterol alto

••••••••

Es casi imposible no haber oído hablar del colesterol. Hay anuncios que promocionan alimentos con bajo contenido de colesterol o sin colesterol mientras que otros afirman que reducen el colesterol. Como si esto no fuera suficiente, la recomendación para la salud siempre incluye el control del colesterol.

¿Qué es el colesterol exactamente? Aunque parezca mentira, se trata de una grasa que su organismo necesita para la formación de determinadas hormonas, membranas celulares y la bilis. Lamentablemente, el consumo excesivo de esta suave sustancia similar a la cera ocasiona problemas.

Debido a que el colesterol no puede disolverse en la sangre, como otros nutrientes, las moléculas transportadoras llamadas lipoproteínas deben transportarlo. Los dos tipos principales de lipoproteínas son la lipoproteína de baja densidad (LDL) y la lipoproteína de alta densidad (HDL).

Generalmente, el colesterol LDL se conoce por el nombre de colesterol "malo" porque se acumula en las paredes de las arterias y forma un depósito sólido llamado placa. La placa puede hacer que las arterias se estrechen hasta tal punto que el corazón tenga problemas para bombear la sangre a través de ellas. También se puede formar un coágulo cerca del lugar donde se encuentra la placa. Si el coágulo bloquea el flujo sanguíneo que va hacia el corazón, puede provocar una cardiopatía. Cuando un coágulo bloquea el flujo sanguíneo que va hacia el cerebro, puede provocar una apoplejía.

Por otra parte, el colesterol HDL retira rápidamente el colesterol de las arterias, lo lleva hacia el hígado y finalmente lo elimina del organismo. Este colesterol "bueno" en realidad lo protege contra las cardiopatías y las apoplejías.

Tal como sucede con la presión arterial alta, el colesterol alto no posee síntomas. Nunca sabrá si tiene colesterol alto a menos que se realice un análisis de sangre y consulte a su médico acerca de los resultados.

Debería considerar estas cifras como una advertencia — colesterol total superior a 240, colesterol LDL superior a 160 y colesterol HDL inferior a 35. Pueden indicar un aumento en el riesgo de sufrir una cardiopatía. Para reducir el riesgo, el colesterol total debe ser inferior a 200 y el LDL inferior a 130. El colesterol HDL debe tener un valor entre 35 y 90.

Si está preocupado por el colesterol alto, coma más frutas, verduras y granos integrales y menos carne, queso, huevos, leche entera, alimentos procesados y alimentos horneados.

También le agradará saber que los alimentos que contienen niveles elevados de los siguientes nutrientes tienen el poder de reducir el colesterol alto y ayudan a reducir el colesterol acumulado en las arterias.

Nuevos descubrimientos nutricionales que combaten el colesterol alto

Fibra. El salvado de avena se convirtió en una gran sensación cuando los científicos descubrieron que podía reducir el colesterol. Un tipo de fibra soluble llamada betaglucano le da al salvado de avena su poder.

Según la Dra. Barbara Schneeman, investigadora del Departamento de Agricultura de los Estados Unidos, esta fibra activa un proceso llamado "transporte inverso de colesterol." Así es como funciona. Estos betaglucanos gomosos facilitan el paso de los alimentos a través del estómago y del intestino delgado. De esa manera, el colesterol HDL tiene más tiempo para tomar el colesterol del torrente sanguíneo — y el colesterol LDL tiene menos probabilidad de transportar el colesterol hacia las paredes arteriales.

La mayoría de las organizaciones de salud recomiendan incorporar entre 25 y 35 gramos de fibra en la dieta diaria. Seguramente no es necesario que obtenga toda la fibra del salvado de avena. Otras buenas fuentes de fibra soluble incluyen la cebada, las alubias, la avena, las manzanas y otras frutas y verduras.

Grasas no saturadas. Reducir las grasas de su dieta ayuda a reducir los niveles de colesterol — pero no se exceda. Al igual que algunos tipos de colesterol, existen determinadas grasas que en realidad lo ayudan. Algunas incluso reducen el colesterol LDL.

La grasa monoinsaturada elimina el colesterol LDL malo sin dañar el colesterol HDL bueno. Un estudio australiano sobre los aguacates, que contienen 30 gramos de grasa monoinsaturada en su mayor parte, demostró que apenas medio aguacate por día podía reducir el colesterol total en más de un 8% sin disminuir el colesterol HDL bueno. Según un estudio realizado en México, los aguacates incluso pueden reforzar sus niveles de HDL en un 11%. También puede obtener grasa monoinsaturada del aceite de oliva y de los frutos secos.

Las nueces, además de grasa monoinsaturada, también tienen una grasa poliinsaturada llamada ácido alfa linolénico. Esta grasa, que forma parte de la familia omega 3, le da a las nueces su comprobadacapacidad para reducir el colesterol. El omega 3 en su mayoría proviene de los pescados grasosos como el atún, la caballa o el salmón, pero también se puede encontrar en la linaza, el germen de trigo, las verduras de hojas verdes, como la col y la espinaca.

Sustituir ya sea las grasas monoinsaturadas o las omega 3 por las grasas saturadas puede ser una estrategia más efectiva para combatir el colesterol que optar por una dieta baja en grasas y baja en colesterol. Las dietas muy bajas en grasas reducirán el colesterol — pero también eliminarán el colesterol HDL protector.

Antioxidantes. Colóquele un bozal a un perro agresivo y no podrá morderlo. Los antioxidantes utilizan el mismo método en cuanto al colesterol LDL. Estos errantes bozales bienhechores liberan radicales y evitan que el LDL se oxide. Una vez que se oxida, el LDL se traslada mucho más rápido hacia las paredes de las arterias, donde puede acumularse y causar daño.

La Dra. Lori J. Mosca de la Universidad de Michigan descubrió que la vitamina E de los alimentos — aunque no la de los suplementos — prevenía la oxidación del LDL. La vitamina E se encuentra en el germen de trigo, los frutos secos, las semillas y los aceites vegetales. Otras vitaminas antioxidantes incluyen la vitamina C y el betacaroteno. Ambos se encuentran en una variedad de frutas y verduras.

Las frutas y verduras también contienen más sustancias antioxidantes llamadas flavonoides que combaten el colesterol alto. Por ejemplo, el Dr. Ted Wilson de la Universidad de Wisconsin-La Crosse descubrió que los flavonoides de los arándanos prevenían la oxidación del colesterol LDL. Otros flavonoides trabajadores incluyen la quercetina, que se encuentra en las cebollas, las manzanas y el té, y el licopeno que se encuentra en los tomates.

Ajo. Hacer que el ajo sea un alimento básico de su cocina puede marcar la diferencia en la batalla contra el colesterol alto. Esta hierba sabrosa tiene un excedente de compuestos de sulfuro que buscan hasta encontrar el colesterol LDL sin dañar la variedad de HDL. Apenas un tercio de un diente de ajo puede reducir el colesterol total en aproximadamente un 12% y el colesterol LDL en un 14%.

Siga un camino delicioso para reducir el colesterol

Si desea vivir más tiempo y de manera más saludable, coma como un campesino asiático.

Un estudio sobre la dieta china hace 20 años descubrió que los "campesinos" asiáticos de clase baja siguen una dieta sencilla y tradicional — llena de cereales ricos en fibras y verduras, con pocos productos animales. Los niveles de colesterol son bajos — tan bajos en realidad que su promedio de colesterol total es casi equivalente al límite inferior de los Estados Unidos. Y sólo un promedio del 15% de las muertes de Asia se debe a cardiopatías, comparado con más del 40% en los Estados Unidos.

Esta súper dieta asiática para ayudar al corazón ha ganado la aprobación de muchos expertos en nutrición debido a que hace hincapié en los alimentos a base de verduras más que en aquellos de origen animal. Seguir este tipo de patrón de alimentación puede ser su camino hacia una buena salud y una larga vida.

Cereales. La mayor parte de su dieta consiste en el consumo de arroz sin refinar, trigo, mijo, maíz, cebada y otros cereales.

Verduras. Las recetas asiáticas tradicionales incluyen la col china, las hojas de mostaza china, la espinaca acuática, las castañas de agua, los brotes de bambú y el melón amargo. Sin embargo, las verduras como el brócoli, la espinaca, el apio, las zanahorias y los pimientos se han adaptado con facilidad.

Legumbres. Las arvejas y las alubias son una gran fuente de fibra y proteína. Deben estar incluidas en una comida al día como mínimo.

Frutos secos y semillas. Las almendras, las castañas de cajú, las nueces, los piñones y las castañas son ingredientes populares en la cocina asiática.

Grasas y aceites. Debe consumir a diario pequeñas cantidades de aceites de maní, de sésamo dorado, de soja y de maíz.

Mariscos. El pescado contiene muchos ácidos grasos omega 3 y proteína, pero son bajos en colesterol.

Carnes. Coma carnes rojas con moderación y reduzca el consumo de carnes de ave y los huevos.

Hierbas. Ningún plan alimentario estaría completo sin las hierbas y las especias únicas de esa cultura. Muchas de ellas no sólo le dan sabor y condimentan los alimentos sino que algunas, como el ajo, la cúrcuma y el fenogreco, también brindan una poderosa protección al corazón.

Dulces. Si desea seguir la dieta asiática, debe reducir la ingesta de azúcar y dulces. En Asia, se sirven de postre frutas frescas, y no dulces.

Miel

• • • • • • • •

Beneficios

Cura las heridas

Ayuda a la digestión

Protege de las úlceras

Combate las alergias

Aumenta la energía

Suaviza la piel

Durante miles de años, la miel ha sido un símbolo de prosperidad. En la antigüedad, era tan valiosa que los comerciantes y los terratenientes la aceptaban como forma de pago. Incluso la Biblia hace referencia a la Tierra Santa como "la tierra de la leche y de la miel." Pero no considere este jarabe dulce sólo un manjar. Los expertos afirman que también es un valioso medicamento — que puede combatir infecciones peligrosas, calmar úlceras estomacales dolorosas, limpiar heridas sucias, restaurar la piel seca y aliviar descomposturas estomacales. La miel incluso se vierte sobre los antioxidantes que vencen a los radicales libres que provocan el cáncer.

En los últimos años, la miel ha estado subordinada a los antibióticos y a los endulzantes procesados. Sin embargo, la ciencia moderna demuestra que la miel mata bacterias que incluso los antibióticos más poderosos no pueden manejar. Y debido a que contiene pizcas de vitaminas, minerales, proteínas y otros nutrientes — que el azúcar no tiene — es nuevamente el endulzante habitual de muchas personas.

Por lo tanto, asegúrese de que la miel permanezca en su despensa — quizás en su botiquín y también en su kit de primeros auxilios.

Siete maneras en que la miel lo mantiene sano

Cura con una caricia. La próxima vez que sufra una escaldadura o una raspadura, tenga el pote de miel — a su alcance. Apenas un poco de miel le servirá para realizar varias curaciones a la vez.

La miel forma una barrera protectora sobre la herida mientras retira los residuos. Permite, e incluso estimula, el crecimiento de piel nueva; reduce la hinchazón y evita la formación de cicatrices. No irrita los tejidos, y su aplicación y extracción son prácticamente indoloras. Y, lo que es más importante, augura un destino funesto para las bacterias al liberar lentamente el peróxido de hidrógeno antiséptico durante varias horas.

De hecho, los hospitales del mundo están utilizando miel como bálsamo curativo en cientos de casos y sobre todo tipo de heridas — abrasiones, quemaduras, amputaciones, úlceras diabéticas, escaras de decúbito, heridas quirúrgicas y otras. El índice de éxito es extraordinario.

El Dr. Peter Molan, experto líder en los poderes curativos de la miel desde hace ya 20 años, informa que "Se han obtenido excelentes resultados en los casos que no tuvieron cura durante mucho tiempo con el mejor tratamiento convencional moderno."

El Dr. Molan recomienda el uso de la miel para heridas menores y para emergencias de primeros auxilios. Mezcle o caliente la miel levemente; luego, si se trata de una herida de 4 pulgadas al cuadrado, esparza alrededor de una onza sobre una venda. En el caso de lesiones más graves él advierte, "Es importante aceptar la opinión de un médico ya que una nueva herida puede requerir puntos de sutura, y una herida persistente que no cura puede ser maligna o puede tener una falla en el sistema circulatorio por debajo."

Si bien todos los tipos de miel son antibacterianos hasta cierto punto, algunas son curas más potentes que otras. En particular, la miel hecha con flores específicas de Nueva Zelanda tiene sorprendentes cualidades antibacterianas. Puede encontrar esta miel de manuka en tiendas naturistas, pero es más probable que deba solicitarla directamente a los apicultores de Nueva Zelanda o a uno de sus distribuidores más cercanos. Su mejor opción es utilizar una computadora y buscar en Internet para comparar los precios. Simplemente busque el término "miel activa de manuka", y aparecerán varias opciones de pedidos.

Sólo recuerde que si su miel ha sido procesada por calor, se han destruido importantes enzimas antibacterianas. Asimismo, busque en las tiendas de especialidades de alimentos naturales marcas de miel que tengan un índice antibacteriano — o de UMF — de 10 como mínimo.

Alivia las descomposturas estomacales. Al igual que aquel famoso remedio rosa de venta libre, la miel extiende el alivio calmante por todo el abdomen. Contra la diarrea provocada por las bacterias, por ejemplo, una investigación demuestra que podría aliviar esa sensación de hinchazón y calambre. La próxima vez que tenga un virus estomacal, mezcle tres cucharadas de miel por cada 10 onzas de una bebida clara descafeinada que suela tomar.

Reduce las úlceras. Son las bacterias llamadas *Helicobacter pylori* — y no el estrés ni las comidas condimentadas — las que provocan hasta un 90% de las úlceras. Las propiedades antibacterianas de la miel pueden ser tan efectivas contra este tipo de virus molesto como contra aquellos virus que infectan los cortes y las raspaduras. Los investigadores recomiendan comer miel una hora antes de las comidas, sin tomar líquido, y luego a la hora de acostarse. Unte una cucharada en un pedazo de pan. Esto mantendrá la miel en el estómago por más tiempo.

Lograr que la miel sea su endulzante diario también puede proteger su estómago de otros irritantes que pueden provocar úlceras — como por ejemplo, los antiinflamatorios no esteroideos (AINES) y el alcohol.

Erradica las alergias. "El polen en realidad no es malo para usted", afirma el Dr. T.V. Rajan del Centro de Salud de la Universidad de Connecticut. "Es la reacción excesiva de su cuerpo al polen lo que provoca los ojos llorosos, los estornudos y el jadeo."

Para detener esta reacción alérgica sin medicamentos ni efectos colaterales incómodos, Rajan le suministra miel a las personas. No sólo cualquier tipo de miel, sino miel extraída de flores locales que contienen polen local.

"Su sistema inmunológico está entrenado para no atacar todo lo que ingiera por boca", explica Rajan. Comer miel con polen, él cree, le indicará a su sistema inmunológico que este polen no es malo. Luego, al inspirar el mismo tipo de polen posteriormente, su sistema inmunológico lo reconoce y lo acepta.

A pesar de que Rajan subraya que sus descubrimientos no son definitivos, recomienda que pruebe su teoría usted mismo. Compre miel de recolección local en su mercado de granja o tienda de alimentos naturales más cercana, y tome una cucharada por día. Sin embargo, Rajan advierte que si sufre diabetes, cardiopatías u otras enfermedades graves primero consulte a su médico.

Agrega antioxidantes. Compre la miel más oscura que encuentre y obtendrá el mayor antioxidante que lo levantará nuevamente con éxito. La Dr. Nicki Engeseth, profesora de Ciencias de la Alimentación de la Universidad de Illinois, ha probado las propiedades antioxidantes de la miel. Descubrió que muchas variedades contienen grandes cantidades de fenoles y flavonoides — conocidos combatientes contra el cáncer, incluso más poderosos que la vitamina E.

Ocho alimentos para tener una piel suave y más joven

Antes de gastar cientos de dólares en cremas antiarrugas y humectantes, primero pruebe un tónico fácil y casero. Los alimentos que están en la alacena de su cocina son algunos de los principales ingredientes de aquellas costosas cremas adquiridas en las tiendas.

Por ejemplo, haga desaparecer las patas de gallo con un poco de aceite de oliva antes de acostarse. O mezcle 2 cucharadas de miel con 2 cucharaditas de leche. Unte esta máscara humectante hasta cubrir el rostro y el cuello, y déjela actuar durante 10 minutos. Enjuague y tendrá un suave brillo que hasta Cleopatra envidiaría.

También puede experimentar con yogur, jugo de limón o lima, papaya, pepino e incluso mayonesa.

Rechaza los radicales libres. Según Engeseth, "La miel es sumamente efectiva para reducir la oxidación de la carne." Generalmente, el oxígeno en el aire desencadena una reacción en cadena que crea una multitud de radicales libres. Estos radicales libres no sólo son poco saludables sino que además le quitan el sabor a los alimentos. Para detener su avance, cubra suavemente los embutidos, las sobras o la carne picada con miel. "El mejor momento para agregar antioxidantes", afirma Engeseth, "es cuando la carne está fresca".

Energiza su rutina de ejercicios. Si realiza ejercicios para mantenerse saludable, necesita energía adicional para continuar con su rutina de ejercicios. Los carbohidratos son una gran fuente de energía. También lo ayudan a fortalecer los músculos, reparar daños en los tejidos y mantener un sistema inmunológico fuerte.

El Dr. Richard Kreider del Laboratorio de Actividad Física y Nutrición del Deporte de la Universidad de Memphis afirma que "la miel puede servir como una buena fuente de carbohidratos para aquellas personas que incluso son moderadamente activas. Agregarla a una bebida es una buena manera de tomar algunos carbohidratos naturales". Kreider descubrió que el manjar dulce funciona igual que los costosos geles energéticos que utilizan los atletas, pero por una fracción del costo. Puede comer miel antes de una caminata o de una clase de aeróbica, pero es más importante si lo hace después de ejercitar, en el momento en que su cuerpo necesita los carbohidratos para reemplazar aquellos que quemó.

Indicadores de despensa

Todo tipo de miel, ya sea de arándanos azules, de trébol o de eucalipto, proviene de una flor diferente y, por lo tanto, tiene un gusto diferente. Sólo recuerde que las mieles más oscuras tienden a ser más fuertes.

Almacene la miel o el frasco de miel en la despensa o en la cocina a temperatura ambiente y lejos de la luz del sol. Las temperaturas más frías, como la del refrigerador, hacen que la miel se cristalice. Incluso peor, la luz directa del sol agota sus poderes curativos.

Una advertencia

La miel es saludable y segura para la mayoría de los niños y adultos, pero los bebés menores de 12 meses no presentan resistencia a determinadas bacterias que hay en ella. Para asegurarse, guarde la miel hasta que sus hijos puedan pedirla por sí mismos.

Insomnio

· · · · · · · · · · · · · · · ·

Coma	
Avena	Jengibre
Cebada	Bananas
Queso	Pavo
cottage	Carne vacuna
Maíz	Papas
Aguacates	Mantequilla
Leche	de maní
descremada	

Evite

Alimentos y bebidas que contengan cafeína

Después de dormir bien durante la noche, su cuerpo — y su cerebro — se sentirán renovados y llenos de energía. Esto se debe a que mientras se encontraba acostado, sus sistemas internos trabajaban con ahínco para reponer las células sanguíneas y reparar los músculos, los huesos, la piel y otros órganos. Dormir ocho horas por noche es casi suficiente para la mayoría de las personas. Si necesita un poco más o un poco menos, también está bien. Siempre que se sienta descansado y alerta durante el día es probable que esté durmiendo lo suficiente.

Pero, ¿qué sucede si pasa malas noches y se levanta cansado todas las mañanas? En algunos casos, sus noches agitadas pueden deberse a una enfermedad o un medicamento. Hable con su médico acerca de este problema. O quizás tiene ciertos hábitos — consume demasiada cafeína cerca de la hora de acostarse, tiene horarios de sueño irregular, realiza muy poca actividad física o ejercita justo antes de acostarse — que lo mantienen despierto.

O puede ser que no tenga suficiente melatonina, una hormona que regula el ciclo de sueño. A medida que envejece, la producción de melatonina disminuye. Pero, según el científico investigador Russel J. Reiter, autor de *Melatonin: Your Body's Natural Wonder Drug (Melatonina: El medicamento milagroso natural fabricado por su cuerpo),* las personas mayores aún pueden dormir bien. Sólo necesita ayudar a que su cuerpo fabrique una mayor cantidad de esta mágica melatonina.

Nuevos descubrimientos nutricionales que combaten el insomnio

Melatonina. "Si desea elevar sus niveles de melatonina de manera natural", afirma Reiter, "comience por ingerir bocadillos a la hora de acostarse que contengan alimentos ricos en melatonina. Esta práctica simple puede ayudarlo a dormir mejor, fortalecer el sistema inmunológico, aumentar la protección antioxidante y compensar de manera parcial el deterioro de la producción de melatonina relacionado con la edad."

Para seguir este consejo, elija alimentos, tales como la avena, el maíz dulce y el arroz — alimentos que contienen los mayores niveles de melatonina. Reiter recomienda que usted experimente con éstos y otros alimentos ricos en melatonina para ver cuál de ellos lo ayuda a dormir mejor. Un batido de banana y leche, por ejemplo, lo hará dormir. O quizás un plato de sopa de tomate sea su pasaje al país de los sueños.

Cualquier alimento que elija, cómalo alrededor de una hora antes de acostarse. Según Reiter, esto le proporciona al cuerpo el tiempo suficiente para absorber la melatonina y enviarlo a dormir delicadamente.

Triptófano más carbohidratos. Usted se levanta de la mesa de Acción de Gracias y se dirige directamente hacia el sofá. No significa que sea perezoso, sino que su cuerpo reacciona a un determinado aminoácido del pavo llamado triptófano. Luego de cenar pastas con sus amigos, apenas puede mantener los ojos abiertos. No es la compañía, son los carbohidratos. Los expertos han descubierto que puede utilizar el triptófano y los carbohidratos juntos para indicarle al cuerpo que es momento de ir a dormir.

"Los alimentos que contienen triptófano, como por ejemplo, la leche y el atún, provocan sueño", afirma Lenore Greenstein, dietista y columnista sobre nutrición para el Naples Daily News de La Florida. "Agregue un bocadillo que contenga carbohidratos y estimulará la liberación de melatonina que también causa relajación." Los carbohidratos ayudan al triptófano que se encuentra en el torrente sanguíneo a llegar al cerebro. Allí, la glándula pineal convierte este aminoácido esencial en serotonina, y luego, en melatonina.

El triptófano se encuentra en su mayoría en la proteína animal y en la del pescado, pero también se obtiene de los granos de soja, el queso cottage, las semillas de calabaza, el tofu y las almendras. Los cereales, los lácteos y las verduras, como por ejemplo, el maíz, las papas y las alubias son buenas fuentes de carbohidratos.

Por eso, la próxima vez que se halle contando ovejas, pruebe atún sobre pan de harina integral o cereal con leche. Combinaciones como éstas le proporcionarán una dosis doble de lo que precisamente necesita para recuperar el sueño.

Calcio y magnesio. Nunca dormirá profundamente a menos que los músculos estén relajados y el cerebro esté tranquilo. Para ello, necesita melatonina. Y según Greenstein, necesita calcio y magnesio para producir la melatonina que calma y alivia el cuerpo.

Es fácil incluir estos nutrientes como parte de su dieta regular. Unte manteca de maní sobre galletas de grano integral para obtener magnesio y sírvase un vaso de leche para obtener calcio. El yogur y las sardinas son otros alimentos ricos en calcio y puede obtener gran cantidad de magnesio de los frutos secos y las verduras de hojas verdes. Si sigue una dieta rica en proteínas, es probable que esté comiendo mucha carne, pescado y lácteos — todos estos alimentos son bajos en magnesio. Para evitar una deficiencia, consulte a su médico si debe tomar suplementos.

Según Reiter, los nutricionistas no están seguros de cuál es la cantidad necesaria de estos nutrientes que lo ayudarán a combatir el insomnio. Sugiere que comience por ingerir 500 miligramos de magnesio y 1000 miligramos de calcio justo antes de acostarse. "Pero primero", advierte, "consulte con su médico si existe alguna razón por la cual usted no debería tomar estos suplementos en estas cantidades."

Vitaminas B. Sólo dos pequeñas vitaminas B pueden ponerle fin a las noches que pasaba dando vueltas en la cama. La vitamina B3 o niacina y la vitamina B6 o piridoxina cumplen funciones importantes en la producción de la melatonina inductora del sueño.

El cuerpo puede producir niacina del triptófano, pero recuerde que necesita triptófano para producir serotonina y luego melatonina. Por lo tanto, Reiter sugiere que obtenga vitamina B3 adicional de su dieta. De esta manera, no tendrá que agotar su propio suministro de triptófano. Los damascos secos, los maníes, la cebada, el pollo y el pavo son buenas fuentes.

La vitamina B6 también ayuda a convertir el triptófano en serotonina. Es posible que no tenga suficiente vitamina B6 si fuma, bebe alcohol, toma pastillas anticonceptivas o estrógeno, padece síndrome del túnel carpiano, sufre de depresión o ingiere muchos alimentos refinados. Las personas mayores también parecen correr riesgo. Para aumentar la vitamina B6, coma aguacates, bananas, zanahorias, arroz y camarones. Si

Una advertencia

Evite los alimentos que quitan el sueño. Mientras algunos alimentos producen somnolencia, otros pueden tener el efecto opuesto. Es probable que sepa que la cafeína — del café, el té, el chocolate y las bebidas cola — es un estimulante que lo mantendrá despierto. Pero no crea que una copita de coñac antes de acostarse es una mejor opción para finalizar el día. Si bien el alcohol puede ayudarlo a dormirse más rápido, es probable que lo mantenga impaciente y con los ojos muy abiertos hasta tarde.

En su lugar, que su última comida del día sea liviana. No incluya alimentos picantes, azucarados ni grasosos, que puedan interferir con el sueño profundo. Piense en sus hábitos alimenticios y de sueño en conjunto. "Muchas veces", afirma Greenstein, "cuando las personas comen en exceso en realidad están compensando la falta de sueño."

desea matar dos pájaros de un tiro, coma levadura de cerveza, salmón, semillas de girasol, atún y salvado de trigo — y obtendrá tanto vitamina B3 como B6.

Si su médico lo autoriza, Reiter recomienda tomar un suplemento de 100 miligramos de vitamina B3 justo antes de acostarse y 50 miligramos de vitamina B6 temprano en la mañana. La vitamina B6 puede hacerlo sentir más alerta que somnoliento si espera hasta la hora de acostarse para tomarla.

Coma

Pan de harina integral
Cereales ricos en fibras
Avena
Damascos
Agua
Duraznos
Arroz integral
Linaza
Leche descremada
Cantalupo
Higos
Ciruelas secas

Evite

Alimentos que producen gases, tales como las alubias y el repollo

Síndrome del intestino irritable

• • • • • • • • • • • •

Evita las situaciones sociales donde se sirve comida o los eventos al aire libre donde es posible que no encuentre un baño. Llegar puntual al trabajo y acudir a las citas es a veces un problema debido a sus hábitos intestinales impredecibles. Si cree que éste es su caso, puede estar sufriendo de síndrome de intestino irritable (SII), también conocido como colon espástico. Es una afección que causa dolor abdominal, hinchazón, estreñimiento y diarrea, y puede causar estragos en su vida social.

Si bien no existe un problema físico en su tracto gastrointestinal, puede tener un colon sensible que reacciona a cosas que tal vez no provocarían malestar a otras personas. Generalmente, los síntomas de SII comienzan después de comer y son más comunes cuando se encuentra bajo estrés. Es posible que el estrés desencadene cambios hormonales que pueden producir demasiado ácido estomacal o cambios en la digestión.

Si sus síntomas sólo aparecen cuando toma leche, es más probable que tenga intolerancia a la lactosa. Significa que no puede digerir el azúcar natural de la leche. Debe agregar enzimas de lactasa (que se venden en farmacias) a los lácteos o, en casos extremos, evitar consumir todo tipo de alimento que contenga leche.

Algunos médicos y nutricionistas culpan a los alimentos envasados por el aumento de SII. En lugar de comer principalmente alimentos naturales y alimentos a base de verduras, en la actualidad, las personas comen alimentos refinados con agregados químicos. Quizás usted es una de esas personas cuyo estómago protesta. Pero, la buena noticia es que sí puede controlar esta afección irritante. Muchos de los que sufren de SII han descubierto que una dieta nutritiva y cuidadosamente seleccionada ayuda a aliviar sus síntomas.

> ### Descubra los alimentos problemáticos
>
> Las personas con SII descubren que muchos alimentos comunes les provocan molestias en los intestinos. Intente llevar un diario durante una semana más o menos, y tome nota de la manera en que reacciona a determinados alimentos. Es posible que descubra que cada vez que come fiambres, se siente dolorido en menos de una hora. O quizás los alimentos ricos en azúcar le causan gases e hinchazón. Al llevar la cuenta, puede eliminar de su dieta aquellos alimentos que atentan contra su salud. Pero, no se olvide de la nutrición. Por ejemplo, si deja de tomar leche, necesitará tomar suplementos de calcio y comer muchas verduras de hojas verdes para mantener sus huesos fuertes.

El Dr. Steven R. Peikin, autor de *Gastrointestinal Health (Salud Gastrointestinal)*, concuerda. "Sin dudas, el mejor método para el tratamiento a largo plazo de los síntomas de SII es la dieta", afirma. "Una dieta rica en fibras afecta considerablemente el colon, o intestino grueso, durante todo su recorrido".

Nuevos descubrimientos
nutricionales que combaten el SII

Fibra. Si la mayor parte del pan, el arroz y las pastas que come están hechos con harina blanca, su estómago termina lleno de una especie de engrudo de harina y agua, como el que hacía en el jardín de infantes. Y esa es precisamente una receta para tener dolor de estómago. Por otra parte, los cereales ricos en fibras, tales como el pan de harina integral y el arroz integral pueden ayudar a sus intestinos a continuar en actividad.

Peikin explica que la fibra actúa como una esponja, que absorbe la humedad para reducir la diarrea y crea una masa para ayudar con el estreñimiento. Pruebe utilizar arroz integral en los guisos y como acompañamiento, y opte por los panes de grano integral para los sándwiches. Pero tenga cuidado de no comer demasiado salvado, que puede provocar malestar a las personas que sufren de SII. En su lugar, pruebe las verduras cocidas y las frutas frescas, que no sean cítricos, que son buenas fuentes de fibra.

Incorpore estos alimentos a la dieta gradualmente. La mayoría de las personas deben reforzar una tolerancia a la fibra y, al principio, experimentarán un poco de gases y de hinchazón. Sin embargo, debe evitar consumir las crucíferas, tales como el repollo y la coliflor, ya que son más difíciles de digerir.

> ### Obtenga alivio natural del psilio
>
> El psilio se encuentra en las cáscaras de las semillas vegetales y forma un gel líquido. Generalmente, se lo recomienda para el SII debido a que el gel ayuda a disminuir la diarrea pero también combate el estreñimiento al ablandar las heces. Se vende comercialmente como Metamucil, pero también puede encontrarlo en los cereales para el desayuno, como por ejemplo en los Kellogg's Bran Buds. Verifique si sus cereales favoritos están fortificados con esta fibra eficaz.

Alimentos reducidos en grasas. Para combatir el SII, hay que apuntar a la reducción de grasas. Reduzca el consumo de alimentos ricos en crema y manteca. También evite los frutos secos y las semillas, ya que contienen mucha grasa y pueden producir gases. Si toma leche, asegúrese de que sea descremada y tómela con algún alimento para una mejor digestión. Peikin recomienda comer pequeñas cantidades de comida de manera frecuente para evitar recargar el estómago, lo cual puede provocar calambres y diarrea. Según Peikin, una sola porción de alimento con gran contenido graso puede provocar un ataque en el tracto gastrointestinal.

Linaza. Cuando se la tritura, esta semilla de la planta de lino es rica en aceites omega 3. Si la utiliza entera, funciona como fibra y se acumulan en las heces para trasladarse con facilidad a través de su sistema. También absorbe el líquido adicional que puede provocar diarrea. Puede espolvorear la linaza sobre cereales calientes o ensaladas, u hornearla en panes y pasteles crujientes.

Agregue aceite de linaza a su dieta para reemplazar algunos alimentos poco saludables, como por ejemplo, las galletas adquiridas en las tiendas, las galletas saladas y otros alimentos procesados. Pruebe utilizar aceite de linaza en ensaladas y verduras en lugar de manteca. Puede llevar un tiempo acostumbrarse a su leve sabor a pescado y nueces. El aceite de linaza se encuentra disponible en las tiendas de alimentos naturales. Se debe almacenar en el refrigerador y no debe utilizarse nunca para freír. Asegúrese de revisar la fecha de vencimiento ya que sólo dura unos pocos meses.

Col

•••••

Beneficios
Preserva la vista
Fortalece los huesos
Combate el cáncer
Estimula la pérdida de peso
Acaba con las contusiones
Estimula su sistema inmunológico

La col es más que un plato bonito. Con sus bordes festoneados y una variedad de colores, este miembro de la familia de las coles es uno de los adornos preferidos por el chef. Y también es una de las pocas verduras que se cultivan con fines ornamentales.

Pero la col y sus pueblerinas hojas de berza también son complementos saludables para su menú. La col es baja en calorías y grasas, rica en vitamina C, contiene cantidades moderadas de calcio y otros minerales, y es rica en antioxidantes, especialmente en el carotenoide betacaroteno.

De hecho, la col tiene el máximo valor CARO (Capacidad de Absorción de Radicales de Oxígeno) — una medida de la cantidad total de antioxidantes en un alimento — o de cualquier verdura. (Las ciruelas secas resultaron las ganadoras al obtener el máximo valor general.)

Por eso, durante la próxima temporada, cultive col y embellecerá su jardín, su mesa y su cuerpo.

Tres maneras en que la col lo mantiene sano

Mantiene sus ojos de lince. A medida que envejece, usted es más propenso a desarrollar afecciones que conducen a la ceguera, por ejemplo, cataratas y degeneración macular relacionada con la edad (DME). Para preservar su vista, los expertos recomiendan comer más alimentos que contengan los químicos de la planta llamados carotenoides. Los carotenoides actúan como antioxidantes en el cuerpo y, según investigaciones, están relacionados con un índice inferior de DME.

Los investigadores creen que la luteína es el carotenoide responsable del efecto protector de la vista, y la col fresca contiene más luteína que cualquier otro alimento clasificado por el USDA (Departamento de Agricultura de los Estados Unidos). Si bien la cocción de cualquier alimento reduce la cantidad de luteína disponible, un estudio reciente descubrió que usted absorberá más cantidad de esa sustancia protectora si agrega una pequeña cantidad de grasa al cocinar. Sin embargo, si también quiere proteger su corazón, utilice aceite de oliva en lugar de grasas animales.

Fortalece mejor los huesos. ¿Necesita o quiere calcio que "no provenga de la vaca"? Si no come lácteos, ya sea porque tiene intolerancia a la lactosa o porque sigue una dieta vegetariana, las fuentes de calcio vegetales pueden ser importantes. A pesar de que algunas verduras contienen calcio, es posible que su cuerpo tenga dificultad para absorberlo. El calcio de la col, en cambio, se absorbe con mucha facilidad. Eso hace que sea un alimento inteligente que fortalece los huesos.

Pero no sólo el calcio de la col ayuda a los huesos, también lo hace la vitamina K. Las mujeres con bajos niveles de vitamina K tienen baja densidad ósea y experimentan más fracturas óseas. Según las investigaciones, las mujeres mayores que obtienen más de la ración diaria recomendada de vitamina K — 65 microgramos (mcg) por día — pueden reducir su riesgo de sufrir fracturas de cadera hasta en un 30%. Puede obtener casi cuatro veces la RDA en sólo una onza de col cruda.

Le hace frente al cáncer. Comer muchas verduras y otros alimentos de origen vegetal puede reducir su riesgo de desarrollar cáncer. Y la *familia de* las coles de verduras — que incluyen la col, el repollo, los repollitos de Bruselas, el brócoli y el nabo — pueden brindar una protección especial. Los investigadores creen que estas verduras son beneficiosas debido a que contienen químicos naturales llamados glucosinolatos que bloquean el proceso de formación del cáncer.

El efecto protector parece ser más fuerte para el cáncer de pulmón, estómago, colon y recto. Además, consumir las cinco porciones diarias recomendadas de frutas o verduras o más — con los nutrientes específicos que tiene la col, tales como la vitamina A, la vitamina C y la luteína — puede brindar una protección contra el cáncer de mama en las mujeres.

> ### Cocinar o no cocinar
>
> **Si bien lo fresco generalmente es lo mejor, lo crudo no siempre es mejor cuando se trata de comer verduras. Puede absorber hasta tres veces más betacaroteno de algunas verduras cocidas y en puré que de las verduras crudas. Para obtener la mayor nutrición de su dieta, consuma gran cantidad de ambas.**

Indicadores de despensa

Cuando compre col o berzas, busque las que tengan un color verde fresco y hojas verdes crujientes. Evite elegir las de hojas que estén un poco marrones o amarillas, o las que tengan hojas marchitas o con pequeños agujeros — generalmente causados por insectos.

Almacene las verduras en el refrigerador y utilícelas dentro de uno o dos días. Es probable que desee extraer los tallos duros antes de cocinar las verduras. Lave bien las hojas, ya que tienden a tener tierra y arena en las grietas.

Si desea la col al estilo sureño o las berzas sin el tradicional tocino o tocino salado, pruebe esta versión más saludable. Saltee las cebollas y el ajo en aceite de oliva. Luego, agregue un poco de líquido ahumado y las verduras, y cúbralas con agua o caldo vegetal. Hierva durante aproximadamente una hora o hasta que las hojas estén tiernas.

Cálculos de riñón

• • • • • • • • • • • • • •

Tener un cálculo de riñón puede ser una de las experiencias más dolorosas de su vida, una experiencia que no querrá repetir. Lamentablemente, una vez que haya tenido un cálculo de riñón, es más propenso a tener otro. Es importante prevenir los cálculos de riñón no sólo para evitar el dolor, sino también porque los cálculos grandes pueden dañar sus riñones.

Los riñones llevan a cabo una tarea esencial — al filtrar los desechos de la sangre y eliminarlos del cuerpo en forma de orina. Contienen casi 40 millas de tubos que procesan aproximadamente 100 galones de sangre por día. Para realizar su tarea adecuadamente, necesitan el equilibrio apropiado de líquidos y sólidos disueltos. Cuando se pierde este equilibrio, puede formarse un cálculo de riñón.

Estos bultos duros y cristalinos se forman por sólidos disueltos en la orina. Pueden ser pequeños como un grano de arena o grandes como una pelota de golf.

Los cálculos de riñón están compuestos por diferentes sustancias. El oxalato o el fosfato de calcio son la causa de su formación en un 70% a 80% de las veces. Otros tipos de cálculos de riñón incluyen los cálculos de estruvita, originados por infecciones urinarias, y los cálculos de ácido úrico, originados por un exceso de ácido úrico en la orina.

Si cree que tiene un cálculo de riñón, obtenga atención médica de inmediato. Los síntomas incluyen:

◆ Dolor extremo que no desaparece en la espalda o en un costado.

◆ Sangre en la orina.

◆ Fiebre y escalofríos.

◆ Vómitos.

◆ Orina turbia o con olor desagradable.

◆ Sensación de ardor al orinar.

Nuevos descubrimientos nutricionales que combaten los cálculos de riñón

Agua. Las personas que habitan en el llamado "cinturón de piedra", una región al sureste de los Estados Unidos, son más propensas a desarrollar cálculos de riñón. Los investigadores creen que se debe a que el calor provoca aumento del sudor y una disminución de la producción de orina. Consumir mucha agua puede ayudar, ya que diluye la orina y elimina del cuerpo las posibles partículas que producen los cálculos de riñón.

Si ha tenido un cálculo de riñón, la investigación demuestra que consumir más agua puede reducir a la mitad el riesgo de tener un segundo cálculo. Pruebe consumir de tres a cuatro litros de agua por día. Consuma incluso más cuando hace calor o cuando realiza ejercicios.

Calcio. Debido a que la mayoría de los cálculos de riñón contienen calcio, los médicos recomiendan comer menos cantidad de lácteos y otras fuentes de calcio. Estudios recientes descubrieron que las personas que ingieren la mayor cantidad de calcio son, en realidad, menos propensas a desarrollar cálculos de riñón, aunque los suplementos de calcio pueden aumentar el riesgo. Los investigadores creen que el calcio obtenido de las fuentes alimenticias puede ayudar a prevenir la formación de cálculos de riñón al unirse al oxalato del sistema digestivo.

Consumir alimentos ricos en calcio también mantiene sus huesos fuertes y los protege contra la osteoporosis. Algunas buenas fuentes incluyen los lácteos, las sardinas y los maníes.

Vitamina B6. Sin duda, los cálculos de oxalato de calcio son el tipo más común. Obtener suficiente vitamina B6 en su dieta puede ayudar a prevenir la formación de estos cálculos, ya que trabaja para convertir el oxalato en otras sustancias de su cuerpo. La investigación indica que una deficiencia de B6 provoca un aumento en el riesgo de tener cálculos de riñón . Los alimentos ricos en B6 incluyen los aguacates, las alubias, las bananas, las papas y las ciruelas secas.

Potasio. Este mineral reduce la cantidad de calcio en la orina, lo cual disminuye el riesgo de la formación de cálculos de riñón. Las fuentes

Una advertencia

Según una investigación reciente, consumir una menor cantidad de alimentos ricos en oxalato ayuda a prevenir los cálculos de oxalato de calcio. Si bien la mayoría de los alimentos vegetales contienen un poco de oxalato, un estudio reciente reveló que sólo ocho alimentos causaban un aumento del oxalato urinario — la espinaca, el ruibarbo, las remolachas, los frutos secos, el chocolate, el té, el salvado de trigo y las fresas.

Limitar la cantidad ingerida de azúcar y sal en la dieta también puede reducir el riesgo de la formación de cálculos de riñón.

alimenticias de potasio incluyen las bananas, los aguacates, los higos, las alubias y las papas.

Magnesio. Agregue un poco de magnesio al potasio y podrá reducir considerablemente el riesgo de tener cálculos de riñón. El magnesio puede ayudar al cuerpo a convertir los oxalatos en otras sustancias, tales como la vitamina B6. Los alimentos ricos en magnesio incluyen las semillas, los frutos secos, las alubias, los aguacates y el brócoli. Agregue cualquiera de estos alimentos a su próxima ensalada para obtener un manjar saludable.

Proteína vegetal. Los cálculos de riñón son más comunes en los países desarrollados y quizás la culpable sea la alta ingesta de proteína animal. Los niveles elevados de proteína alimenticia pueden aumentar el calcio urinario y disminuir el citrato urinario, lo cual aumenta el riesgo de tener cálculos de riñón. La proteína animal también es una fuente principal de purinas, que puede aumentar el riesgo de tener cálculos de ácido úrico.

Limitar rigurosamente su ingesta de proteínas puede provocar otros problemas de salud. Le ofrecemos una mejor solución — obtenga proteína de las fuentes vegetales. Algunas buenas fuentes incluyen la cebada, las alubias, los frutos secos y el brócoli.

Ácido cítrico. Si bebe un vaso con agua tras otro para evitar la formación de cálculos de riñón, llene uno con limonada refrescante para cambiar un poco. Un elevado nivel de citrato urinario puede disminuir el riesgo de tener cálculos de riñón y la limonada puede aumentar el nivel de citrato. Un pequeño estudio descubrió que tomar limonada todos los días — hecha con 4 onzas de jugo de limón, 2 litros de agua y muy poco endulzante — aumentó los niveles de citrato urinario en 11 de 12 voluntarios.

No cualquier jugo cítrico podrá lograrlo. El jugo de limón contiene aproximadamente cinco veces más ácido cítrico que el jugo de naranja. Y se ha descubierto que beber jugo de uva puede realmente aumentar el riesgo de tener cálculos de riñón.

Limones y limas

· · · · · · · · · · · ·

Beneficios
Combate el cáncer
Protege el corazón
Controla la presión arterial
Suaviza la piel
Cura el escorbuto

No importa cuántas veces incluye limones y limas en su dieta, quizás no sea suficiente — y le explicamos por qué. Estos cítricos aromáticos brindan un rápido estímulo a los nutrientes que combaten las enfermedades. Sólo una cucharada de jugo de limón le aporta más del 10% de la RDA de vitamina C.

Pregúnteles a los marineros de la armada británica. Ellos aprendieron a la fuerza cuán saludables pueden ser las limas. Durante siglos, los marineros sufrieron de escorbuto, una deficiencia de vitamina C, en sus largos viajes por mar. James Lind, cirujano de marina escocés, descubrió en el siglo XVIII que los cítricos podían curar la enfermedad. Después, los marineros británicos siempre llevaban limas en sus barcos.

En la actualidad, los limones y las limas crecen de a millones en California, La Florida y Arizona. Estos cítricos tienen gran cantidad de antioxidantes y otros fitoquímicos, que se unen para combatir las cardiopatías, el cáncer y las infecciones.

Es sencillo comer más limones y limas. Sólo sea creativo — agregue la ralladura sobre el salmón asado; exprima el jugo sobre las verduras o ensaladas; o bata una refrescante jarra de limonada helada.

Una manera sabrosa de combatir el cáncer

Noes ningún secreto que las marinadas hacen que las carnes asadas sean más sabrosas, pero quizás no sabe que también las hacen más saludables. "Los científicos has descubierto que las marinadas pueden ser la única manera y la más efectiva de reducir la formación de sustancias que producen cáncer creadas durante el asado," afirma Melanie Polk, directora de Educación Nutricional del Instituto Americano para la Investigación del Cáncer. Pueden ser hasta un 99% efectivas.

Los ingredientes exactos de la marinada dependen de usted. Sólo asegúrese de incluir un alimento de estos tres grupos de ingredientes — un saborizante (por ejemplo, ajo o cebolla), una base (miel o aceite), y, lo más importante, un líquido ácido, como el jugo de limón.

Tres maneras en que los limones y las limas lo mantienen sano

Protege la piel del cáncer. "El sólo hecho de agregar una rodaja de limón a las bebidas, o la ralladura a los pasteles, o incluso exprimir jugo de limón fresco sobre los alimentos antes de comer", afirma el Dr. Iman Hakim del Centro de Cáncer de Arizona, "marcará la diferencia a largo plazo." Esta gran diferencia, según el estudio del Dr. Hakim realizado con casi 500 personas, puede significar no contraer cáncer de piel de células escamosas.

La clave del poder anticancerígeno del limón, sugiere el Dr. Hakim, es el d-limoneno, una sustancia química que le da el aroma a los cítricos. Se encuentra en su mayoría en la cáscara, por eso deberá cortar láminas bien delgadas de esta parte exterior para combatir el cáncer. Pero, según el Dr. Hakim recomienda, "Incorporar la cáscara de cítricos a los alimentos es sencillo y delicioso y puede brindar protección adicional contra las enfermedades crónicas." Sólo utilice la parte más fina de un rallador de mano o un cuchillo afilado. Incluso puede comprar un utensilio llamado acanalador de cítricos que es perfecto para esta tarea.

Le da un apretón a las cardiopatías. La vitamina C es un poderoso antioxidante. Los estudios demuestran que eleva el colesterol bueno HDL y ayuda a evitar que el colesterol malo LDL se oxide y se formen placas, lo cual puede obstruir sus arterias. La vitamina C también ayuda a reducir la presión arterial y a fortalecer sus capilares.

Le da más impacto al té. Un poco de jugo de limón contribuye en gran medida. Según un estudio reciente de la India, sólo uno o dos chorritos en una taza de té da rienda suelta a ese poder pleno de la bebida para detener los radicales libres. El té contiene potentes antioxidantes, pero el cuerpo no puede aprovecharlos al máximo hasta que usted le agrega limón. El jugo de limón rompe los antioxidantes del té, y hace que el estómago los pueda absorber con más facilidad.

Indicadores de despensa

Comprar limones o limas es similar a buscar un adorno para la cocina. Sólo funcionarán los más hermosos — y los más aromáticos. Deben llenar la habitación con su aroma floral y su color brillante y perfecto. Por lo tanto, cuando lleve limones a su casa, déjelos a la vista para que iluminen su cocina y sólo colóquelos en el refrigerador luego de cortarlos en rodajas.

Al igual que un pisapapeles, los limones frescos también deben ser pesados para su tamaño. Significa que están cargados de jugo. Para obtener mucho jugo de un limón, utilice la palma de la mano y hágalo rodar contra la mesada de la cocina. Esto lo ablanda para poder exprimirlo mejor.

Obtendrá más jugo de un limón que se encuentra a temperatura ambiente. Si su limón está frío, pruebe calentarlo rápido en el microondas durante aproximadamente 15 segundos.

Le ofrecemos otro consejo saludable. Al cocinar las verduras, su vitamina C desaparece literalmente y los beneficios de los nutrientes también se desvanecen. Si desea reponer la vitamina C de los alimentos cocidos, vierta un chorrito de jugo de limón o lima en el alimento antes de comerlo.

> ### El secreto para tener una piel más joven
>
> Los limones contienen un antioxidante que puede proteger la piel de los estragos del tiempo. Según científicos italianos, este químico — llamado Lem1 — detenían los radicales libres que causan los signos de envejecimiento incluso mejor que la vitamina E.
>
> El jugo de limón puede irritar la piel, por lo tanto, no lo utilice solo. En su lugar, mézclelo con otros ingredientes curativos. Por ejemplo, para hacer desaparecer las manchas de sol intente agregar el jugo de una lima y de un limón a 2 cucharadas de miel y 2 onzas de yogur. Frote la mezcla sobre la mancha una vez por semana como mínimo.

Degeneración macular, relacionada con la edad (DME)

Coma

Hojas de berza	Espinaca
Zanahorias	Maíz
Granos integrales	Yema de huevo
Aves	Carne de cangrejo
Yogur	Granos de soja
	Damascos

Evite

Alimentos que contengan un elevado nivel de grasas saturadas, tales como las carnes rojas y los productos lácteos enteros

Mientras da un paseo por su barrio, puede notar los colores vibrantes de la naturaleza — el rojo, el naranja, el dorado y el verde. Busque estos mismos colores para su plato a la hora de comer y aumentará las probabilidades de mantenerse concentrado en la meta.

Comer grandes cantidades de frutas y verduras de colores brillantes puede reducir el riesgo de sufrir degeneración macular relacionada con la edad (DME), la causa principal de la ceguera en personas mayores. La DME se produce cuando la mácula, la parte central de la retina, comienza a romperse. Nadie sabe con seguridad cuál es la razón, pero quizás el daño de los radicales libres provocado por la exposición a la luz sea un factor contribuyente.

No sentirá dolor por la degeneración macular. Sólo se torna más difícil distinguir pequeños detalles debido a que la visión central se vuelve borrosa o distorsionada. Se considera que presenta riesgo de sufrir DME si tiene hipermetropía, fuma, tiene ojos de color claro, ha estado expuesto al sol a lo largo de su vida y si tiene historia familiar de DME o cardiopatías.

Existen dos tipos de DME, seca y húmeda — ambas irreversibles. La mayoría de las personas tiene el tipo de DME seca que avanza lentamente y generalmente ocasiona una pérdida menos grave de la visión. Sin embargo, alrededor de un 10% tiene el tipo de DME húmeda que puede ocasionar una pérdida permanente de la visión en semanas o incluso en días. Si bien existen algunos medicamentos nuevos y cirugías para la DME, hasta el momento sólo han tenido éxito limitado. Los expertos afirman que la prevención es todavía la mejor medicina, y que un buen punto de partida es su dieta.

Debido a que la presión arterial alta y las cardiopatías son factores de riesgo, si reduce el consumo de grasas de su dieta, en particular las grasas saturadas, llevará la delantera. Entonces coma muchas verduras de hojas color verde oscuro. Un estudio de investigación descubrió que aquellas personas que comían en su mayoría hojas de berza y espinaca tenían un índice mucho más bajo de DME. Continúe leyendo para informarse más sobre los nutrientes necesarios para mantener la agudeza visual.

Nuevos descubrimientos nutricionales que combaten la DME

Vitaminas y minerales. Usted sabe lo importante que puede ser el trabajo en equipo en una familia o al practicar un deporte. Las vitaminas y los minerales trabajan en conjunto de la misma manera para ayudar a prevenir la degeneración macular. Los ojos sanos tienen una elevada concentración de vitaminas antioxidantes C y E. Éstas se ayudan entre sí a realizar su tarea y finalmente protegen las retinas del daño de los radicales libres. Otro jugador del equipo es el selenio, un mineral traza que combina con la vitamina E para proteger los ojos de los peligros de la oxidación.

Puede adquirir estos importantes jugadores de los alimentos que consume. La carne, los mariscos, las verduras frescas y los cereales sin procesar proporcionan una gran cantidad de selenio. Y absorberá una gran cantidad de vitamina C y E de las frutas y verduras de colores brillantes, tales como los damascos, las zanahorias y los pimientos rojos y verdes. Los suplementos parecen no brindarle la misma protección y seguramente no ofrecen los riquísimos sabores o la diversión de lo crujiente de estos alimentos.

Carotenoides. Las frutas y las verduras obtienen sus colores brillantes de un grupo de químicos llamados carotenoides. Y el poder antioxidante de estos nutrientes, en realidad, también pueden iluminar su vista. En particular, dos de ellos — la luteína y la zeaxantina — se acumulan en la mácula del ojo donde ayudan a filtrar los nocivos rayos del sol.

Para ingerir gran cantidad de luteína, sírvase una porción adicional de maíz y una porción grande de aquellas verduras de hojas verdes. Una de las mejores maneras de ingerir zeaxantina es agregar unos pimientos naranjas cortados a su ensalada verde. Encontrará una gran cantidad de estos carotenoides en el calabacín, la calabaza amarilla, el jugo de naranja y el kiwi. Una buena fuente no vegetal es la yema de huevo.

Zinc. No necesita mucho zinc, pero es sorprendente lo que el cuerpo hace sólo con un poco. Este mineral está presente en todos los órganos y ayuda con muchos procesos del cuerpo que lo mantienen saludable. Se encuentra especialmente concentrado en las retinas, donde combate los radicales libres, y ayuda de otras maneras a proteger sus ojos de la DME. Los investigadores han descubierto una relación entre los niveles reducidos de zinc y un mayor riesgo de sufrir DME.

Es probable que obtenga una gran cantidad de zinc de su dieta, pero los niños pequeños, las embarazadas y las personas mayores a veces pueden tener deficiencias. Los alimentos que contienen zinc incluyen las ostras, la carne de cangrejo, el bistec, las aves, los granos de soja, el cereal enriquecido y el yogur. El cuerpo absorbe mejor el zinc de la carne, pero los vegetarianos que comen panes de grano integral leudados con levadura no deberían tener ningún problema.

Algunos médicos tratan la degeneración macular con suplementos de zinc. Si tiene DME y cree que éstos pueden ayudarlo, asegúrese de consultarlo primero con su médico. Existe un verdadero peligro de obtener demasiado zinc de los suplementos.

Pescados grasos. Para reducir el riesgo de sufrir DME incluso más, incluya los pescados grasos, por ejemplo, el salmón o el atún, como parte regular del menú semanal. Los ácidos grasos omega 3 que se encuentran en estos tipos de pescado pueden proteger y restaurar las membranas celulares de la retina. Pero comer pescado más seguido no necesariamente es mejor. Un exceso de ácidos grasos omega 3 puede interferir con la capacidad del cuerpo para utilizar la vitamina E que sus ojos necesitan.

Vino. Obtener los importantes flavonoides de un vaso de vino en forma ocasional puede significar menos probabilidad de desarrollar DME. Sírvase un vaso sólo una vez al mes y recibirá los beneficios. Por otra parte, la investigación demuestra que aquellas personas que beben cerveza aumentan el riesgo de sufrir DME.

Mangos

● ● ● ● ● ● ● ● ● ● ● ●

¿Ha comido mango últimamente? Aparentemente, muchas personas sí. En el mundo, se comen más mangos frescos que cualquier otra fruta. Es posible que esta "manzana de los trópicos" se considere exótica en algunos barrios, pero para la mayoría de la población mundial, es una parte común de la dieta.

Beneficios
Combate el cáncer
Estimula la memoria
Regula la tiroides
Protege contra el mal de Alzheimer
Ayuda a la digestión

Probablemente, el primer árbol de mango creció en la India, y ese país es líder mundial en producción de mangos. Además de ser una importante fuente alimenticia, al árbol del mango también se considera un símbolo de amor en la India porque, según cuenta la leyenda, Buda recibió un bosquecillo de árboles de mango en el cual descansar.

Los mangos proporcionan cantidades saludables de betacaroteno, vitamina C, vitamina B6, vitamina E y potasio. Curiosamente, si bien el fruto del árbol del mango es beneficioso, las hojas son tóxicas y pueden matar al ganado o a otros animales de pastoreo.

Tres maneras en que los mangos lo mantienen sano

Reduce el cáncer. Agregue un mango jugoso a su dieta en ocasiones y puede ayudar a prevenir el cáncer. Los mangos son ricos en antioxidantes, esas fuentes nutricionales que ayudan a combatir la enfermedad. La Sociedad Nacional del Cáncer recomienda consumir cinco porciones de frutas y verduras por día, y sólo la mitad de un mango cuenta como una porción.

Asimismo, una sustancia que poseen los mangos llamada mangiferina ha demostrado un efecto antitumoral en tubos de ensayos y en estudios realizados en animales. Un estudio realizado en ratones descubrió que la mangiferina retrasaba el crecimiento del tumor y ayudaba a los ratones a vivir casi dos semanas más que aquellos ratones no tratados con mangiferina.

Evita el hipotiroidismo. La tiroides es una glándula pequeña que ocasiona grandes problemas cuando no funciona tan bien como debería. Produce hormonas que afectan a casi todas las partes del cuerpo. Cuando la glándula no produce suficiente cantidad de estas hormonas, usted padece hipotiroidismo.

El mango puede ser el alimento perfecto para ayudar a regular la tiroides. Esta glándula necesita vitamina A y el cuerpo la fabrica del betacaroteno, que el mango tiene en abundancia. Los mangos también contienen vitamina B6, vitamina C y vitamina E, importantes vitaminas en la producción de hormonas tiroideas.

Mantiene su mente despierta. Si desea mantener el cerebro en forma y ayudar a evitar el mal de Alzheimer, incluya los mangos como parte regular de su dieta. Los científicos has descubierto que las vitaminas antioxidantes E, C y el betacaroteno pueden ayudar a preservar los recuerdos, y los mangos son una excelente fuente de los tres. Si es mujer, obtendrá 100% de la dosis diaria recomendada de vitamina A (betacaroteno), 95% de vitamina C y casi un tercio de vitamina E al comer tan sólo un mango.

Asar de manera tierna, sabrosa y saludable

La próxima vez que ase a la parrilla, agregue un mango a la marinada. Además de hacer que su carne esté más tierna y sabrosa, le ayuda a evitar problemas estomacales e incluso quizás el cáncer.

Los mangos actúan como un súper ablandador de carne ya que contienen una enzima que metaboliza la proteína. Esta enzima también puede ayudar con la digestión, es por eso que probablemente los mangos han sido utilizados durante siglos para aliviar el estómago.

El Instituto Americano para la Investigación del Cáncer recomienda marinar la carne antes de asarla para reducir el riesgo de cáncer. Sólo combine el mango con un ingrediente ácido, como el jugo limón o de lima y añada unas pocas hierbas y especias. El alimento tendrá un impacto dulce y saludable adicional.

Indicadores de despensa

Los mangos frescos son frutas que se encuentran en el mercado en primavera y verano aunque puede comprar las frutas enlatadas todo el año. Cuando escoja un mango, apriételo delicadamente. Un mango fresco se hundirá levemente ante la presión.

Si bien las diferentes variedades tienen diferentes colores, es probable que uno que sea completamente verde o gris verdoso no esté maduro. Al igual que las bananas, los mangos tienden a tener puntos negros en la cáscara a medida que maduran, por lo tanto si tienen muchos puntos negros significa que están demasiado maduros. Los mangos madurarán a temperatura ambiente, pero si desea acelerar el proceso, colóquelos en una bolsa de papel con otro mango (o con una banana).

Pelar y comer un mango fresco puede ser un desafío ya que la fruta jugosa puede ser bastante desagradable, pero una vez que muerde la carne dulce, vale la pena.

Pérdida de memoria

• • • • • • • • • • • • • •

La edad no debe tener un grave efecto en su mente. Si está experimentando pérdida de memoria, quizás todo lo que necesita es una nueva dieta más saludable.

Consuma alimentos frescos ricos en fibra, nutrientes y antioxidantes. Consuma muchos de ellos. Ayudará al cuerpo a combatir enfermedades graves que pueden afectar la memoria, como por ejemplo, las cardiopatías, y estimulará el apetito al mismo tiempo. A veces, los medicamentos, los problemas de dentadura o la soledad pueden quitar el deseo por la comida. Una nutrición deficiente representará un mayor riesgo de sufrir problemas de memoria.

Coma	
Arándanos azules	Fresas
Col	Espinaca
Remolachas	Aguacates
Espárragos	Aceite de oliva
Cebada	Hígado
Atún	Avena

Evite

Alimentos que contengan un elevado nivel de grasas saturadas, tales como las carnes rojas y los productos lácteos enteros

Si, a pesar de seguir una dieta saludable, usted o alguien que conoce experimenta una grave pérdida de la memoria, consulte a un médico. Puede ser un signo de un problema mayor, como el mal de Alzheimer. Con ayuda profesional, puede trazar un tratamiento.

Nuevos descubrimientos nutricionales que combaten la pérdida de memoria

Antioxidantes. Recuerde que los radicales libres son moléculas inestables que su cuerpo fabrica mientras procesa oxígeno. Los radicales libres encierran y dañan las células y lo vuelven más propenso a ser preso de problemas de salud — tal como la pérdida de memoria. Afortunadamente, los antioxidantes, sustancias que se encuentran en determinados alimentos, se deshacen de los radicales libres.

Según los científicos del Centro de Investigación para la Nutrición Humana en el Envejecimiento del ARS del USDA, la mente necesita los antioxidantes para mantenerse despierta. De lo contrario, sus células se desgastan después de años de bombardeos por parte de los radicales libres. La memoria se vuelve un poco más borrosa, al igual que la imagen de un televisor viejo.

Las mejores fuentes de antioxidantes son la vitamina E, la vitamina C, el betacaroteno y los flavonoides. Todos los expertos del USDA creen que estos antioxidantes pueden reparar el daño ocasionado en el pasado por los radicales libres, como también prevenir el daño en el futuro. Las frutas y las verduras contienen un arsenal de antioxidantes. Por lo tanto, consuma fresas, arándanos azules, ciruelas secas, repollitos de Bruselas y col. Son como una reparación de televisor para su cabeza.

Carbohidratos. Coma una papa en el desayuno y es posible que pueda pensar mejor durante todo el día. Al menos eso indica un nuevo y excitante estudio de Canadá. Los individuos comenzaban mejor el día si consumían puré de papas, cebada cocida o una bebida con azúcar. Estas tres comidas estimularon la memoria y los resultados del test de inteligencia. El secreto detrás de esta milagrosa energía — matutina. El cerebro la necesita y los carbohidratos se la proporcionan.

Pero no todos los carbohidratos son iguales. Aquellos que se encuentran en las frutas, las verduras y los granos integrales son mejores y más completas fuentes de energía. Además, los granos integrales y las frutas suelen tener un índice glicémico reducido, lo cual aumenta la fuerza intelectual al máximo. (Consulte el capítulo sobre *Diabetes* para obtener una explicación acerca del índice glicémico.)

Consuma buenos carbohidratos — tales como la avena, el salvado, las bananas, la cebada y las tostadas integrales — en el desayuno y a lo largo del día. El cerebro le agradecerá estar alerta, fresco y ser capaz de recordar dónde dejó su cartera.

Vitaminas B. El folato, la tiamina, la vitamina B6 y la vitamina B12 — estas vitaminas B pueden ser ingredientes importantes en muchos de los químicos del cerebro. Y podría ser la razón por la cual las personas con deficiencias de vitamina B obtuvieron menos puntaje en las pruebas de memoria y de resolución de problemas, mientras que aquellas que recibieron refuerzos de vitaminas B obtuvieron mejores resultados. Las deficiencias crónicas de vitamina B también pueden ser una causa de las afecciones mentales graves, tal como el mal de Alzheimer.

Asegúrese de consumir espinaca, remolachas, aguacates, espárragos y otras verduras para obtener el folato; quesos bajos en grasas, pescado y aves para obtener la vitamina B12; y papas, alubias y sandía para obtener la vitamina B6 y la tiamina.

Aceite de oliva. Utilice aceite de oliva, afirma un estudio reciente de Italia, y podrá verter sus recuerdos. En un estudio realizado en aproximadamente 300 personas mayores, aquellas que consumieron al menos 5 cucharadas de aceite de oliva por día obtuvieron mejores resultados en las pruebas de las capacidades de memoria y de resolución de problemas.

Reconozca el mérito de los ácidos grasos monoinsaturados (AGM). Estas "buenas" moléculas grasas parecen proteger el cerebro contra la pérdida de memoria por una simple razón — el cerebro está compuesto por grasa. Y, a medida que envejece, el cerebro necesita cada vez más ácidos grasos para reforzarlo.

Encontrará los AGM en casi todos los aceites, pero el aceite de oliva fue el elegido, ya que contiene vitamina E y otros poderosos antioxidantes, y no contiene colesterol ni grasas "malas" saturadas.

Hierro. Quizás necesite eliminar un problema de la dieta si siente que su cerebro está inactivo. Una deficiencia de hierro puede significar una mente confusa. Además de los problemas de memoria, otros síntomas incluyen piel pálida, cansancio y depresión. Tenga cuidado con estos signos si toma antiinflamatorios no esteroideos (AINES) en forma regular, si es una mujer que tiene la menstruación o si es una persona vegetariana. Todos estos factores lo ponen en riesgo de sufrir deficiencia de hierro e incluso anemia.

La carne es la principal fuente de este mineral, pero las legumbres y las verduras de hojas verdes también funcionan. Asegúrese de cubrir estos alimentos con una rica fuente de vitamina C, como el jugo de limón, lo cual ayuda al cuerpo a absorber el hierro de las fuentes vegetales.

Si toma AINES y sospecha que tiene un bajo nivel de hierro, comuníqueselo a su médico. Los medicamentos pueden estar provocando hemorragias internas.

La soja se relaciona con índices más altos de senilidad

Si comenzó a consumir hamburguesas de tofu en lugar de hamburguesas comunes porque cree que la soja es más saludable, puede encontrarse con una sorpresa. Una nueva investigación sugiere que consumir tofu puede hacer que su cerebro envejezca más rápido, y así ocasionar graves problemas de memoria y de aprendizaje durante la vejez.

Incluso si nunca consume tofu — una especie de flan hecho con puré de granos de soja — aún no estará fuera de peligro. La soja o el aceite de soja se encuentran en todos lados, desde los aderezos para ensaladas, la mayonesa y la margarina hasta los cereales para el desayuno y las barras energizantes, lo cual lo convierte en el aceite más utilizado. Alrededor del 60% de los alimentos procesados contienen proteína de soja. Y desde que se le agrega al ganado y a otros alimentos de ganadería, puede consumirla indirectamente con sólo comer su habitual bife o hamburguesa.

Investigadores de Hawai concluyeron que la soja puede contribuir al envejecimiento cerebral luego de examinar la dieta de más de 8000 hombres japonés-americanos mayores de 30 años. Descubrieron que aquellos individuos que consumían dos o más porciones de tofu por semana tenían mucha más probabilidad de volverse seniles u olvidadizos al envejecer si se los comparaba con aquellos que consumían poco cantidad o nada de tofu.

Mientras más tofu consumían los individuos, más problemas de aprendizaje y de memoria sufrían durante la vejez. La pérdida de función mental ocurrió en el 4% de los hombres que consumían la menor cantidad de tofu en comparación con el 19% de los hombres que consumían la mayor cantidad de tofu.

Estos resultados son impactantes para un alimento promocionado por sus beneficios para la salud y la reciente aprobación otorgada por la FDA para realizar reclamos de salud en las etiquetas de los paquetes.

El Dr. Lon White, encargado del estudio de Hawai, sugiere que los hallazgos del estudio deberían hacer pensar dos veces a las personas acerca de la cantidad de soja que consumen. "Tenemos una idea que da miedo que puede resultar totalmente equivocada", afirma. "O podría resultar ser el primer descubrimiento de un importante efecto negativo para la salud de un alimento que creemos que puede ser muy bueno."

El estudio de White incluía individuos que tenían entre 46 y 65 años. Se les preguntó a los hombres si consumían ciertos alimentos relacionados asociados con una tradicional dieta japonesa o una dieta estadounidense. Se los entrevistó acerca de sus hábitos alimenticios nuevamente a principios de la década de los años 70 y se evaluó su función cognitiva — incluidos la atención, la concentración, la memoria, la capacidad lingüística y el juicio — a principios de la década de los años 90 cuando tenían de 71 a 93 años. En aquel momento, también se les realizó una gammagrafía cerebral.

Los resultados fueron alarmantes. De 26 alimentos estudiados, sólo el tofu resultó estar relacionado a la función cerebral de manera significativa. Los hombres que consumían mayor cantidad de tofu no obtuvieron resultados más bajos en las pruebas de capacidad intelectual, pero sus cerebros estaban más propensos a mostrar signos de edad avanzada y encogimiento. Los resultados de las pruebas fueron típicos de una persona cuatro años mayor.

Si bien el estudio se realizó en hombres, los investigadores también entrevistaron y evaluaron a 502 esposas de los hombres que participaban en el estudio — y sugirieron hallazgos similares.

El estudio ha causado conmoción porque contradice investigaciones previas que determinaban que la soja era beneficiosa. Algunos estudios anteriores han demostrado que la soja puede combatir el cáncer y las cardiopatías, prevenir la osteoporosis y aliviar los síntomas de la menopausia. Los investigadores creen que las moléculas de la soja similares a las del estrógeno, llamadas isoflavonas, aparentemente poseen propiedades que combaten las enfermedades. Pero esas mismas sustancias también podrían tener efectos negativos en el cuerpo, señala White. Afirma que las personas deben comprender que las isoflavonas son químicos complejos que actúan como las drogas y cambian la química del cuerpo.

"Todo lo grandioso que [los consumidores] han oído sobre los alimentos a base de soja en los últimos años tiene muy poco que ver con los nutrientes — los carbohidratos, las proteínas, las grasas, los minerales y las vitaminas," expresa. "Toda esa campaña orquestada está relacionada con la idea de que la soja tiene otros tipos de moléculas que actúan como medicamentos... y alteran el funcionamiento de la química del cuerpo."

Las isoflavonas de la soja son un tipo de fitoestrógeno o estrógeno vegetal, que imita el estrógeno producido de manera natural por el cuerpo. Las células cerebrales poseen receptores que se conectan con el estrógeno para ayudar a mantener la función cerebral, y White cree que los fitoestrógenos pueden competir con los estrógenos naturales del cuerpo por estos receptores.

Muchos creen que las isoflavonas de la soja interfieren con las enzimas y los aminoácidos del cerebro. Una de las principales isoflavonas de la soja, la genisteína, limita la enzima tirosina quinasa del hipocampo — el centro de la memoria del cerebro. Al interferir con la actividad de esta enzima, la genisteína bloquea un proceso llamado "potenciación a largo plazo" que es clave para el aprendizaje y la memoria.

La Dra. Larrian Gillespie, autora de *The Menopause Diet (La Dieta de la Menopausia)*, afirma que consumir demasiada soja también podría ocasionar otros problemas. Descubrió que consumir 40 miligramos (mg) de isoflavonas por día puede disminuir la función tiroidea y ocasionar hipotiroidismo. La mayoría de los suplementos de isoflavona vienen en una dosis de 40 mg, y sólo 6 onzas de tofu o 2 tazas de leche de soja aportarían la misma cantidad.

También, debido a que las isoflavonas actúan como el estrógeno, algunos estudios sugieren que las mujeres menopáusicas que consumen un gran cantidad de soja pueden aumentar el riesgo de sufrir cáncer de mama. Y los científicos también han puesto en duda los efectos potenciales de la soja en los niños. Un estudio descubrió que los niños que tomaban leche de fórmula de soja recibían de seis a once veces la cantidad de fitoestrógenos que tienen efectos hormonales en las personas adultas. Algunos creen que esto podría provocar una pubertad temprana, la cual está asociada con un mayor riesgo de sufrir cáncer de mama y quistes ováricos.

Esto nos lleva a poner en duda si los aspectos positivos de la soja superan a los negativos.

"Cualquiera sea el efecto bueno que viene con el regalo (la soja), también tendrá su costo," afirma White. "Todavía no sabemos cuáles son esos costos, como tampoco conocemos aún la completa y verdadera medida de sus beneficios para la salud. Volamos a ciegas... y mis datos... son muy, pero muy alarmantes."

El estudio de Hawai fue un estudio controlado, bien diseñado y a largo plazo, pero fue un solo estudio. Los resultados son lo suficientemente importantes como para que usted se detenga y preste atención, pero sólo lo pueden confirmar más investigaciones. Si consume soja, es posible que quiera pecar de precavido. Asegúrese de que está al tanto de la cantidad de isoflavonas de soja que consume por día, y evite los suplementos de soja y los alimentos enriquecidos con soja (como algunas barras nutritivas) hasta que se realicen más investigaciones al respecto.

El siguiente cuadro lo ayudará a determinar el contenido de isoflavona de algunos productos de soja comunes.

¿Cuántas isoflavonas de soja consume por día?		
Porción	Miligramos de isoflavonas*	Tamaño de la alimento (aproximado)
Tocino, sin carne	1.9	2 tiras (1/2 onza)
Barra de cereal (dura y amarga)	.1	3.5 onzas
Hamburguesa de verduras, (toda la hamburguesa de proteína vegetal)	8.2	1 hamburguesa
Fórmula infantil, Prosobee® e Isomil® con hierro, listo para tomar	8	1 taza

¿Cuántas isoflavonas de soja consume por día?		
Porción	Miligramos de isoflavonas*	Tamaño de la alimento (aproximado)
Miso	43.0	1/2 taza
Maníes crudos	.3	1/2 taza
Bastoncitos de soja para el desayuno (45 g)	1.7	2 bastoncitos
Queso de soja y queso cheddar	7	3.5 onzas
Harina de soja (texturada)	148	1/2 taza
Perro caliente de soja (51 g)	3	2 perros calientes
Leche de soja	20	1 taza
Polvo de soja (batido de vainilla)	14 – 42 **	1 cucharada
Barra nutritiva con proteínas de soja	14 – 42 **	1 barra
Salsa de soja, hecha con proteína vegetal hidrolizada	.1	1/2 taza de
Salsa de soja, hecha con soja y trigo	1.6	1/2 taza de
Papas fritas de soja	54	1/2 taza
Granos de soja (tostados)	128	1/2 taza
Tempeh	44	1/2 taza
Tofu (firme o de seda)	28	1/2 taza
Tofu o yogur de soja	16	1/2 taza
productos del USDA, hamburguesas de carne picada con Productos Proteínicos Vegetales (PPV)"congelados o cocidos ◆	1.9	3.5 onzas

*   Datos del USDA – Base de datos de la Universidad Estatal de Iowa acerca del *contenido de isoflavona en los alimentos. Año 1999.*

**   Datos obtenidos de la empresa Protein Technologies International.

◆   Los PPV generalmente se utilizan en los programas de almuerzos escolares.

Menopausia

∙∙∙∙∙∙∙∙∙∙∙∙∙∙∙∙∙∙∙∙∙

Coma	
Avenas	Trigo
Maíz	Manzanas
Leche	Germen
descremada	de trigo
Repollo	Almendras
chino	Maníes

Evite

Alimentos que contengan altos niveles de grasas saturadas, como la carne roja

Sal y alcohol en grandes cantidades

En la mitad de las mujeres, la menopausia, que significa el final de la menstruación, ocurre a los 50 años. Es probable que experimente este "cambio de vida" varios años antes — en especial si fuma — o después, según sus genes.

La menopausia se presenta cuando los ovarios dejan de producir óvulos todos los meses. Puede suceder de repente, como si se extrajeran los ovarios mediante una cirugía, o de manera más guadual, con el pasar de varios años. Algunas mujeres casi no notan una diferencia en esta etapa, mientras que otras informan tener sequedad vaginal, indigestión, pérdida del sueño, sofocos, cambios de humor y depresión.

Podemos descubrir la mayoría de estos desagradables efectos colaterales al bajar drásticamente los niveles hormonales, en particular, los de estrógeno. Además, una vez que la producción de estrógeno decae, presenta mayor riesgo de sufrir cardiopatías y osteoporosis.

◆ El estrógeno disminuye drásticamente los niveles del colesterol LDL "malo" y aumenta el colesterol HDL "bueno". También mantiene bajos los niveles de fibrinógeno. El fibrinógeno es la sustancia pegajosa que ayuda a coagular la sangre. Tener demasiada cantidad de esta sustancia es un factor principal de las cardiopatías. Debido a los niveles decrecientes de estrógeno, las cardiopatías significan una amenaza para las mujeres después de la menopausia.

◆ El estrógeno también ayuda al cuerpo a absorber mejor el calcio y, de hecho, extermina las células del esqueleto cuyo trabajo es quebrar los huesos. Eso significa que sin el estrógeno, la osteoporosis, enfermedad incapacitante que debilita los huesos y que afecta a muchas mujeres mayores, podría estar a la vuelta de la esquina.

Si bien cada mujer experimenta la menopausia de manera única, todas las mujeres necesitan seguir una dieta saludable durante esta transición. En efecto, existe evidencia que sugiere que la buena nutrición la puede ayudar a sentirse bien y feliz durante este importante tiempo de cambio.

Según la Academia Estadounidense de Médicos de Familia, los cambios en el estilo de vida pueden aliviar los síntomas de la menopausia. Aconsejan seguir una dieta rica en fibras, baja en grasas y rica en antioxidantes e inclusive productos a base de soja. Creen que esto puede disminuir el riesgo de sufrir cardiopatías, mejorar el nivel de colesterol y disminuir los sofocos y otros síntomas de la menopausia.

Nuevos descubrimientos nutricionales que combaten la menopausia

Fitoestrógenos. No debe desesperarse cuando su suministro personal de estrógeno escasee debido a la menopausia. Las personas no son las únicas que fabrican estrógeno — las plantas también, y se llaman fitoestrógenos. Consumir alimentos vegetales con fitoestrógenos puede proporcionarle algunos de los beneficios protectores del estrógeno. Algunas fuentes son la avena, el maíz, las manzanas, las almendras, las castañas de cajú y los maníes.

Las isoflavonas, un tipo específico de fitoestrógeno, se encuentran en la mayoría de los alimentos a base de soja, tales como los granos de soja, el tofu, el miso y las semillas de soja. Las mujeres asiáticas consumen aproximadamente un tipo de alimento a base de soja por día e informan tener muy pocos sofocos y cambios de humor durante la menopausia. Esto podría significar que están obteniendo un poco de estrógeno de su dieta. (Una nueva investigación afirma que la soja puede acelerar el envejecimiento cerebral. Para obtener más información, vea el *capítulo*sobre Pérdida de memoria.)

Calcio. Más que nunca, el cuerpo necesita calcio durante la menopausia para mantener los huesos fuertes y para evitar la osteoporosis. De hecho, los expertos recomiendan que las mujeres menopáusicas ingieran 1200 miligramos de calcio por día. Además de fortalecer los huesos, algunos nutricionistas creen que el calcio también puede ayudar con los sofocos. Si tiene dificultad para digerir la leche, como les sucede a muchos adultos, pruebe un producto como el Lactaid, que posee la enzima intestinal que a usted le hace falta.

Otras buenas fuentes de calcio son el yogur, que es más fácil de digerir que la leche, el repollo chino, la espinaca, la melaza, las legumbres, las semillas y las almendras. Y si todavía no lo hizo, cambie por los jugos fortificados con calcio. El jugo no tiene ningún sabor diferente y, taza tras taza, obtendrá por lo menos la misma cantidad de calcio que de la leche — e incluso más.

Vitamina E. Puede contraatacar la amenaza de las cardiopatías posmenopáusicas con vitamina E, una ayuda natural para el corazón. Como antioxidante, combate las sustancias potenciales que provocan el cáncer y evita que el colesterol dañe sus arterias. Los investigadores descubrieron que consumir alimentos ricos en vitamina E disminuye el riesgo de muerte causada por cardiopatías en mujeres posmenopáusicas. Sin embargo, la vitamina E debe provenir de los alimentos y no de suplementos.

Para reducir esos molestos sofocos y mantener su piel suave y más joven, consuma más vitamina E. Dentro de las buenas fuentes se encuentran los frutos secos, las semillas, los aderezos cremosos para ensaladas, la mayonesa y los aguacates. Busque productos hechos con aceite de canola para obtener los beneficios adicionales de los ácidos grasos omega 3. Sólo recuerde que todos estos alimentos tienen un gran contenido graso. Si agrega más alimentos ricos en vitamina E a su dieta sin reducir el consumo de grasas, aumentará de peso.

Si bien muchas mujeres elijen el reemplazo hormonal durante la menopausia, una nueva investigación afirma que puede causar más daños que beneficios. Consulte con su médico acerca de la mejor opción para usted.

Una advertencia

Suprima el salero y nadie saldrá herido. Un exceso de sal en su dieta lo hará sentir hinchado y puede empeorar los sofocos. Además, el exceso de sal es malo para el corazón y puede contribuir a la pérdida ósea al ahuyentar el calcio.

Si se antoja de sal, en su lugar pruebe utilizar diferentes hierbas y especias en los alimentos y beba gran cantidad de agua. El agua ayudará a eliminar la sal adicional del cuerpo al mismo tiempo que mantiene la piel y los órganos internos en buenas condiciones.

Beneficios

Controla la presión
  arterial

Disminuye el colesterol

Mata las bacterias

Combate el cáncer

Fortalece los huesos

Hongos

• • • • • • • • • • • • • • •

Sería bueno si los hongos pudieran hacer lo que los egipcios creían — hacerlo vivir para siempre. ¿Y si pudieran concederle una súper fuerza o ayudarlo a encontrar los objetos perdidos? A lo largo de la historia y alrededor del mundo, las personas desde Méjico a Rusia le han adjudicado poderes mágicos a los hongos. En realidad, no hay nada milagroso acerca de estos hongos, pero lo pueden hacer sentir más saludable.

Si bien los hongos están en gran parte compuestos por agua, son ricos en proteína, carbohidratos y fibra. Son una potente fuente de vitamina D, riboflavina y niacina, además de minerales, como el potasio, el selenio y el cobre. Son bajos en grasas, sal y calorías. Si eso no es suficiente, los hongos están hechos literalmente de ingredientes que combaten las enfermedades llamados polisacáridos — cadenas gigantes de pequeñas partículas de azúcar que se unen para combatir el cáncer, las cardiopatías y las infecciones.

La próxima vez que esté en su tienda de comestibles, preste atención a todas las variedades de hongos, en particular a aquellos con nombres exóticos, tales como shiitake (shitake), maitake (maitake) y chanterelle (chanterel). Estas especialidades de hongos son los más nutritivos del grupo.

Cinco maneras en que los hongos lo mantienen sano

Controlan el colesterol. No es ningún secreto que — el colesterol alto ocasiona problemas de corazón. Pero, consumir hongos puede ser una manera de disminuir el colesterol en sangre hasta en un 12%. Una investigación realizada en Japón demuestra que los hongos shiitake pueden hacer justamente eso. Si bien las personas que participaron en el estudio consumían cinco o más hongos por día para obtener estos resultados, agregue unos cuantos a su menú y espere obtener algunos beneficios.

Nivelan la presión arterial. Sólo media taza de hongos shiitake secos contiene más potasio que una banana. Es importante si tiene presión arterial alta, ya que consumir suficiente potasio puede ser tan necesario como reducir la ingesta de sal para que la presión esté estable. Descubrirá que muchos otros hongos también son ricos en este mineral.

Eliminan los virus y las bacterias. Cuando llegue la próxima temporada de resfríos y gripe, muchos expertos recomiendan que tenga una manta y unos hongos a su alcance. Ciertos químicos de los hongos shiitake ayudan a combatir el virus de la gripe como las mejores drogas hechas por el hombre. Y parecen aumentar la resistencia a los hongos, los parásitos y también otros virus. Los extractos de hongos shiitake y maitake también hacen arrancar su sistema inmunológico para que fabrique sustancias naturales que eliminan las células. Si bien la conexión entre el consumo de los hongos enteros y estos beneficios aún es polémica, agregar un poco de estas exquisiteces a su menú diario no le hará daño cuando haga frío y haya mucho viento afuera.

Eluden el cáncer. Cuando se trata de prevenir del cáncer, también tenga en cuenta los hongos. Consumir determinadas clases — shiitake, maitake, oyster, y otros tipos exóticos — puede reducir el riesgo. Sin embargo, los expertos están de acuerdo en que necesitan realizar más investigaciones. La mayor parte de la atención se ha centrado en los extractos de polisacáridos de los hongos, pero no en los hongos enteros. Estos químicos, estudiados durante veinticinco años, parecen aumentar la supervivencia del cáncer al estimular la resistencia a los tumores y al reducir los efectos secundarios severos de la quimioterapia.

> ### No hay temporada de búsqueda para los hongos
>
> "Hay personas que buscan hongos añejos, y otras que buscan hongos frescos," como dice el refrán, "pero no hay personas que buscan tanto hongos añejos como frescos." De los miles de hongos que existen en el mundo, sólo unos pocos cientos son comestibles. Significa que una gran cantidad de ellos son venenosos. Por lo tanto, a menos que usted sea micólogo (experto en hongos), sólo busque hongos en la tienda de comestibles. Consumir hongos que descubre en el bosque o en su patio puede ser un error fatal.

Además de proporcionar una dosis saludable de polisacáridos, los hongos enteros aportan selenio. Según el Dr. Peter E. Newberger, profesor que trabaja en conjunto con el Instituto Estadounidense para la Investigación del Cáncer, "El selenio es un potente antioxidante que puede bloquear el daño celular del ADN que provoca el cáncer." Varios estudios demuestran que puede prevenir el cáncer de pulmón, colon, mama, garganta y próstata. Ocho hongos shiitake secos tienen casi toda la cantidad diaria recomendada de selenio.

Fortalecen los huesos. Los hongos son los únicos alimentos que no son animales y que le aportan vitamina D — un importante dato si usted es vegetariano. Los hongos y su vitamina D también pueden ser importantes para las mujeres posmenopáusicas que combaten la osteoporosis y para aquellas personas que tienen intolerancia a la lactosa y no obtienen vitamina D de los lácteos fortificados. Busque las variedades chanterelle y shiitake para obtener los grandes refuerzos de vitamina D.

Indicadores de despensa

Comprar hongos puede ser difícil al principio, ya que hay muchos tipos entre los cuales escoger. Pero con un poco de experiencia, puede divertirse al querer conseguir el que haga hablar a sus papilas gustativas. Comience con esta lista — experimente con las variedades de hongos secos o también en frasco — y véalo usted mismo.

- **Champiñón pequeño.** Éste es quizás el tipo más común de hongo, pero consulte las advertencias que figuran más adelante en este capítulo.

- **Portobello (Roma).** Quizás piense que este hongo gigante es exótico, pero en realidad es sólo un champiñón pequeño demasiado grande que es excelente para asar.

- **Cepe (Boleto o Porcini).** Piense en consumir este hongo oscuro y de tallo grueso en lugar de los champiñones comunes. Puede ser costosos, pero el sabor vale la pena.

- **Enoki.** Este hongo nativo de Japón es pequeño y tiene tallo largo. Obtendrá el mejor sabor de este hongo delicado si lo come crudo o ligeramente cocido.

◆ **Shiitake ("hongo negro de China").** Si bien ha sido popular en Asia durante miles de años, en la actualidad está surgiendo en los restaurantes y mercados del resto del mundo. Los hongos shiitake tienen un sabor fuerte y terroso, y sombreretes grandes, similares a una sombrilla.

◆ **Maitake.** Este hongo es otra exquisitez de Asia, pero también crece en estado silvestre en Norteamérica. Los maitakes a veces son llamados "gallina del bosque" porque algunos afirman que saben a pollo.

◆ **Chanterelle (Girolle).** Con forma de corneta, esta especialidad de hongo viene en un arco iris de colores — que va desde el amarillo oro al negro. El sabor varía también de suave y frutado a picante y fuerte.

◆ **Morel.** Probablemente sólo encontrará hongos morel en estado silvestre, pero son especialmente populares por su sabor fuerte.

◆ **Oyster.** Tiene para elegir entre los colores de los hongos oyster — inclusive el rosa y el amarillo. Su sabor es suave, pero su consistencia combina bien con las verduras crujientes.

◆ **Trufa.** Éste es el más elegante de los hongos elegantes, y el más costoso. Cuesta $400 la libra. Si planea cosecharlos usted mismo, necesitará llevar un perro o un cerdo especialmente adiestrado a determinadas zonas de Francia o Italia.

Una advertencia

Quizás es el momento de convertir los champiñones pequeños en un tipo más elegante. Junto con los portobellos y los falsos morel, los champiñones contienen hidracinas — las cuales, según algunos expertos, causan cáncer. A pesar de que la evidencia aún es limitada, esté alerta para obtener más información.

Si los champiñones pequeños son sus favoritos y no quiere dejar de consumirlos, entonces al menos evite comerlos crudos. Al cocinarlos, especialmente durante mucho tiempo, parece destruir algunas hidracinas.

Al comprar cualquiera de estos hongos frescos, escoja los que están firmes y secos. Almacénelos en una bolsa de papel cerrada sin apretar. El exceso de humedad hará que los hongos se pudran, por lo tanto, utilice sólo un poco de agua para lavarlos y no los almacene en un cajón del refrigerador.

Beneficios

Disminuye el colesterol

Combate el cáncer

Lucha contra la diabetes

Previene el estreñimiento

Suaviza la piel

Reduce el riesgo de sufrir apoplejías

Avena

• • • • • • • • • • •

El escritor inglés Samuel Johnson, en 1755 en su *Diccionario de Lengua Inglesa,* definió la avena como "un grano, que se le da generalmente a los caballos en Inglaterra, pero en Escocia se utiliza para alimentar a las personas."

El biógrafo escocés de Johnson, James Boswell, respondió, "Sí, y es por ese motivo que en Inglaterra tenemos caballos tan hermosos y en Escocia, gente tan hermosa."

Bueno, gente saludable de todas formas. Los escoceses reconocían lo bueno apenas lo veían. La avena y los productos que la contienen poseen muchos beneficios para la salud, en gran parte debido a su fibra soluble llamada betaglucano. Estos productos también aportan proteínas y minerales cruciales, tales como el potasio, el magnesio, el fósforo, el manganeso, el cobre y el zinc. Consumir una porción saludable por día puede ayudarlo a disminuir el colesterol, controlar la diabetes, prevenir el cáncer y curar el estreñimiento. La avena puede incluso aliviar la piel irritada, razón por la cual podrá encontrar extracto de avena en muchos productos para el baño.

Por supuesto que no es necesario ser escocés para disfrutar de este grano saludable. (Ni tampoco ser un caballo). Ya sea que coma avena en el desayuno o que espolvoree salvado de avena en los cereales o alimentos horneados, obtendrá beneficios al incorporar más avena a su dieta.

Simplemente, considérelo como algo de sentido común.

Cuatro maneras en que la avena lo mantiene sano

Combate el colesterol. Es posible que haya escuchado todo el alboroto generado por el salvado de avena y por su capacidad para reducir el colesterol. Generalmente, no debe creer todo lo oye — pero, en este caso, es verdad. El salvado de avena sí reduce el colesterol.

Esto se debe a que el salvado de avena, la cáscara externa del grano de avena, contiene grandes cantidades de betaglucano. Esta fibra soluble y pegajosa actúa sobre los alimentos reduciéndolos a medida que pasan por el estómago y el intestino delgado, explica la Dra. Barbara Schneeman, investigadora del Servicio de Investigación Agrícola del USDA (Departamento de Agricultura de los Estados Unidos), y profesora de la Universidad de California en Davis. Este proceso le da más tiempo a la lipoproteína de alta densidad (HDL) para poder transportar rápidamente el colesterol hacia el hígado y luego eliminarlo del cuerpo. También la lipoproteína de baja densidad (LDL) tiene menor probabilidad de llevar el colesterol hacia las paredes de las arterias donde puede acumularse y ocasionar problemas.

Algunos estudios han informado que la avena redujo el colesterol total hasta en un 26% y el LDL, o colesterol "malo", en un 24%, pero la mayoría de los expertos son más prudentes.

Los investigadores que realizaron varios ensayos que incluían productos con avena llegaron a la conclusión de que consumir 3 gramos de betaglucano podía reducir levemente el colesterol. La buena noticia es que incluso una reducción moderada en el colesterol disminuye el riesgo de sufrir cardiopatías. Incluso la Administración de Drogas y Alimentos (FDA) ha aprobado los productos con avena por su capacidad para reducir el colesterol. El Departamento de Agricultura de los Estados Unidos y la Asociación Estadounidense del Corazón también recomiendan el consumo de este grano saludable para el corazón.

Sin embargo, no todas las personas obtienen el mismo beneficio de la avena. Si usted tiene colesterol alto, observará un descenso más drástico que si sus niveles de colesterol son normales o bajos. Agregar sólo una porción de avena a la dieta debería ayudarlo si tiene colesterol alto. De lo contrario, la cantidad que necesita depende del tipo de avena que elija. Por ejemplo, debe consumir tres paquetes de avena instantánea para obtener 3 gramos de betaglucano, pero sólo necesita un bol grande con cereal de salvado de avena para obtener la misma cantidad. Revise las etiquetas de los alimentos para verificar que tengan "fibra soluble" y elija los productos que contengan la mayor cantidad de avena.

Controla la diabetes. Si lucha contra la diabetes, sabe que debe controlar los carbohidratos que consume. Una buena manera de hacerlo es incorporar una mayor cantidad de fibra soluble.

La viscosidad del betaglucano de la avena inunda los alimentos a medida que éstos pasan a través del estómago y del intestino delgado. Esto no sólo ayuda a disminuir el colesterol, sino que también desacelera la absorción de los carbohidratos. La sangre no se satura de glucosa de repente, por lo tanto, no necesita insulina de manera urgente ni inmediata.

Muchos expertos han recomendado una dieta rica en fibras, concentrada en el consumo de fibras solubles y de cereal, como una manera eficaz de tratar la diabetes. Un estudio publicado en la revista *The New England Journal of Medicine* reveló que una dieta que contiene 50 gramos de fibra por día (25 gramos de fibra soluble y 25 gramos de fibra insoluble) ayuda a mantener controlados el azúcar en sangre, la insulina y el colesterol en las personas con diabetes tipo 2. También demostró que usted podría seguir este tipo de dieta sin tomar suplementos de fibra ni comer alimentos especiales ricos en fibra.

Previene el cáncer. Cuando se trata del cáncer de colon, el salvado de trigo es el producto fundamental, pero la avena también puede tener algún poder anticancerígeno.

Una vez más, es la fibra soluble betaglucano la que realiza el trabajo sucio. Al igual que la fibra insoluble del salvado de trigo, el betaglucano acelera el paso de los alimentos a través del intestino grueso. También puede reaccionar con microorganismos para formar los compuestos que protegen la pared del colon y controlan los agentes carcinógenos. El salvado de trigo y otras fibras insolubles ayudan a aumentar el volumen de las heces y así diluir las sustancias que producen el cáncer.

"En lugar de decir que uno es mejor que la otra, se puede decir que actúan de dos maneras diferentes", afirma Schneeman con respecto a las dos grandes categorías de fibra. "Al fin y al cabo, es posible que no todo se limite a uno u otra. Ambos mecanismos podrían tener importancia."

Una advertencia

Las avenas contienen gluten, una proteína pegajosa que puede ser peligrosa si es celíaco o alérgico al gluten. El gluten puede causar calambres, diarrea o incluso lesión intestinal aguda. Los celíacos también deben evitar consumir productos que contengan trigo, centeno y cebada.

La nueva investigación también sugiere que estos mismos cereales de granos pueden aumentar el riesgo de sufrir artritis reumatoidea (AR) en aquellos individuos cuyos genes los hacen susceptibles a esta enfermedad. La teoría afirma que las lectinas, un tipo de proteína vegetal que se encuentra en las avenas y otros granos, incitan el sistema inmunológico para atacar las articulaciones del cuerpo, y provocan inflamación. Si ya sufre de AR, intente eliminar los cereales de granos como la cebada, la avena y el trigo de la dieta. Los síntomas pueden mejorar.

Es decir, intente incorporar diferentes tipos de fibra a la dieta para obtener una máxima protección contra el cáncer.

Cura el estreñimiento. Combatir el cáncer y otras enfermedades es sólo una parte del trabajo de la fibra. La avena y otras fuentes de fibra también lo ayudan día a día a mantener el sistema digestivo en buen funcionamiento y a prevenir el estreñimiento. Cuando ingiere suficiente cantidad de fibra (y suficiente cantidad de agua), el colon forma heces que pueden pasar a través del cuerpo con facilidad.

"Necesita esto para tener un intestino saludable", afirma Schneeman. "Para esto es recomendable seguir una dieta rica en fibras."

Indicadores de despensa

La mayoría de la avena que puede comprar es una forma de avena a medio moler, que se obtiene al extraer la capa exterior, tostarla y lavarla. Puede cocinarse como guarnición, al igual que el arroz, o utilizarse en ensaladas o rellenos. La avena arrollada, también conocida como avena tradicional, es simplemente avena a medio moler que ha sido cocinada al vapor y aplastada. Generalmente, requiere unos 15 minutos de cocción. La avena instantánea puede cocinarse más rápido, pero también contiene azúcar y sal agregada.

Dentro de otras variedades, encontramos la avena escocesa, la avena entera cortada y la avena irlandesa, que son tipos de avena que han sido cortadas pero no arrolladas. También puede comprar salvado de avena o harina de avena. Si no puede conseguir estos productos en el supermercado, búsquelos en su tienda de alimentos naturales.

Quingombó

Beneficios

Fortalece los huesos

Protege el corazón

Alivia la artritis

Controla la presión arterial

Aumenta el flujo sanguíneo

La manera en que el quingombó logró introducirse en los platos del mundo entero es una historia increíble. Hace cientos de años, las personas primero sembraban la pequeña vaina verde en África, pero luego se extendió hacia el Medio Oriente, la India, Asia, y, finalmente, con el comercio de esclavos, hacia el Nuevo Mundo. Algunos historiadores afirman que los norteamericanos deberían agradecerles a los criollos franceses de Louisiana por hacer del quingombó un ingrediente famoso en una gran cantidad de deliciosas recetas. Si es un amante del quingombó, puede probar el quingombó seco, el aceite de quingombó o la semilla de quingombó molida como sustituto del café.

El quingombó puede no ser una planta común, pero todo el mundo sabe que es rico guisado con tomates y delicioso dentro del estofado. El quingombó es tan famoso en la actualidad que incluso tiene su propia fiesta — the Okra Strut en Irmo, Carolina del Sur.

El quingombó contiene gran cantidad de vitaminas y nutrientes, que incluyen el potasio, la vitamina C, el magnesio, el folato y el manganeso. Logran que esta sabrosa planta sea un arma poderosa contra la osteoporosis, la artritis y las cardiopatías.

Tres maneras en que el quingombó lo mantiene sano

Derriba las cardiopatías. Para darle un triple golpe de puño a las cardiopatías, consuma quingombó. Primero, le da una inyección directa de antioxidantes a la aterosclerosis — que es peligrosa porque endurece y obstruye los vasos sanguíneos. Dentro del arsenal que posee el quingombó, el antioxidante más importante es la vitamina C que la Organización Mundial de la Salud ha vinculado con la disminución del riesgo de sufrir una cardiopatía mortal. Una taza de quingombó cortado contiene más vitamina C que un tomate entero. Si bien no puede confiar en el quingombó como la única fuente de esta importante vitamina, sí puede considerarlo como una incorporación interesante y nutritiva a su dieta.

Con una dosis saludable de folato — alrededor del 40% de la dosis diaria recomendada por taza — el quingombó le da un gancho de izquierda a las cardiopatías. Sin esta vitamina B, el cuerpo deja librados los aminoácidos, llamados homocisteína, al metabolizar la proteína. Un exceso de homocisteína acumulada en la sangre daña las arterias y puede provocar cardiopatías y apoplejías.

El quingombó da un golpe final con su riqueza en minerales — principalmente el potasio y el magnesio. Para reducir la presión arterial, los expertos afirman que ingerir alimentos ricos en potasio puede ser tan importante como bajar de peso y reducir la ingesta de sal. Y la cantidad exacta de magnesio es especialmente importante para las personas mayores, quienes no lo absorben con tanta facilidad como solían hacerlo y pueden excretarlo en mayor cantidad. El magnesio ayuda a controlar el colesterol y la presión arterial, regula el ritmo cardíaco e incluso puede mejorar las probabilidades de sobrevivir a una cardiopatía.

Lo escuda contra la osteoporosis. No se olvide de incluir el quingombó al planificar un menú para el fortalecimiento óseo. Posee grandes cantidades de los cuatro nutrientes que combaten la osteoporosis — el potasio, el magnesio, la vitamina C y el betacaroteno. Según investigaciones realizadas en el Reino Unido, las personas que ingieren alimentos ricos en estos nutrientes pueden reducir la pérdida ósea que provoca la osteoporosis. Para coronar, una taza de quingombó aporta más del 10% de la ración diaria recomendada (RDA) del mineral más importante para el fortalecimiento de los huesos — el calcio.

Alivia la artritis ósea. Los doctores solían pensar que el avance de la artritis ósea (OA), el tipo más común de artritis, era imposible de detener, pero en la actualidad, las alternativas naturales dan nuevas esperanzas.

Los alimentos como el quingombó contienen vitamina C y manganeso, nutrientes que el cuerpo necesita para fortalecer las articulaciones y los cartílagos. Los expertos que analizaron una variedad de investigaciones sugieren que una dieta rica en vitamina C puede retardar el desarrollo de la OA. Además nos recuerdan que el manganeso es un componente básico de los cartílagos.

Indicadores de despensa

Aunque el quingombó tiene fama de ser pegajoso, no juzgue a esta plantita hasta que no la haya disfrutado cocida de manera adecuada. Los componentes químicos que hacen que el quingombó sea gomoso se encuentran dentro de cada vaina, a menos que las corte. Cocine las vainas enteras al vapor y agréguelas a los estofados para darles sabor. Si prepara un estofado, corte la vaina y deje que los jugos naturales espesen la preparación. Si quiere degustar un sabor diferente, corte el quingombó crudo e incorpórelo a la ensalada, o pase las pequeñas vainas por harina de maíz y luego saltéelas hasta que queden crujientes.

Siempre que prepare quingombó, debe recordar dos cosas. Quite la pelusa exterior con una toalla si no le gusta la aspereza. Y si cocina el quingombó en una olla de metal, hierro o cobre, las vainas se oscurecerán.

Aceite de oliva

Beneficios
Protege el corazón
Estimula la pérdida de peso
Alivia la artritis
Combate el cáncer
Lucha contra la diabetes
Suaviza la piel

Los griegos saben lo que significa el buen comer. Su dieta típica incluye gran cantidad de frutas, verduras y granos — y grasas. Pero no cualquier tipo de grasa. A diferencia de la dieta estadounidense estándar, en la que la mayoría de las grasas provienen de productos de origen animal, la dieta mediterránea utiliza el aceite de oliva como su principal fuente de grasas.

El aceite de oliva, obtenido del prensado de las aceitunas maduras, contiene 77% de grasa monoinsaturada, que es el tipo de grasa que en lugar de dañar el cuerpo, lo beneficia. También es rico en vitamina E y posee varios compuestos que, según los científicos, resisten al cáncer. Este sabroso aceite combate las cardiopatías, la artritis reumatoide y la diabetes, y como laxante leve, también puede ayudar con los problemas de la vesícula biliar. A continuación, le indicamos lo que el aceite de oliva no le aporta: colesterol, sal ni gluten. Y contiene muy poca grasa saturada o "grasa mala", la cual puede elevar los niveles de colesterol y ocasionar todo tipo de problemas en la salud.

Pero el aceite de oliva no es una nueva cura milagrosa. Ha estado entre nosotros — y ha sido muy valorado para usos culinarios y curativos — durante miles de años. Ya en el año 2475 A.C., los cretenses se enriquecieron exportando aceite de oliva y, tanto la Biblia como la mitología griega, hacen referencia a dicho aceite. Actualmente, se exporta principalmente desde Francia, España, Italia y Grecia, y puede encontrarlo en cualquier supermercado. Cuando cocine, trate de sustituir la manteca, la margarina u otros aceites vegetales por el aceite de oliva. Al utilizar un poco de aceite de oliva, incorporará beneficios para su salud.

Cinco maneras en que el aceite de oliva lo mantiene sano

Vence las cardiopatías. A pesar de su dieta rica en grasas, los griegos casi nunca desarrollaban cardiopatías ni endurecimiento de las arterias, llamado arteriosclerosis. Esto ocurre en parte porque la dieta que siguen incluye alimentos ricos en fibras, como los cereales, las frutas y las verduras, la proteína del pescado y, muy pocas veces, de las carnes rojas, y cantidades moderadas de vino tinto. Pero otra parte importante es la grasa monoinsaturada del aceite de oliva.

A diferencia de las personas, no todas las grasas y colesteroles son iguales. El tipo de grasa monoinsaturada que encuentra en el aceite de oliva le brinda el mayor beneficio, ya que reduce el colesterol malo sin dañar el colesterol bueno. Y los expertos creen que el aceite de oliva disminuye la viscosidad de la sangre — y la hace menos propensa a coagularse. Esto disminuye la presión arterial y el riesgo de sufrir apoplejías. Recuerde que la presión arterial alta contribuye al desarrollo de cardiopatías, ya que su corazón tiene que trabajar más de lo debido.

No comience a ingerir comidas ricas en grasas y espere que el aceite de oliva le salve el día. Continúe con una alimentación razonable y agregue aceite de oliva a la dieta siempre que sea posible. Las papilas gustativas y el corazón se lo agradecerán.

Detiene esos dolores de estómago causados por el hambre. El tipo de grasa que ingiere en el almuerzo puede afectar el apetito a la hora de la cena. Toda persona que lucha contra las libras de más sabe que los ruidos de la barriga no se pueden ignorar. Pero si se encuentra entre un 20% y un 30% por encima del peso promedio para su edad, sexo y estatura, es de vital importancia que vuelva a controlar su peso. No sólo es el candidato perfecto para padecer presión arterial alta y diabetes, sino también algunos tipos de cáncer.

Aceite de oliva: una belleza superficial

Incluso si no lo consume, el aceite de oliva es un sorprendente remedio para la salud. Según investigadores japoneses, colocarse aceite de oliva extra virgen luego de tomar sol puede protegerlo de la radiación ultravioleta. No es una pantalla solar, pero la vitamina E y otros antioxidantes atrapan los radicales libres causados por el sol antes de que hagan demasiado daño. Sólo asegúrese de utilizar aceite de oliva — ya que el aceite común no es tan efectivo.

Y sus poderes curativos no son sólo esos. Es excelente para los masajes relajantes y durante siglos el aceite de oliva se ha utilizado para tratar las heridas, las quemaduras menores, los eczemas y la soriasis. También ablanda la cera de los oídos y alivia los zumbidos o el dolor de oído. Sólo consulte a su médico antes de tratar cualquier tipo de afección grave.

Nadie considera al aceite de oliva como alimento dietético, ya que una cucharada de la mayoría de los aceites, inclusive el de oliva, contienen alrededor de 120 calorías. Pero existen dos razones por las cuales la sustitución de otros aceites por el de oliva podría ayudarlo a bajar de peso.

Los investigadores de la Universidad Estatal de Pensilvania descubrieron que los aceites ricos en grasa monoinsaturada, como el aceite de oliva, lo hacen sentir más satisfecho que otros. En el estudio que llevaron a cabo, las personas que comieron puré de papas preparado con aceites monoinsaturados tuvieron menos hambre durante el día que quienes comieron el mismo alimento pero preparado con aceites poliinsaturados. Si tiene menos hambre, es menos probable que coma bocadillos, que coma en exceso y que aumente de peso. Y debido a que el aceite de oliva tiene mucho sabor, no es necesario utilizar una gran cantidad.

Combate la artritis. La próxima vez que compre verduras, saltéelas en aceite de oliva y de esta forma se protegerá de la artritis reumatoide. Tal vez se deba a la grasa monoinsaturada que detiene la inflamación de las articulaciones o puede deberse a los antioxidantes que encierran los radicales libres peligrosos. Cualquiera sea la razón, en el estudio clínico, aquellos que ingirieron la menor cantidad de aceite de oliva presentaron más del doble de probabilidades de desarrollar esta afección dolorosa. La combinación de las verduras frescas con el aceite de oliva pareció ser especialmente beneficiosa.

Mantiene el cáncer a raya. Los radicales libres rondan por todo el cuerpo y ocasionan posibles daños, incluso cáncer. Afortunadamente, el aceite de oliva contiene antioxidantes que mantienen a los radicales libres bajo control. Los estudios demuestran que incorporar el aceite de

---

Es tan bueno que figura en la Biblia

Encontrará el aceite de oliva en casi todos los libros de cocina y en las guías de vida saludable. Pero, ¿sabía que se hacen muchas referencias con respecto a los aceites y al aceite de oliva en la Biblia?

En el Libro del Éxodo, Dios le indica a Moisés cómo fabricar un aceite para unción con especias y aceite de oliva. Los hebreos utilizaban el aceite de oliva en algunas de sus ofrendas, para encender lámparas y para la unción de los muertos. La rama de olivo se convirtió en un símbolo eterno de la paz cuando la paloma que envió Noé desde su arca regresó con esa rama en su pico. Y Getsemaní, el lugar donde transcurrió la Última Cena, significa "presa de aceite" en arameo.

oliva a la dieta puede reducir el riesgo de padecer cáncer de mama, de próstata, cáncer colorrectal y esofágico.

Protege contra la diabetes. Debido a que el aceite de oliva puede disminuir la cantidad de LDL y del colesterol total, como así también los triglicéridos, o lípidos en sangre, ayuda a reducir el riesgo de desarrollar la diabetes del tipo 2 (no insulinodependiente). También parece reducir los niveles de azúcar o glucosa en sangre. Un alto nivel de azúcar en sangre es un síntoma clave de diabetes. Una vez más, el beneficio proviene de la grasa monoinsaturada. Sin embargo, si es diabético, evite el consumo excesivo de algo bueno. Una dieta rica en grasas puede provocar obesidad y otros riegos para la salud.

Indicadores de despensa

Para obtener los máximos beneficios del aceite de oliva, busque la variedad "Extra virgen". Además de tener el más intenso sabor, este producto menos refinado posee las mejores características que convierten al aceite de oliva en un beneficio para su salud. Si desea experimentar un sabor más suave, compre el aceite de oliva cuya etiqueta lo clasifica como "Virgen" o "Liviano." Dicha clasificación se refiere al color y al sabor, no a las calorías ni a las grasas.

El aceite de oliva que se mantiene guardado en un recipiente bien tapado, lejos del calor y de la luz, puede conservarse durante aproximadamente dos años. Puede guardarlo en el refrigerador, pero se volverá turbio. En cuanto vuelva a alcanzar una temperatura ambiente, desaparecerá la turbidez.

Beneficios
Reduce el riesgo de sufrir cardiopatías
Combate el cáncer
Mata las bacterias
Disminuye el colesterol
Combate los hongos
Ayuda a evitar las apoplejías

Cebollas

• • • • • • • • • • • • • • •

Es posible que la cebolla lo haga llorar, pero ciertamente no le da razón alguna para estar triste. Por el contrario, la cebolla le ofrece, junto con las lágrimas, una gran cantidad de beneficios para su salud.

La cebolla, *uno* de los — miembros de la familia de las aliáceas — tales como el ajo, el puerro y la cebolla de verdeo, ha sido valorada durante miles de años. Los esclavos egipcios que construían las pirámides seguían una dieta que incluía cebollas, y éstas eran un alimento de mucho valor entre las personas adineradas de la antigua China.

Durante la Guerra Civil, el general de la Unión, Ulysses S. Grant, demostró cuán esencial era la cebolla por medio de un mensaje que envió a Washington, el cual decía lo siguiente: "No pondré en marcha a mis tropas si no tenemos cebolla." Consiguió las cebollas — y su ejército ganó la guerra.

¿Es esta una coincidencia? Probablemente no. Gracias al poderoso flavonoide quercetina y a una gran cantidad de compuestos de sulfuro, la cebolla puede convertir a cualquiera en un ganador. La cebolla, que también posee cierta cantidad de potasio, vitamina C y vitaminas B, mata los gérmenes, ayuda al corazón y combate el cáncer. Además, le agrega un exquisito sabor y un agradable aroma a casi cualquier plato.

Pele una cebolla y comience a picarla. Cuando piense en el delicioso sabor de la cebolla y en sus poderosas facultades para la salud, las únicas lágrimas que derramará serán lágrimas de alegría.

Tres maneras en que la cebolla lo mantiene sano

Previene las cardiopatías. Rara vez, las mujeres japonesas sufren cardiopatías. Esto puede deberse a que la dieta es rica en flavonoides, que incluyen la quercetina. Alrededor de un 83% de la quercetina que ingieren proviene de la cebolla. Un estudio reciente determinó que la ingesta de quercetina provocaba una disminución de los niveles de colesterol total y de la lipoproteína de baja densidad, también conocida como colesterol LDL "malo".

El Estudio de Ancianos realizado en Zutphen, Holanda, también demostró los efectos beneficiosos de los flavonoides. Los hombres cuya ingesta de flavonoides, especialmente de quercetina, era mayor, eran mucho menos propensos a morir a causa de una cardiopatía. Más específicamente, los hombres que comían cebolla disminuyeron el riesgo en un 15%, en comparación con aquellos que no la comían.

La quercetina de la cebolla sirve de ayuda ya que evita que el colesterol LDL se oxide y se vuelva, en consecuencia, más peligroso. El

LDL oxidado transporta el colesterol a las paredes arteriales con mayor rapidez. Una vez allí, puede acumularse en las arterias y bloquearlas, lo cual incrementa el riesgo de sufrir cardiopatías o apoplejías.

> ## Deje de llorar por las cebollas
>
> ¿Alguna vez se preguntó porqué llora cuando pica una cebolla? Cuando triturar las células de una cebolla, ésta libera una compuesto de sulfuro. Cuando este compuesto reacciona con la humedad de los ojos, se convierte en ácido sulfúrico, el cual irrita los ojos. Entonces, los ojos producen lágrimas para eliminar el ácido sulfúrico.
>
> Puede intentar muchos trucos para evitar llorar. Algunas opciones son congelar una cebolla durante una hora antes de picarla o picarla bajo el agua del grifo. O intente picar la cebolla mientras mastica un trozo de cebolla o una barra de goma de mascar. Sin embargo, su mejor opción es utilizar gafas de natación o gafas comunes para proteger los ojos.

Obtener la quercetina a partir de la cebolla parece resultar especialmente provechoso ya que dicha quercetina es absorbida por el cuerpo con mayor rapidez y retenida durante mayor tiempo que la quercetina proveniente de otras fuentes alimenticias.

Los compuestos de sulfuro presentes en la cebolla también pueden disminuir la presión arterial y prevenir la formación de coágulos al evitar la aglutinación de las plaquetas en sangre.

Erradica el cáncer. Media cebolla por día mantiene alejado al cáncer de estómago. Eso es lo que los investigadores holandeses descubrieron en un estudio realizado a más de 120.000 hombres y mujeres. Las personas que comían al menos media cebolla por día presentaron un 50% menos de probabilidades de padecer de cáncer de estómago que aquellas que nunca comían cebolla.

Los investigadores de la Universidad de Hawai obtuvieron resultados similares en sus estudios sobre el cáncer de pulmón. Aquellos individuos que comían una mayor cantidad de cebolla presentaban un 50% menos de probabilidades de sufrir cáncer de pulmón que aquellos que comían una menor cantidad. Un estudio realizado en Francia indicó, incluso, que la cebolla y el ajo pueden proteger contra el cáncer de mama.

Es probable que la gran efectividad de las cebollas se deba a que contienen altos niveles de quercetina, la cual actúa como un antioxidante. Los antioxidantes capturan los peligrosos radicales libres que pueden dañar las células y provocar cáncer. Los compuestos de sulfuro presentes en la cebolla también pueden prevenir los tumores.

Mata las bacterias. ¿Está planeando una comida al aire libre? Planee llevar algunas cebollas. Un estudio realizado en Japón reveló que agregarle cebolla a la carne molida ayudaba a neutralizar la *Salmonella* y a prevenir la formación de compuestos potenciales que producen cáncer, llamados aminas heterocíclicas. A pesar de que la quercetinapuede ayudar, casi todos los méritos se los llevan los azúcares presentes en la cebolla. Para preparar — hamburguesas — más sabrosas y seguras, simplemente agregue entre media y una taza de cebolla picada por cada libra de carne picada que cocine.

Incluso al aplicarla sobre la piel, la cebolla posee poderes curativos. Las personas han utilizado la cebolla para eliminar los hongos, la candidiasis y los parásitos, para calmar la picazón causada por picaduras de insectos e, incluso, para evitar infecciones en las heridas provocadas por rayas venenosas.

Indicadores de despensa

Existe una gran variedad de cebollas. Algunas son de estación, como la cebolla dulce Vidalia de Georgia, mientras que otras se pueden conseguir todo el año. Puede encontrar cebollas rojas, amarillas o blancas de diversos tamaños. Pruebe cebollas de distintas clases para decidir cuál le gusta más. También puede comprar cebollas enlatadas o congeladas, que generalmente son las cebollas perla de tamaño más pequeño.

Busque cebollas que sean duras al tacto y que tengan una cáscara bien fina y sin manchas. Las cebollas se conservan en un lugar fresco y seco durante dos meses aproximadamente. Si no utiliza toda la cebolla, envuelva la porción restante y guárdela en el refrigerador durante no más de cuatro días.

Naranjas

• • • • • • • • • • • • • • •

Por extraño que parezca, la naranja no obtuvo su nombre por su color, sino por una antigua palabra sánscrita que significa

Beneficios

Colabora con el sistema inmunológico

Combate el cáncer

Protege el corazón

Fortalece el sistema respiratorio

"aroma." De hecho, todo el mundo ha valorado esta fruta dorada por su belleza y aroma durante miles de años.

Originarias del sudeste asiático, las naranjas se abrieron paso hacia las zonas de clima cálido de Europa, África del Norte y los Estados Unidos. En 1513, Ponce de León plantó el primer naranjo en Florida, una zona que en la actualidad tiene la mayor producción de naranjas del mundo.

En el siglo XVIII, las naranjas se volvieron aún más populares, ya que un cirujano naval escocés descubrió que las naranjas y otros cítricos podían curar el escorbuto, la plaga de todos los marineros.

Por supuesto que las naranjas hacen mucho más que proteger contra la deficiencia nutricional. Debido a que tienen mucha vitamina C y contienen carotenoides, folato, fibra y potasio, también fortalecen el sistema inmunológico, ayudan al corazón y lo protegen del cáncer. Y no olvide lo dulces, jugosas y deliciosas que son.

Pele una naranja y muerda esta fruta sabrosa y saludable... ¿No le encantó?

Cuatro maneras en que las naranjas lo mantienen sano

Estimulan su sistema inmunológico. Es posible que nunca tenga cáncer o sufra cardiopatías, pero se contagiará un resfrío. Este molesto inconveniente ataca a todas las personas en algún momento de sus vidas.

Pero, gracias a las naranjas y sus elevados niveles de vitamina C, el resfrío no se quedará mucho tiempo. La vitamina C estimula al sistema inmunológico del cuerpo para que combata los gérmenes. Si bien los expertos afirman que la vitamina C no reduce la cantidad de resfríos que puede contagiarse, sí reduce la duración y la gravedad de los resfríos.

Si es extremadamente activo, puede beneficiarse incluso más de la vitamina C. Algunos estudios demuestran que las personas que se encuentran bajo mucha tensión muscular reducen a la mitad el riesgo de contagiarse un resfrío si toman vitamina C. Incluso notará más efectos dramáticos si su dieta es baja en vitamina C.

Si bien es cierto que muchas frutas y verduras contienen este nutriente, las naranjas son una gran fuente, con un promedio de más de 69 miligramos (mg) — cercano a la cantidad diaria recomendada. Por lo tanto, comience a comer naranjas y deje de sonarse la nariz, de estornudar y toser.

Acaban con la neumonía y la bronquitis. Incluso si tiene un problema respiratorio más grave que el resfrío común, la vitamina C puede ayudar.

Varios estudios demuestran que consumir vitamina C adicional puede reducir el riesgo de desarrollar neumonía — hasta en un 80%. Y con sólo 200 mg de vitamina C por día, los pacientes mayores que tienen neumonía o bronquitis crónica tuvieron menos síntomas y se recuperaron con más facilidad. Eso equivale a tres naranjas o menos de dos vasos de jugo de naranja por día.

Esta protección asombrosa puede provenir de la capacidad de la vitamina C para fortalecer el sistema inmunológico o de sus poderes antioxidantes.

Protege el corazón. Debido a que una sola naranja tiene varias secciones jugosas, todas las naranjas tienen muchas armas poderosas para combatir las cardiopatías.

◆ La fibra, en especial el tipo de fibra soluble que se encuentra en la fruta, ayuda a reducir el colesterol. Un exceso de colesterol puede obstruir o bloquear las arterias y provocar aterosclerosis, cardiopatías o apoplejías. Obtiene 3 gramos de fibra por naranja, o aproximadamente un 12% de la RDA.

◆ El folato neutraliza la homocisteína, una sustancia peligrosa que aumenta la formación de coágulos y puede dañar las paredes de los vasos sanguíneos. Una naranja aporta aproximadamente el 20% de la RDA de folato.

◆ El potasio ayuda a mantener controlada la presión arterial — especialmente cuando limita la ingesta de sodio — y disminuye el riesgo de sufrir apoplejías. Una naranja contiene 237 mg de potasio (casi el 12% de la RDA) y no contiene sodio.

◆ La vitamina C puede disminuir la presión arterial, mejorar el flujo sanguíneo y reducir el riesgo de sufrir apoplejías. Debido a que es un antioxidante, puede combatir el colesterol al evitar que la lipoproteína de baja densidad (LDL o colesterol "malo") se oxide y, por lo tanto, que sea más peligrosa para las paredes de las arterias.

Combate el cáncer. El cáncer puede ser llamado "la gran C", pero ese título le pertenece legítimamente a la vitamina C, que domina en la batalla contra las enfermedades.

Si bien algunas pruebas han demostrado que las altas dosis (10 gramos) de vitamina C pueden tratar a las personas con cáncer y ayudarlas a vivir más, la vitamina antioxidante lo protege principalmente de los radicales libres que pueden producir cáncer. Los estudios indican que la vitamina C puede protegerlo contra el cáncer de estómago, garganta, pulmón, vejiga y páncreas.

Las naranjas también aportan la fibra, el folato, los flavonoides y el carotenoide llamado betacriptoxantina — que son dedicados enemigos del cáncer. Con toda esa protección, es fácil comprender por qué comer mayor cantidad de esta fruta es una estrategia anticancerígena razonable.

Indicadores en la despensa

Al comprar naranjas, escoja frutas firmes y pesadas, sin signos de moho. No se deje engañar por el color brillante — ya que, a menudo, los colorantes alimenticios hacen que las naranjas se vean más atractivas. Mantenga las naranjas a temperatura ambiente durante uno o dos días o almacénelas en el refrigerador durante dos semanas.

Puede encontrar naranjas frescas en los supermercados durante todo el año. Algunas variedades, como la de ombligo o la de Valencia, saben más dulces, mientras que la mandarina es más fácil de pelar. Las naranjas amargas, como la de Sevilla, se utilizan para hacer mermeladas, pero son demasiado agrias para comerlas crudas.

Una advertencia

La vitamin C es buena, pero es posible que obtenga demasiado de algo bueno. Ingerir más de 2.000 mg de vitamina C puede ocasionar diarrea u otros problemas estomacales. Debido a que la vitamina C ayuda al cuerpo a absorber el hierro, las altas dosis pueden provocar un exceso de hierro. Un exceso de vitamina C también puede provocar la formación de cálculos de riñón o corroer el esmalte de los dientes.

Afortunadamente, si consume las frutas enteras no tiene porqué preocuparse. Hacen falta 29 naranjas para obtener 2.000 mg de vitamina C. Por lo tanto, deje de lado las pastillas y comience a comer algunas frutas y verduras saludables. Es más seguro — y mucho más sabroso.

Artritis ósea

• • • • • • • • • • • • • • • • • • •

Coma	
Leche descremada	Naranjas
Brócoli	Pomelo
Fresas	Manzanas
Peras	Pasas
Jengibre	Cúrcuma
Agua	Perejil

Evite
Todos los alimentos que puedan inflamar la artritis
Alimentos con gran contenido graso

La artritis ósea (OA) es el tipo más común de artritis. Cuatro de cada cinco adultos de 50 años o más sufren de un tipo de OA u otro.

El "desgaste" de una larga vida juega un rol importante en el desarrollo de esta enfermedad. La cantidad de años que sus articulaciones ha estado en movimiento pueden desgastar los cartílagos. Esta suave membrana generalmente protege el extremo de los huesos y evita su fricción. Sin ella, los huesos se raspan y provocan un terrible dolor. Pero, algunos científicos también creen que un desequilibrio enzimático de las articulaciones puede contribuir con el problema. Si tiene un exceso de ciertas enzimas, sus cartílagos se romperán con mayor rapidez de lo que tardan en regenerarse.

Si bien se solía creer que ésta era sólo una parte normal de la vejez, en la actualidad, algunos expertos consideran que puede prevenir este tipo de artritis si tiene un estilo de vida saludable. Los nutrientes diarios parecen ser un arma exitosa en la batalla contra la artritis ósea. Es posible que los alimentos que consume puedan retrasar e incluso detener el daño articular. A pesar de que no todos los expertos están de acuerdo, reforzar estos nutrientes en la dieta sólo pueden ayudar a su salud en general.

Quitarse algunas libras si tiene sobrepeso también puede ser una manera de detener la OA. Esas libras adicionales agregan más desgaste a los rodillas, los tobillos, las caderas, la espalda y otras articulaciones que lo sostienen. Por lo tanto, es una buena idea consumir alimentos, como las frutas, las verduras y los granos integrales. Y limite la ingesta de alimentos grasosos y azucarados, al obtener la proteína de las legumbres y el pescado en lugar de las carnes rojas.

Seguir una dieta saludable no puede reemplazar los consejos ni el tratamiento de su médico, pero brinda nueva esperanza para un futuro sin analgésicos ni bastones.

Nuevos descubrimientos nutricionales que combaten la artritis ósea

Vitamina C. Puede considerar un bol de naranjas como una caja de herramientas para las articulaciones. Los expertos afirman que la vitamina C de esas jugosas delicias parece retrasar el daño de la OA. Incluso puede reparar los cartílagos dañados. La razón es simple: el cuerpo necesita la vitamina C para producir colágeno, una proteína que forma los cartílagos y los huesos.

Además de naranjas, consuma alimentos frescos y crudos, como brócoli, pomelo y fresas. También, hágase el hábito de rociar jugo de limón o esparcir perejil en los alimentos cocidos para reemplazar la vitamina C perdida en el horno.

Boro. Es probable que no esté obteniendo una gran cantidad de este elemento traza. La mayoría de las personas sólo obtienen de 1 a 2 miligramos (mg) por día. Pero, según el científico inglés Dr. Rex E. Newnham, una cantidad de 3 a 10 mg por día podría prevenir la artritis. Esa misma cantidad también podría aliviar la rigidez matutina y otros síntomas de la artritis.

La investigación de Newnham sugiere que el boro es un ingrediente esencial para la salud de los huesos y las articulaciones. También podría ayudar al cuerpo a detener la pérdida de calcio. De cualquier manera, sus efectos son simples de ver. Al comparar a las personas que consumían una gran cantidad de boro en sus dietas con aquellas personas que no lo hacían, Newnham descubrió que los individuos de los países ricos en boro estaban menos propensos a desarrollar artritis ósea.

Coma frutas que no sean cítricos, como manzanas y peras, unas pocas cucharadas de manteca de maní y un puñado de pasas o ciruelas secas para cubrir la cuota de boro que ayuda a las articulaciones. Es probable que no note los resultados en uno o dos meses, pero sea paciente, y cosechará los beneficios de los efectos positivos del boro.

Vitamina D Las investigaciones han demostrado que sin una cantidad suficiente de este nutriente soluble en grasas, tendrá más riesgo de sufrir artritis ósea de cadera. Si ya tiene OA, la vitamina D puede reducir el avance de la afección. La vitamina D en abundantes cantidades puede ayudar al cuerpo a regular los niveles de calcio y ayudar a que crezcan nuevamente los cartílagos.

Obtener la dosis diaria de "la vitamina del sol" podría ser tan fácil como ir de pesca o jugar al golf en un día soleado. El cuerpo puede fabricar esta vitamina cuando la piel recibe suficiente luz solar. Pero, aún puede obtener esta vitamina esencial si vive en una zona nublada del mundo como lo es Nueva Inglaterra o Vancouver. Sólo consuma gran cantidad de lácteos descremados, huevos y mariscos para obtener un completo suministro de vitamina D.

Jengibre y cúrcuma. Pruebe estas especias y quizás pueda reducir la cantidad de analgésicos. Ambos contienen curcumina, un fitoquímico con poderes antiinflamatorios comprobados. Según las últimas investigaciones, puede actuar incluso de la misma manera que los antiinflamatorios no esteroideos (AINES), tales como, la aspirina y el ibuprofeno. Preparar té de jengibre es una manera indolora de agregar curcumina a su dieta. O bien coloque un poco de jengibre fresco o muela cúrcuma en el próximo salteado.

Es recomendable que consulte a su médico primero si tiene problemas de vesícula biliar o si toma AINES o medicamentos anticoagulantes como la warfarina.

Agua. Generar cartílago nuevo para sus articulaciones podría ser tan simple como beber ocho vasos diarios de agua de 6 onzas. Esta bebida pura, además de hidratarlo, es un ingrediente clave del tejido que protege los huesos.

Para llegar a consumir los ocho vasos diarios, beba agua pura. Las bebidas con azúcar pueden ocasionar aumento de peso, y recuerde — que quiere tensionar las articulaciones lo menos posible.

Una advertencia

No consuma determinados alimentos y le hará un favor a las articulaciones. Algunos expertos creen que las alergias a los alimentos pueden inflamar la artritis. Los máximos sospechosos incluyen los tomates, los pimientos, la carne roja, los cítricos y el aspartamo. Esta relación aún es polémica, por eso, consulte a su médico antes de realizar mayores cambios en la dieta. Pero, pude dejar de consumir un alimento específico a la vez para ver si ayuda.

Coma

Col	Almendras
Bananas	Papas
Naranjas	Té
Yogur	Damascos
Fresas	Hojas de
Col china	berza
Leche	

Evite

Sal y alimentos ricos en proteínas en grandes cantidades

Osteoporosis

• • • • • • • • • • • • • • • • • • •

Es probable que ya haya escuchado a su abuela decir que una mujer mayor tenía "joroba de viuda," refiriéndose a la postura encorvada y a la espalda arqueada. Lo que en realidad tenía era osteoporosis, o la enfermedad de huesos frágiles. En las etapas avanzadas, la columna puede debilitarse hasta el punto de quebrarse, y hacer que la persona parezca encorvada y de menor estatura. Lamentablemente, los efectos de la osteoporosis no siempre son tan visibles. Puede padecer esta enfermedad durante años sin tener ningún síntoma ni dolor.

Si es mujer, los huesos son más fuertes cuando tiene alrededor de 25 años. Hasta ese momento, el cuerpo utiliza el calcio y otros minerales para fortalecer los huesos. Pero luego el proceso decae. Para cuando alcanza la década de los 30 años, comienza a perder una pequeña cantidad de hueso por año. Y después de la menopausia, los cambios hormonales pueden hacer que pierda hueso a una velocidad alarmante, lo cual produce huesos frágiles que se quiebran con facilidad.

Tener osteoporosis significa que puede fracturarse una costilla sólo al toser o fracturarse la cadera con el simple hecho de bajar el borde de la acera. A los 90 años, uno de cada tres hombres y mujeres blancos se quebrará la cadera. (El riesgo es un poco menor en las personas hispanas y en las de raza negra.) Alarmantemente, una de cada cuatro personas morirá por complicaciones dentro de los seis meses de ocurrida la fractura. Pero no necesita ser parte de una estadística. Puede declararle la guerra a la osteoporosis y ganarla.

La Dra. Connie Weaver, jefa del Departamento de Alimentos y Nutrición de la Universidad de Purdue y experta en la absorción de calcio, cree que es muy fácil prevenir esta terrible enfermedad. "Lo más importante que una mujer puede hacer para prevenir la osteoporosis," afirma, "es tener una buena alimentación y buenos hábitos de actividad física, de ser posible, antes de la pubertad." Pero debe seguir los mismos consejos después de la menopausia, agrega, y consulte a su médico acerca del reemplazo hormonal.

Los hombres también pueden tener huesos frágiles, pero las mujeres — especialmente las mujeres delgadas que se encuentran en la posmenopausia — presentan un riesgo mayor. Si es una persona delgada, los huesos soportan menos peso durante una actividad normal y, significa que los huesos se debilitarán con mayor rapidez. Es muy importante que comience un programa regular de ejercicios de peso, como caminar, trotar o realizar entrenamiento de resistencia. Los estudios han descubierto que hacer jardinería también es bueno para mejorar los huesos por lo tanto, si le gusta realizar esa actividad, continúe haciéndolo. El aire fresco y la luz del sol son beneficios adicionales.

Nuevos descubrimientos nutricionales que combaten la osteoporosis

Calcio. Sabe que necesita consumir calcio para lograr tener los huesos y los dientes fuertes. El problema es incluir la dosis recomendada de 1.200 miligramos (mg) en el menú de cada día mientras quiere controlar su peso. Pero se puede lograr. Puede obtener más de la dosis diaria recomendada de calcio si bebe dos tazas de leche descremada (300mg por taza) y una taza de jugo fortificado con calcio (de 300mg), y si come tres cuartos de un vaso de yogur descremado (450 mg).

Si no le gusta la leche, en su lugar puede comer media taza de repollo chino o de hojas de mostaza china. La col y la col china también son buenas fuentes de este importante mineral. Pruebe mezclar estas hojas verdes en una sopa para agregarle fácilmente sabor y también calcio. Y si le gustan los frutos secos, una onza de almendras (aproximadamente 24) aportan 70 mg de calcio y 206 mg de potasio, que también son importantes para los huesos.

Potasio y magnesio. Los científicos has descubierto una relación entre el consumo de frutas y verduras y el tener los huesos fuertes. Increíblemente, las frutas y las verduras son tan importantes para la salud ósea en el futuro de un niño como la leche. Se debe a que las frutas y las verduras contienen mucho potasio y magnesio. Sin estos minerales, los huesos no pueden utilizar el calcio incluso si consume un vaso de leche en forma regular. Algunas buenas fuentes de potasio son las bananas, las papas, las naranjas y los damascos secos. El magnesio se encuentra en las bananas, las naranjas, los cereales, los frutos secos, las legumbres y los cereales sin procesar.

Vitamina C. El cuerpo necesita vitamina C para producir colágeno — una fibra que mantiene unidos los huesos, los dientes y los cartílagos. La vitamina C también ayuda a mantener el calcio en el esqueleto en lugar de que sea reabsorbido por la sangre. Los cítricos, las fresas, los pimientos rojos y los verdes, el brócoli y las hojas de berza son buenas fuentes de vitamina C. Para darle un golpe doble a la osteoporosis, compre jugo de naranja con calcio adicional. Pruebe tomar ese jugo para reemplazar las gaseosas, que no son para nada nutritivas y pueden incluso debilitar más los huesos.

Vitamina D. A veces llamada la "la vitamina del sol," esta vitamina es esencial para fortalecer los huesos. El cuerpo puede producir la vitamina D por sí solo si se expone al sol en forma regular. Pero si vive en un clima en el cual los días son generalmente nublados o demasiado fríos para salir, necesitará obtener la vitamina D de los alimentos. Las mejores fuentes de vitamin D son la leche y los cereales fortificados.

Té. Los investigadores han descubierto que las mujeres que beben té tienen huesos más densos que aquellas que no lo beben. Es posible que los antioxidantes tanto del té negro como del té verde puedan proteger los huesos. Pruebe beber té en lugar de bebidas cola o café. Éstos pueden debilitar los huesos. Las grandes cantidades de cafeína de esas bebidas evitan que el cuerpo absorba calcio.

Una advertencia

Usted puede sabotear sus esfuerzos por obtener más calcio si consume proteína y sal en exceso. Los alimentos ricos en proteínas como la carne vuelven más ácida la sangre, y los huesos enviarán parte del calcio que tienen almacenado para proteger contra la acidez. Si consume demasiada sal, el sodio adicional se une al calcio en los riñones y el calcio es eliminado en la orina. Coma sólo una porción de carne por día y reduzca la ingesta de sal. El cuerpo funcionará mejor al aferrarse a este mineral fundamental.

Mal de Parkinson

• • • • • • • • • • • • • • •

Los avances científicos, junto con las celebridades, como el actor Michael J. Fox, el boxeador Muhammad Ali, y el evangelista Billy Graham, han hecho que el mal de Parkinson (EP) sea noticia frecuente de primera plana. Sin embargo, los expertos aún no están seguros de cuál es la causa de esta afección que debilita los músculos.

Quizás lo herede o los químicos ambientales lo ocasionen. Pero, de alguna manera, las células cerebrales que controlan los músculos se destruyen y usted comienza a perder el control de los movimientos.

La EP comienza lentamente. Al principio, puede sentirse ansioso y tener problemas para dormir. Es probable que a esto le sigan el temblor de las manos, la rigidez muscular y el movimiento lento. Es posible que arrastre los pies al caminar y tenga problemas para mantener el equilibrio.

Aún así, la mayoría de las personas que sufren mal de Parkinson continúan llevando una vida productiva. Más del 90% de aquellas personas que sufren este mal viven con sus familiares. Eso significa mucho si considera que la mayoría ocurre en las personas mayores. Pero la EP también puede atacar a los más jóvenes. A Fox se le diagnosticó esta afección a los 30 años, y a veces afecta incluso a personas de 20 años de edad. Sin embargo, es más probable que ocurra después de los 50 años de edad.

Aún no existe una cura, pero existen medicamentos efectivos para ayudar a controlar los síntomas. Y la dieta puede influir el buen funcionamiento de los medicamentos. Y lo que es más importante, los alimentos que consume pueden ayudarlo a evitar sufrir de EP en primer lugar.

Nuevos descubrimientos nutricionales que combaten la EP

Vitamina E. Consuma muchos alimentos que contengan vitamina E, y estará menos propenso a sufrir EP. Eso es exactamente lo que los investigadores descubrieron en un estudio de más de 5.000 personas mayores en un suburbio de Rótterdam en los Países Bajos.

Aún se desconoce de qué manera esta vitamina lo protege de la EP. Los expertos creen que, como antioxidante, ayuda a prevenir la ruptura de células nerviosas que afectan al movimiento.

Puede obtener esta protección de vitamina E al consumir muchas frutas y verduras frescas, tales como, los damascos, los aguacates, los mangos, la col y las batatas. También incorpore a su dieta, el salvado, el arroz, el germen de trigo, las almendras, la manteca de maní y las semillas de girasol.

Obtener la mayoría de la vitamina E de estos alimentos vegetales más que de fuentes animales es doblemente una buena idea. Se debe a que ingerir una gran cantidad de grasa animal puede incrementar las probabilidades de sufrir EP. Implemente la proteína vegetal proveniente de las alubias y de los frutos secos para reemplazar un poco de carne de la dieta. Y al comer carne, elija los cortes de carne magra.

El aceite vegetal también es una buena fuente de vitamina E. Utilice aceite de oliva y de canola — dos de los aceites más sanos — para ensaladas y otros platos crudos. Lamentablemente, el calor destruye la vitamina E. Pero aún puede reducir la cantidad de grasa animal de la dieta si cocina con estos aceites en lugar de manteca o grasa de cerdo.

Cafeína. Arranque la mañana con una taza de café, y puede ayudarlo a protegerse del mal de Parkinson. En un estudio reciente publicado en el *Journal of the American Medical Association de la Asociación Médica Estadounidense* se descubrió que los hombres japoneses-americanos que no tomaban café eran alrededor de cinco veces más propensos a sufrir EP que aquellos que tomaban de cuatro a cinco tazas de 6 onzas de café por día.

Los investigadores que llevaron a cabo este estudio creen que es en su mayoría la cafeína, y no otro ingrediente, la que les ofrece a los bebedores de café esta ventaja. Pero, quizás quiera esperar a que se lleven a cabo más investigaciones antes de comenzar a beber café o a aumentar la cantidad que toma en este momento.

Una advertencia

Si usted padece mal de Parkinson, seguramente toma un medicamento llamado levodopa. Lamentablemente, la proteína de los alimentos que consume puede interferir con la capacidad para controlar los síntomas.

Reducir el consumo de la carne, los huevos, el queso y demás alimentos proteicos de su dieta puede ayudar. Pero para mantener su peso, reemplace las calorías perdidas al consumir mayor cantidad de carbohidratos. Si reduce el consumo de lácteos, es posible que también necesite calcio adicional.

Otros estudios han descubierto una protección similar para aquellos que fuman y beben alcohol. Esto lleva a los expertos a dudar si algunos de ellos es en verdad protector. Creen que es posible que la química del cerebro de las personas que tienen EP los hace menos propensos a consumir estas sustancias.

Fibra. El estreñimiento es un problema común de las personas con mal de Parkinson. Pero comer muchas verduras frescas de hojas verdes, alubias, manzanas y otras frutas y verduras fibrosas, pueden ayudar a sus intestinos a funcionar sin complicaciones. Para obtener fibra adicional, coma semillas y panes y cereales de granos integrales, o mezcle salvado sin procesar en guisos o ensaladas. Sólo asegúrese de tomar mucha agua para ayudar a la digestión.

Perejil

· · · · · · · · · ·

El perejil puede verse lindo en el plato, pero si simplemente lo deja allí, se habrá perdido una de las mejores maneras de darle vida a la vitamina C en cualquier comida.

Los antiguos romanos comían perejil por su sabor fuerte y para refrescar el aliento.

Beneficios

Protege el corazón

Combate el cáncer

Fortalece los huesos

Combate las infecciones del tracto urinario

Mejora la respiración

Luego, en la Edad Media el perejil comenzó a utilizarse como medicamento. Lo picaban para aliviar problemas estomacales, lo frotaban sobre las picaduras de insectos y las contusiones para calmar la hinchazón y la picazón, e incluso lo preparaban en té para combatir los cálculos biliares y la disentería. Aunque parezca mentira, los hombres incluso frotaban el perejil sobre su cuero cabelludo para curar la calvicie.

A pesar de que el perejil no ayuda en realidad a curar la calvicie ni la disentería, puede mejorar la salud. Al igual que su prima la zanahoria, el perejil tiene grandes cantidades de vitaminas y minerales — betacaroteno, folato y hierro, entre otros. Además, tal como otras hojas sabrosas, el perejil rebosa de flavonoides, los poderosos químicos vegetales que pueden prevenir el cáncer y combatir las cardiopatías.

Cuatro maneras en que el perejil lo mantiene sano

Lucha contra las cardiopatías. Los expertos afirman que puede tener un mayor riesgo de morir a causa de una cardiopatía si no consume suficientes flavonoides, esos antioxidantes naturales que se encuentran en las frutas y las verduras. Los científicos creen que los flavonoides protegen las arterias contra la acumulación de colesterol y reducen la presión arterial. Eso lo convierte al perejil en una alimento muy importante, ya que contiene gran cantidad de flavonoides clave como la apigenina. Un buen comienzo para tener un corazón sano sería comer un bol de ensalada de tabule, una delicia de Medio Oriente colmada de perejil.

Vence el cáncer de mama y el de próstata. Estas son buenas noticias tanto para las mujeres como para los hombres. Comer perejil puede reducir el riesgo de sufrir aquellos tipos de cáncer relacionados con las hormonas, como los tumores de mama y de próstata. Según un estudio revolucionario realizado en Canadá, el flavonoide apigenina del perejil parece funcionar de la misma manera que el estrógeno y la progesterona. El cuerpo utiliza la apigenina más débil en lugar de estas hormonas más fuertes e incorporadas, conocidas por provocar crecimientos cancerosos. A pesar de que los expertos no han determinado qué cantidad de este flavonoide da buenos resultados, comer un adicional de perejil rico en apigenina es una decisión inteligente.

Además, media taza de perejil tiene la misma cantidad de refuerzo de vitamina C que media taza de brócoli. Si bien no cabe duda que la vitamina C combate el cáncer, también está comprobado que la cocción destruye la vitamina C de los alimentos incluso antes de que pueda servir para protegerlo. Es allí donde el perejil entra en acción. Coloque un poco de perejil en los platos calientes antes de comerlos y reemplazará toda la vitamina C perdida durante la cocción.

Elimina la deficiencia de hierro. Millones de mujeres tienen deficiencia de hierro e incluso no lo saben. Si tiene poco hierro, le costará más realizar ejercicios, trabajar, e incluso realizar tareas domésticas. Y lo que es más importante, la deficiencia de hierro puede provocar anemia. Para mayor seguridad, incorpore el perejil a la dieta de manera regular. Media taza de perejil fresco o una cucharada de perejil seco tiene aproximadamente un 10% de la dosis diaria recomendada de hierro. Además, el perejil tiene la vitamina C que el cuerpo necesita para absorber ese hierro.

Reduce las fracturas óseas. Un ramito de perejil puede mantenerlo en forma. Un nuevo estudio de realizado por tres famosas universidades estadounidenses y por el Instituto Nacional del Corazón, los Pulmones y la Sangre reveló que consumir al menos 100 microgramos de vitamina K por día puede disminuir el riesgo de sufrir fracturas de cadera. La vitamina K es necesaria para que los huesos obtengan los minerales que necesitan para formarse adecuadamente. Y debido a que el perejil es el mejor cuando se trata de la vitamina K — con más de 180 microgramos en sólo una taza — es una idea de moda tener perejil cerca en todo momento. Corone los sándwiches, adorne las ensaladas con perejil, o lo que es mejor aún, mézclelo en los estofados y en las salsas. Al cocinar el perejil la vitamina K casi se duplica.

Indicadores en la despensa

¿Qué puede superar a un tipo de perejil? Dos tipos. La primera opción tiene hojas crespas y con volados, casi similares a las frondas de un helecho, y se utiliza mejor como adorno. Su hermano "italiano" o de hojas lisas puede verse más simple, pero tiene los genes del sabor de la familia. Debido a este tipo de sabor más fuerte, es el más conveniente para cocinar.

> ### Una advertencia
>
> **A pesar de que muchas personas pueden consumir perejil sin que se presente efecto colateral alguno, consulte a su médico antes de agregarlo regularmente a la dieta si usted toma medicamentos anticoagulantes como la warfarina. La vitamina K que se encuentra en el perejil puede contrarrestar los efectos del medicamento.**

Al igual que cualquier otra hierba, al comprar el perejil, éste debe ser crujiente y de color verde oscuro. Evite comprar un perejil mustio y amarillo con manchas marrones y secas o con partes pegajosas.

Si planea comer el perejil pronto, coloque los tallos solamente en un recipiente con agua en el refrigerador. Para un almacenamiento a largo plazo, pique y enjuague la hierba, y luego congélela dentro de una bolsa de plástico.

O pruebe el perejil seco como condimento. No contiene casi tanta cantidad de vitamina C como el perejil fresco, pero lo compensa con una dosis más concentrada de hierro.

Beneficios

Previene el estreñimiento

Combate el cáncer

Ayuda a evitar las apoplejías

Ayuda a la digestión

Ayuda a las hemorroides

Estimula su sistema inmunológico

Duraznos

● ● ● ● ● ● ● ● ● ● ● ● ● ● ● ●

El durazno con pelusa y su hermano lampiño, el pelón, son miembros de la familia de las rosas. Quizás por esa razón huelen tan bien. En la actualidad, puede ver que los duraznos y las nectarinas crecen en climas cálidos en todo el mundo, pero los expertos creen que estas frutas son originarias de China.

Los duraznos y las nectarinas se dividen en dos categorías — el durazno de carozo adherente, en el cual el fruto se adhiere al carozo, y el durazno de carozo libre, en el cual la pulpa del fruto se desprende del carozo. También viene en tres colores de pulpa — roja, blanca y amarilla — y en miles de variedades. Los de pulpa amarilla son los que contienen la mayor cantidad de vitamina A, aunque todos son buenas fuentes de vitaminas A y C.

La mayoría de las personas prefieren los duraznos suaves por lo tanto se les extrae la pelusa por medio de máquinas antes de enviarlos a las tiendas. No confunda estos duraznos con las nectarinas — frutas que son naturalmente peladas y contienen el mismo valor nutricional. Sin embargo, ya sea que prefiere los duraznos o las nectarinas, no puede equivocarse con este dulce y delicioso manjar de 40 calorías.

Puede agregar duraznos a los cereales fríos o calientes, o coloque uno en su lonchera como bocadillo de la tarde. Los duraznos también son buenos para cocinar en tartas, pasteles y mermeladas.

Si no puede conseguir duraznos frescos, no tema comprarlos enlatados o congelados. Aún existe una buena opción, afirma Melanie Polk, Master en Ciencias, D.R. (Dietista Registrada), Directora de Educación Nutricional en el Instituto Americano para la Investigación del Cáncer.

"El proceso de congelación muy rápido y otras nuevas tecnologías atrapan los nutrientes y los fitoquímicos de inmediato después de la cosecha mientras los frutos están en su punto máximo," afirma.

Si realiza las compras de comestible en forma semanal, Polk sugiere comprar frutas y verduras enlatadas para utilizar al final de la semana, después de haber utilizado los frutos frescos. La regla general, señala, es comprar tantas frutas y verduras frescas según espere utilizar en tres días.

"Luego de tres días de encontrarse en la despensa o en el refrigerador, muchos productos frescos pierden el valor nutritivo que usted puede encontrar mejor si considera las alternativas de los productos congelados y enlatados," explica.

Tres maneras en que los duraznos lo mantienen sano

Mantiene el colon como una seda. Los duraznos contienen más de un 80% de agua y son una buena fuente de fibra alimenticia. Esta combinación los convierte en el medicamento perfecto para el estreñimiento. Un durazno mediano contiene un 7% de la fibra alimenticia que necesita por día. Agregar frutas, como los duraznos, a la dieta pueden mantener la regularidad y evitar esforzarse durante los movimientos intestinales. El esfuerzo ha estado relacionado a las hemorroides, la enfermedad diverticular, la hernia de hiato, e incluso a las venas varicosas. Por eso, evite comer papas fritas y escoja un jugoso durazno la próxima vez que deambule por la cocina en búsqueda de un bocadillo.

Arremete contra el cáncer. Consumir una gran variedad de frutas y verduras, evitar las grasas y no fumar puede ayudar a prevenir muchos tipos de cáncer.

El cáncer de boca ha ido en aumento en los últimos años, y los expertos creen que la dieta puede ser de gran importancia en este enfermedad. Afortunadamente, se puede proteger. Un estudio realizado en China demostró que los hombres y mujeres que comían duraznos más de dos veces por semana tenían menor riesgo de desarrollar cáncer de boca que aquellos que no comían duraznos. Este estudio se concentró en el cáncer bucal, pero los duraznos, al igual que otras frutas y verduras que contienen vitaminas, minerales y antioxidantes, son una buena manera de mantenerse alejado de todo tipo de cáncer.

Evita las apoplejías en los fumadores. ¿Usted o un ser querido están intentando dejar de fumar? Dejar el hábito puede marcar una gran diferencia en la salud. Mientras tanto, sin embargo, quizás deba saber que los alimentos, tales como los duraznos pueden ayudar a los fumadores a evitar las apoplejías. Las apoplejías ocurren cuando el flujo sanguíneo del cerebro se ve interrumpido, o cuando un vaso sanguíneo se rompe o se derrama en el cerebro. Los investigadores no están seguros de cuál es la causa, pero suponen que se trata de una combinación de betacaroteno — que forma la vitamina A — más la vitamina C y otros antioxidantes.

Indicadores en la despensa

Los duraznos deben ser suaves al tacto, pero no blandos. Y no los apriete — ya que se magullan con facilidad. No escoja duraznos verdosos ni que estén duros como una roca ya que es probable que hayan sido cosechados antes de madurar. A pesar de que luzcan bien, nunca serán muy dulces. También, evite comprar duraznos que tengan manchas marrones, ya que son un signo de descomposición.

Una advertencia

El Departamento de Agricultura de Estados Unidos señaló que los cultivadores estadounidenses de duraznos se encuentran entre los más graves infractores en el uso excesivo de pesticidas, en ocasiones utilizados miles de veces más de lo que se considera seguro.

Protéjase de los pesticidas que pueden causar problemas para la salud e incluso cáncer. Intente comprar duraznos cultivados de manera orgánica cada vez que sea posible. Si no puede comprar — duraznos orgánicos cultivados sin pesticidas — quíteles la piel antes de comerlos.

Los duraznos enlatados sólo tienen una milésima parte de los pesticidas presentes en los duraznos frescos, probablemente debido a se pelan antes de ser procesados. Por consiguiente, compre duraznos orgánicos, pélelos o escoja las frutas enlatadas para obtener los beneficios más saludables.

Debido a que los duraznos continúan madurando aun después de cosechados, quizás necesiten permanecer un par de días en la mesada de su cocina para ablandarse. Si congela los duraznos maduros es una bolsa de papel, los conservará durante una semana aproximadamente.

Para pelar los duraznos con facilidad, déjelos en agua hirviendo durante un minuto, luego colóquelos de inmediato en agua bien fría. La piel debería desprenderse rápidamente.

Al comprar duraznos enlatados, asegúrese de comprar aquellos que vienen en su jugo para evitar el agregado de azúcar y las calorías adicionales.

Maníes

• • • • • • • • • • • • •

El comediante Bill Cosby una vez dijo, "No sólo del pan vive el hombre. Debe tener manteca de maní." Cosby quizás es conocido por ser gracioso, pero también es inteligente.

Beneficios

Protege contra las cardiopatías

Estimula la pérdida de peso

Combate el cáncer de próstata

Disminuye el colesterol

Aumenta la energía

A pesar de que a veces se los llama "cacahuates" debido a que crecen bajo tierra, técnicamente, los maníes no son incluso frutos secos. Son legumbres, como las alubias, y poseen las mismas cualidades nutricionales. Son ricos en proteína y fibra, y son una buena fuente de muchas vitaminas y minerales importantes, que incluyen la vitamina E, la niacina, el manganeso, el folato, el magnesio y el potasio.

El ex-presidente Jimmy Carter, agricultor de maní y aficionado a los beneficios para la salud, siempre está ansioso por defender el sencillo maní. "Contienen cero colesterol y son altamente nutritivos. Incluso para las personas bajan de peso, comer maníes puede ayudarlas a controlar la dieta. Además, comer maníes puede prevenir las cardiopatías."

Tres maneras en que los maníes lo mantienen sano

Mantiene el corazón fuerte. Un exceso de grasas y de colesterol pueden hacerle una jugada al corazón. Y a pesar de que una taza de maníes contiene casi una cuota diaria de grasa, se trata del tipo bueno— de ácidos grasos monoinsaturados (AGM).

Los AGM en realidad son saludables para el corazón ya que ayudan a controlar el colesterol. De hecho, una dieta rica en AGM puede reducir los niveles de colesterol de mejor manera en que lo hace la dieta Tipo II de la Asociación Estadounidense del Corazón — un plan alimentario diseñado específicamente para reducir el colesterol.

Según estudios clínicos, la Asociación Estadounidense del Corazón, ahora recomienda que reemplace una pequeña cantidad de grasa de la dieta por las grasas monoinsaturadas. "Estos estudios nos indican que el tipo de grasa puede ser tan importante como la cantidad que come," afirma Penny M. Kris-Etherton, Doctora en Ciencias, D.R., miembro del Comité de Nutrición de la Asociación Estadounidense del Corazón.

Las propiedades saludables para el corazón por parte de los maníes tampoco terminan con los AGM. Consuma sólo 3 onzas por días y habrá obtenido la cantidad necesaria de folato para combatir la homocisteína que daña las arterias. Si desea obtener el resveratrol, el estrógeno vegetal que actúa como antioxidante para combatir las cardiopatías, el Instituto del Maní sugiere que tan sólo consiga un puñado de maníes. Una onza, afirman, contiene aproximadamente una cantidad de resveratrol similar a la de 2 libras de uvas.

Ayuda a perder las libras no deseadas. Pero, ¿y la cintura? Los maníes aún son ricos en grasas, incluso si es grasa saludable para el corazón. Sin embargo, los expertos afirman que no debe resignar estas crujiente exquisiteces. Tienen grandes cantidades de proteína y fibra y le proporcionan mucha energía por el mismo precio. En pocas palabras, los maníes pueden ser una parte importante en el plan de pérdida de peso total.

Como toda persona que sigue una dieta durante mucho tiempo declarará que, si no siente hambre, es más fácil comer menos. Un estudio reciente publicado en la revista International Journal of Obesity afirma que después de comer menos de una taza de maníes, es menos probable que desee otros alimentos ricos en grasa, proteína, o carbohidratos.

Y ¿a quién no le gustaría obtener un poco más de energía? Las futbolistas que seguían una dieta rica en fibras, que incluían los maníes, podían ejercitarse más duro y durante más tiempo. Esto significa que consumir una pequeña cantidad de maníes todos los días puede permitirle intensificar su propio programa de ejercicios y quemar más calorías.

Por supuesto que el sólo hecho de agregar unos maníes a la dieta regular no harán que las libras se derritan por arte de magia. Aún debe realizar actividad física y controlar las calorías.

Acaba con el cáncer. Las legumbres, inclusive los maníes, son una rica fuente de beta sitosterol, uno de los compuestos vegetales similares a los del estrógeno llamados fitosteroles. Los expertos creen que éstos ayudan a protegerlo contra el cáncer de colon, mama, ovario o próstata.

Se recolectó esta evidencia de las personas que siguen una dieta asiática o vegetariana, generalmente, repletas de muchas legumbres. No sólo obtienen hasta cinco veces la cantidad de fitosteroles que las personas que siguen una típica dieta occidental, sino que también están menos propensas a sufrir estos tipos de cáncer.

Aumente las probabilidades al comer bocadillos que incluyan maníes y manteca de maní y comience a cocinar con aceite y harina de maní.

Una advertencia

Los maníes son una de las fuentes más comunes de alergia a los alimentos, y afecta a más de tres millones de personas y generalmente provoca reacciones graves e incluso fatales.

Si descubre que es alérgico al maní o a cualquier otro alimento, protéjase y transfórmese en un serio lector de etiquetas. Nicole Cheeks, de la Red de Alergia a los Alimentos, comenta: "Hacemos hincapié en que TODAS las etiquetas de TODOS los productos alimenticios deben leerse." Incluso una pequeña cantidad de maní o de aceite de maní puede provocar una reacción grave en las personas sensibles.

Solicite a su médico una receta de epinefrina (una inyección antialergia para los casos de emergencia) y asegúrese de llevarla todo el tiempo en caso de que accidentalmente esté expuesto al maní.

Indicadores en la despensa

Si es amante del maní, es una satisfacción que obtiene todo el año. Al comprarlos con cáscara, elija aquellos cuyas cáscaras limpias e intactas no hacen ruido. Almacenados en el refrigerador durarán hasta más de seis meses.

Los maníes sin cáscara generalmente se venden en latas o frascos cerrados al vacío. Almacénelos sin abrir a temperatura ambiente y durarán hasta un año. Una vez abiertos, manténgalos en el refrigerador, bien cerrados y consúmalos dentro de tres meses.

La forma más popular de comprar maní puede no ser ni con ni sin cáscara, sino triturado — como manteca de maní. A pesar de que Estados Unidos es el líder mundial en consumo de manteca de maní, ésta también es una preferida en Canadá, Holanda, Alemania, Arabia Saudita y está comenzando a ser popular en Europa Oriental.

Puede almacenar la mayoría de las mantecas de maní comercial a temperatura ambiente hasta seis meses. Sin embargo, la manteca de maní natural, sólo contiene maní y aceite — sin conservantes — por lo tanto, debe colocarla en el refrigerador después de haber abierto el envase. Para obtener un manjar divertido y saludable, prepare su propia manteca de maní casera con una licuadora o un procesador de alimentos.

A pesar de que se consume una enorme cantidad de manteca de maní, no todos son amantes de la MM. Quizás es uno de los pocos alimentos a los que se lo asocia una fobia específica. La "araquibutirofobia" es el miedo a que la manteca de maní se adhiera al paladar.

Piña

• • • • • • • •

Piense en la "piña," y quizás piense en Hawai. Esta isla es una de las líderes mundiales en producción de piña, pero curiosamente, esta fruta ni siquiera crecía allí hasta finales del siglo XVIII. La piña quizás es originaria de Sudamérica de la zona que hoy se conoce como Brasil y Paraguay. Desde allí, se trasplantó a las Islas del Caribe, donde Colón la descubrió en 1493.

Beneficios
Fortalece los huesos
Alivia los síntomas del resfrío
Ayuda a la digestión
Disuelve las verrugas
Detiene la diarrea

Colón regresó con las piñas a Europa, donde su sabor dulce se convirtió al instante en el preferido de la realeza. Los ingleses la llamaron piña debido a su semejanza con una piña de pino, pero la mayoría de los demás europeos utilizaron el nombre original indígena de "ananá", que significaba "fruta excelente." Pasaron casi dos siglos hasta que los europeos encontraron la manera de cultivar las piñas en invernaderos, por lo tanto esta fruta continuaba siendo un manjar singular y codiciado. Debido a que era un honor que le ofrecieran piña, con el tiempo, esta fruta se convirtió en un símbolo universal de hospitalidad.

Puede comer la piña por su sabor, pero se puede sentir igual de bien por los beneficios para la salud. Durante siglos, la piña ha sido utilizada como un remedio casero para las dolencias, en particular, para los problemas digestivos. Las investigaciones modernas indican que la bromelina, una enzima que se encuentra tanto en el árbol como en el fruto, puede ser la responsable de muchos de los renombrados beneficios para la salud. Además, la piña contiene cantidades considerables de vitamina C y manganeso.

Dos maneras en que la piña lo ayuda a mantenerse sano

Ayuda a desarrollar huesos saludables. Consuma una taza de piña fresca en trozos, y le aportará al cuerpo el 73% de la dosis diaria de manganeso que necesita. Es importante para los huesos, ya que el manganeso, un mineral traza, es necesario para que el cuerpo desarrolle los huesos y los tejidos conectivos. Y un estudio reciente reveló que una combinación de glucosamina, sulfato de condroitina y manganeso produjo una importante mejora para las personas con artritis ósea de rodilla leve a moderada.

Alivia la tos y los resfríos. Cuando se suena la nariz, es probable que tome un vaso de jugo de naranja. Eso es bueno, pero en su lugar quizás debería considerar el jugo de piña. Tiene vitamina C al igual que su prima, la naranja, pero también tiene bromelina, la cual ayuda a eliminar la tos y afloja la mucosidad que generalmente acompaña a la tos. Los estudios has descubierto que la bromelina es efectiva para tratar las afecciones del tracto respiratorio superior y la sinusitis aguda.

La próxima vez que se resfríe, intente preparar su propio jarabe para la tos, y aproveche los sabrosos y calmantes poderes de la piña. Combine 8 onzas de jugo tibio de piña y 2 cucharadas de miel y beba la mezcla para obtener un alivio calmante.

Elimina las verrugas

El poder de las enzimas de la piña parece ser bueno para atacar diversas enfermedades, pero su uso más extraño es para disolver verrugas. Si bien la mayoría de las verrugas desaparecen solas, si desea acelerar el proceso, pruebe impregnar un copo de algodón en jugo fresco de piña y aplíquelo sobre la verruga.

La piña no es el único alimento con el que puede probar. Algunas personas afirman que para que la verruga desaparezca se debe frotar una papa cruda sobre la verruga varias veces al día. Otros adhieren con cinta un poco de cáscara de banana, con el lado interno de la cáscara contra de la verruga. Aunque estas soluciones no han sido demostradas científicamente, se dice que funcionan al igual que los tratamientos médicos.

Indicadores en la despensa

Elegir una buena piña puede ser un proceso difícil. A diferencia de algunas frutas, el color de la cáscara no indica su grado de madurez. Una piña con cáscara verde puede estar igual de madura que una cuya cáscara es amarilla oro.

Trate de oler la piña en el extremo del tallo o elija una que tenga hojas verdes y frescas, pero no pierda nada si también revisa la etiqueta. Si indica que ha sido transportada en avión, es más probable que esté madura. Es por esa razón que las piñas no maduran más ni se vuelven más dulces una vez cosechadas — sólo envejecen. Por lo tanto, mientras más rápido las obtenga, mejor sabor tendrán.

Una vez que llegue a su casa, coloque la piña en el refrigerador para mantenerla fresca.

La piña es ideal para muchos platos, desde el pastel invertido de piña al cerdo agridulce, pero no utilice la piña fresca en platos que contengan gelatina. La enzima bromelina impide que la gelatina cuaje correctamente. De hecho, la cantidad bromelina en los alimentos a veces se mide en GDU — unidades de disolución de la gelatina.

La piña cocida o enlatada servirá para preparar platos que contengan gelatina. Pero, si la consume por los beneficios para la salud, es mejor que esté fresca.

Problemas de próstata

Coma	
Tomates	Semillas
Ostras	de calabaza
Germen de trigo	Sandía
Pomelo	Soja
rosado	Té verde
Ajo	Brócoli

Evite

Alimentos que contengan un elevado nivel de grasas saturadas, tales como las carnes rojas y los productos lácteos enteros

Sólo pesa alrededor de una onza, pero la próstata que tiene el tamaño de una nuez puede ocasionar enormes problemas. Esta glándula produce el semen, el fluido que contiene espermatozoides. Está ubicada debajo de la vejiga, y rodea la uretra, el tubo que transporta la orina hasta eliminada del cuerpo. Esta ubicación aumenta algunos problemas que puede ocasionar la próstata. Los problemas de próstata se dividen en tres categorías.

Prostatitis. Puede tener dos tipos de infección de próstata — agudo y crónico. La prostatitis aguda provoca fiebre, escalofríos y dolor entre las piernas y la zona lumbar. También puede tener dificultad para orinar o sentir dolor al hacerlo. Generalmente, desaparece con un tratamiento de antibióticos.

La prostatitis crónica es una infección recurrente. Los síntomas son similares a los de la prostatitis aguda, salvo que quizás no tenga fiebre, y los síntomas suelan ser más leves. Lamentablemente, la prostatitis crónica también es más difícil de tratar porque las bacterias pueden no ser las causantes de la infección.

Hipertrofia prostática. Esta es una afección común, llamada hiperplasia prostática benigna (HPB), afecta casi a la mitad de los hombres mayores de 40 años de edad junto con un 75% de hombres mayores de 60 años. Debido a que rodea la uretra, la hipertrofia prostática puede ocasionar problemas, tales como, micción frecuente, dificultad para orinar o incontinencia. Los tratamientos médicos para la HPB incluyen los medicamentos, la cirugía, la termoterapia o la terapia de congelación y la terapia con láser.

Cáncer de próstata. El cáncer de próstata es la forma más común de cáncer en hombres y sólo es la segunda en orden después del cáncer de pulmón como causante principal de muerte en hombres. Tiende a ser un cáncer de crecimiento lento, pero a veces puede ser agresivo y extenderse con rapidez. Los ciclos iniciales del cáncer de próstata pueden no provocar ningún síntoma por lo tanto es importante que se realice con regularidad los análisis de próstata. La Asociación Estadounidense de Urología recomienda que todos los hombres mayores de 40 años se realicen un estudio anual de la próstata.

Los problemas de próstata pueden ser sólo una molestia, o pueden ser fatales — alrededor de 40.000 hombres mueren por año a causa del cáncer de próstata. Y los tratamientos para los problemas de próstata pueden tener efectos colaterales graves. Información reciente indica que alrededor del 60% de los hombres que se someten a cirugía de próstata sufren de impotencia un año y medio después. Es evidente que la mejor opción es prevenir los problemas de próstata, y los alimentos adecuados pueden ofrecer un poco de ayuda natural.

Nuevos descubrimientos nutricionales
que combaten los problemas de próstata

Licopeno. Hace varios años, los investigadores de Harvard causaron conmoción al descubrir que consumir 10 porciones de tomate por semana podía reducir el riesgo de sufrir cáncer de próstata considerablemente. El licopeno, un carotenoide que le da a los tomates su color rojo brillante, es quizás el responsable de este efecto protector.

Los productos de tomate procesado, tales como, la salsa de tomate y el ketchup pueden ser más beneficiosos que los tomates frescos. Quizá se deba a que picar y cocinar los tomates ayuda a romper las paredes de las células, y el licopeno es absorbido por el cuerpo con mayor facilidad. Otras fuentes de licopeno incluyen la sandía, el pomelo rosado y la guayaba.

Vitamina E. Un estudio reciente reveló que los hombres que tenían el nivel sanguíneo más elevado de gama-tocoferol, un tipo de vitamina E, estaban cinco veces menos propensos a desarrollar cáncer de próstata.

El gama-tocoferol parece actuar con el alfa-tocoferol (otro tipo de vitamina E) y con el selenio para combatir el cáncer. Para obtener un buen equilibrio de ambos tipos de vitamina E, consuma una gran cantidad de ricos en vitamina E, — tales como, los aceites vegetales y de semillas, los frutos secos, las verduras de hojas verdes y los granos integrales.

Zinc. Las semillas de calabaza, ricas en zinc, han sido utilizadas durante siglos como un remedio casero para las próstatas problemáticas. El mineral puede ayudar a disminuir la hipertrofia prostática o a reducir la inflamación de la prostatitis crónica. Algunas buenas fuentes de zinc incluyen las ostras y otros mariscos, el pollo, las alubias y los granos integrales.

Vitamina D. Esta "vitamina del sol" puede servir para prevenir o tratar el cáncer de próstata. Sin embargo, la vitamina D también puede ser tóxica en grandes dosis, por eso no ingiera suplementos sin la orientación de su médico. En su lugar, consuma alimentos ricos en vitamina D, como los lácteos o los cereales fortificados, y salga y tome un poco al sol. El cuerpo puede producir la vitamina D por sí solo si se expone al sol.

Soja y té verde. China tiene el índice más bajo de cáncer de próstata del mundo, y los japoneses también están menos propensos a desarrollar la enfermedad. Es posible que exista algo en la dieta asiática que previene

el cáncer de próstata, y las investigaciones señalan a dos posibilidades —
la soja y el té verde.

Los investigadores de la Universidad de Loma Linda descubrieron
que los adventistas que bebían leche de soja una vez por día como
mínimo estaban un 70% menos propensos a desarrollar cáncer de
próstata. Y un estudio anterior realizado en japoneses que vivían en
Hawai reveló que aquellos que comían tofu (otro producto a base de
soja) estaban menos propensos a desarrollar la enfermedad.

Los asiáticos también beben grandes cantidades de té verde, el cual
protege contra varios tipos de cáncer. El té verde contiene antioxidantes
llamados polifenoles, los cuales son responsables del efecto protector
contra el cáncer.

Un estudio reciente sugiere que una combinación de estos alimentos
básicos asiáticos podrían ser el secreto. Los científicos descubrieron que
el polifenol del té verde no combatía las células del cáncer de próstata
en el laboratorio por sí solo. Pero, al combinarse con la genisteína, una
sustancia que se encuentra en la soja, la solución detenía el desarrollo de
células que provocan el cáncer de próstata.

Según una nueva investigación, una posible desventaja que presenta
la soja es que hace que el cerebro envejezca más rápido. Para obtener
más información, vea el *capítulo* sobre Pérdida de memoria.

Ajo. Este bulbo preferido por los cocineros italianos contiene más que
sólo sabor y olor fuertes. También puede ser un fuerte protector contra el
cáncer. El ajo tiene gran cantidad de antioxidantes y otras sustancias que
actúan para estimular el sistema inmunológico y proteger contra el cáncer.

Crucíferas. El brócoli, la coliflor y los repollitos de Bruselas le dan
un apretón al cáncer de próstata. Consuma sólo tres porciones de estas

---

Una advertencia

Teleadictos: ¡Cuidado! Mientras come papas fritas y mira televisión, puede estar
estimulando al cáncer a invadir su próstata. Una dieta rica en grasas y un estilo
de vida sedentario aumentan el riesgo de contraer cáncer de próstata.

Defiéndase al consumir menos grasas y realice elecciones inteligentes con
respecto a las grasas. Las investigaciones demuestran que las grasas
monoinsaturadas, que incluyen los aceites de oliva, de canola y de maní, pueden
ayudar a disminuir el riesgo de sufrir cáncer de próstata.

crucíferas por semana, y podrá reducir a la mitad el riesgo de sufrir cáncer de próstata.

Ciruelas secas

• •

Las estrellas de cine con frecuencia cambian sus nombres originales comunes por otros más glamorosos una vez que son el centro de atención. Esto le ocurrió a su antigua amiga la ciruela seca.

Desde el momento en que los investigadores descubrieron que las ciruelas secas contienen gran cantidad de antioxidantes, esta fruta seca ha logrado llamar mucho la atención. ¿Quién sabía que tantas bondades se escondían dentro de ese paquete negro y arrugado?

Beneficios
Retarda el proceso de envejecimiento
Previene el estreñimiento
Disminuye el colesterol
Estimula la memoria
Estimula la pérdida de peso
Protege contra las cardiopatías

Al igual que la estrella en la que espera convertirse, la ciruela pasa cambió su nombre que hoy se conoce como "ciruela seca." La Administración de Drogas y Alimentos aprobó el cambio, recomendado por la California Prune Board (Junta de la Ciruela Seca de California). Espera perder la imagen de la ciruela pasa como un alimento para las personas mayores y concentrarla en los jóvenes y en la conciencia de la salud. Los estudios de mercado demuestran que el cambio de nombre es todo un éxito y esta nueva famosa debe aparecer pronto en una tienda de comestibles cercana.

Pero una ciruela pasa, cualquiera sea el nombre con que se la denomine, debe tener un sabor dulce. También debe aportar mucha fibra, protegerlo del daño causado por los radicales libres e incluso quizás pueda reducir el colesterol. Las ciruelas pasas son además una buena fuente de potasio — importante para tener un corazón saludable y huesos fuertes. Y puede comer 10 ciruelas pasas dulces y masticables repletas de nutrientes por tan sólo 200 calorías. Nada mal para un alimento que fue rescatado de un hospital y de las cafeterías de asilos de ancianos.

Tres maneras en que las ciruelas pasas lo mantienen sano

Retarda el envejecimiento. Durante años, los científicos se han preguntado qué pueden hacer las personas para mantener la salud y la vitalidad de su juventud. La teoría más reciente es que los antioxidantes — combatientes de los radicales libres y presentes principalmente en las frutas y las verduras — son la clave para mantenerse joven y evitar el daño celular.

Los investigadores han medido y estudiado los antioxidantes en alimentos en el Centro de Investigación de Nutrición Humana del Envejecimiento del USDA Jean Mayer de la Universidad de Tufts en Boston. De todos los alimentos sometidos a prueba, la ciruela pasa tuvo el máximo valor de Capacidad de Absorción de Radicales de Oxígeno (CARO). A 5.770 CARO por porción de 3 onzas y 1/2, registró más del doble que muchos antioxidantes presentes en el alimento con valores más altos que le sigue — su prima arrugada, la pasa de uva.

Los animales a los que se les administró alimentos ricos en antioxidantes, mostraron menos signos de envejecimiento en las pruebas de memoria. Los científicos creen que los antioxidantes pueden ser una clave importante para protegerlo contra las enfermedades del envejecimiento e incluso contra el cáncer. De hecho, es probable que la pérdida de función cerebral en determinadas enfermedades como el mal de Parkinson y el de Alzheimer derive del daño producido por los radicales libres. Si estos alimentos ricos en antioxidantes pueden protegerlo de los radicales libres, imagine todas las enfermedades que podría evitar.

El Administrador del Servicio de Investigación Agrícola del USDA, Floyd P. Horn, ha vislumbrado el futuro de los tratamientos para las enfermedades relacionadas con la edad y se asemeja mucho a la huerta de la abuela.

"Si estos hallazgos son confirmados por investigaciones futuras," comenta, "las personas jóvenes y de mediana edad podrían reducir el riego de padecer enfermedades provocadas por el envejecimiento — incluida la senilidad — simplemente al agregar alimentos ricos en CARO en sus dietas."

Al estudiar muestras de sangre de distintos grupos de individuos, los investigadores llegaron a la conclusión de que se pueden aumentar los niveles de antioxidantes en la sangre si se ingieren más frutas y verduras.

Por ahora, recomiendan consumir una cantidad suficiente de frutas y verduras para alcanzar un total de entre 3.000 y 5.000 unidades CARO de antioxidantes por día. Dado que la mayoría de los alimentos sometidos a prueba obtuvieron un puntaje de cien, usted debería ingerir muchas porciones para llegar a 3.000.

Pero tenga en cuenta esto: la ingesta de sólo siete ciruelas pasas por día puede hacerlo superar la marca de 3.000 con facilidad. Todas las demás frutas y verduras que consuma podrían ser adicionales. Sin embargo, asegúrese de comer una variedad, ya que cada fruta y cada verdura tiene distintos nutrientes protectores.

Acelera el tránsito lento. Las ciruelas pasas pueden ayudarlo a mantener la regularidad. Es por esta razón que los asilos para ancianos y los hospitales siempre las incluyen en el menú. Además de ser una buena fuente de fibras, también contienen un ingrediente laxante natural. La combinación es perfecta si no realiza mucho ejercicio o tiene tendencia a estar estreñido. Si no le gusta masticar fibra, el juego de ciruelas pasas también da buenos resultados.

> ### Las ciruelas pasas pueden reemplazar las grasas
>
> En las recetas, puede emplear ciruelas pasas para hacer un puré que sustituya al aceite o a la manteca.
>
> Simplemente haga puré con aproximadamente 1 y 1/3 tazas de ciruelas descarozadas con 6 cucharadas de agua caliente. Con esto se obtendrá una taza de puré de ciruelas pasas que puede conservarse en el refrigerador hasta durante un mes. Utilice la mitad de la grasa recomendada en la receta y luego agregue la mitad de esa cantidad de puré de ciruelas pasas.
>
> Por ejemplo, si una receta indica una taza de aceite o de azúcar, utilice 1/2 taza de aceite y luego agregue 1/4 de taza de puré de ciruelas pasas. Puede utilizar este puré en tortas, pasteles, galletas — incluso en brownies.

En las regiones rurales de África, las personas siguen dietas ricas en frutas, verduras y granos. No es de extrañar que el estreñimiento no sea común. Sin embargo, lo que puede sorprenderlo es que las hemorroides, las hernias de hiato, las venas varicosas y la enfermedad diverticular son también muy poco comunes en esos lugares. Y eso no es una coincidencia. Pareciera que ser regular es una parte importante de mantenerse saludable.

Vence el colesterol alto. Seguir una dieta rica en fibras puede ayudarlo a reducir el colesterol, tal como demostró un estudio de ciruelas pasas.

Los investigadores del Departamento de Nutrición de la Universidad de California en Davis, le suministraron a un grupo de 41 hombres con colesterol levemente elevado 12 ciruelas pasas todos los días durante cuatro semanas. Luego les dieron a los mismos hombres un par de vasos de jugo de uvas todos los días durante otras cuatro semanas. Los hombres recibieron instrucciones de no modificar sus hábitos alimenticios ni de ejercicios durante el estudio.

Las pruebas demostraron que el colesterol LDL — el tipo de colesterol que debe mantener bajo — fue considerablemente menor durante el período de ingesta de las ciruelas pasas que durante el de la ingesta de jugo de uvas. Esta es una gran noticia si el colesterol está comenzando a aumentar y usted no desea tomar medicamentos. Un colesterol más bajo significa que usted tiene menos probabilidades de desarrollar una cardiopatía.

Indicadores en la despensa

Al igual que el jugo de naranja, las ciruelas pasas ya no son sólo para el desayuno. Puede agregar ciruelas pasas en cubos a las ensaladas para obtener más fibras y nutrientes o colocar algunas en la lonchera para satisfacer su necesidad de algo dulce. Para variar, intente cubrir el cereal caliente con trozos de ciruelas pasas.

Las ciruelas pasas picadas son excelentes también en productos horneados. Agréguelas a pasteles, galletas y panes del mismo modo en que utilizaría pasas de uva. Se conservan en la despensa por unos meses. Pueden conservarse durante más tiempo si se las refrigera.

Beneficios

Protege la próstata

Mantiene la función sexual

Alivia la artritis

Protege el corazón

Disminuye el colesterol

Calabaza

• • • • • • • • • • • • • • • •

Una vez en Connecticut, durante la época colonial, se suspendió el día de Acción de Gracias debido a la escasez de la melaza que se necesitaba para preparar los pasteles de calabaza. El pastel de calabaza continúa siendo una parte importante de la celebración, pero si sólo come calabaza en el día de Acción de Gracias, se pierde muchos de los beneficios para la salud de este colorido fruto.

La calabaza contiene importantes cantidades de betacaroteno y de alfacaroteno, los que son convertidos en vitamina A en el cuerpo. Es rica en fibras, baja en calorías y es una buena fuente de varios minerales importantes entre los que se encuentran el hierro, el potasio y el magnesio.

La palabra "calabaza" proviene de la palabra griega "pepon," que significa "melón grande," aunque las calabazas pertenecen en realidad a la familia de los jícaros. ¡La calabaza más grande que se haya pesado era de más de 1.000 libras! Con ella se podría hacer una lámpara de calabaza ahuecada realmente aterradora. Hablando de lámparas de calabaza, las primeras se realizaron con nabos, no con calabazas, y se realizaban según una leyenda popular irlandesa sobre Jack of the Lantern. La gente las utilizaba para espantar los espíritus en Halloween. Cuando los irlandeses inmigraron a Estados Unidos en el siglo XIX, descubrieron que las calabazas eran más abundantes y más fáciles de tallar.

El primer pastel de calabaza era un poco diferente del que se sirve en el Día de Acción de Gracias. Los colonizadores estadounidenses rellenaban una calabaza con leche, especias y miel y luego la horneaban en cenizas calientes.

Cuatro maneras en que la calabaza lo mantiene sano

Protege la próstata. Coma un puñado de semillas de calabaza todos los días, como lo hacen los hombres en Ucrania, y podrá evitar problemas de próstata.

Los científicos afirman que las semillas pueden dar resultado ya que contienen zinc y químicos llamados cucurbitáceas, que interfieren en la producción de dihidrotetosterona (DHT), la hormona responsable del crecimiento de la próstata.

La hiperplasia prostática benigna (HPB), un aumento no maligno del tamaño de la glándula prostática, es tan común que el 90% de los hombres que llegan a los 85 años de edad tendrán al menos un caso leve de HPB.

En un estudio reciente, los investigadores descubrieron que la combinación de extractos de semilla de calabaza y de palma enana americana, otro remedio a base de hierbas para los problemas de próstata, mejoraba notablemente los síntomas de HPB.

Estimula el deseo sexual. Las semillas de calabaza pueden mejorar su vida sexual al ayudar a prevenir la HPB, y su alto contenido de zinc ayuda a garantizar que los niveles de testosterona se mantengan al máximo rendimiento.

Alivia la artritis. Si le duelen las articulaciones, intente incorporar un poco de aceite de semillas de calabaza a la dieta. Los ácidos grasos esenciales presentes en el aceite de semillas de calabaza, el ácido linolénico (omega 6) y el ácido linolénico (omega 3), pueden ayudar a combatir la artritis. Un estudio realizado en ratas artríticas reveló que los suplementos de aceite de semillas de calabaza reducían los signos de la artritis. Además, las ratas a las que se les dio aceite de semillas de calabaza también mostraban un 44% menos de inflamación en sus patas. A pesar de que no se han realizado estudios recientes sobre el efecto del aceite de semillas de calabaza en la artritis de humanos, este alimento puede ser una manera simple y natural de lograr un poco de alivio. Puede comprar aceite de semillas de calabaza para cocinar o en forma de suplemento. (Consulte *Un descubrimiento inusual para cocinar* en el cuadro de la izquierda.)

Un descubrimiento culinario poco común

La misma zona de Austria donde nació Arnold Schwarzenegger es famosa por otro poderoso producto — el aceite de semillas de calabaza.

En la región de Styria, al sur y centro de Austria, crece un tipo de calabaza cultivada exclusivamente por sus semillas. Al aceite producido de esas semillas se lo suele llamar "oro verde," a pesar de ser de color negro, igual que el aceite para motor.

Los cocineros denominan a este aceite de semillas de calabaza un "descubrimiento culinario" debido a su fuerte sabor a nueces. Su uso más común es en aderezos para ensaladas. Es probable que no encuentre este aceite nutritivo y poco común en la tienda de comestibles, pero puede conseguirlo a través del correo. Comuníquese con Green Gold en Austria a través de un correo electrónico a (info@greengold.net) o visite el sitio Web en <http://www.greengold.net>.

También puede escribir a Peter Pumpkin Enterprises, P.O. Box 491, Picton, Ontario, K0K 2T0 Canadá o llamar a Finest Naturally en Austria al 800-348-5766.

Ayuda al corazón. La calabaza puede ayudar a proteger el corazón debido a su alto contenido de betacaroteno. Un estudio realizado en los Países Bajos a aproximadamente 5.000 personas mayores reveló que las personas que comían principalmente alimentos ricos en betacaroteno tenían un 45% menos de probabilidad de sufrir cardiopatías en comparación con aquellas que consumían la menor cantidad. Si está pensando en ingerir suplementos de betacaroteno, mejor piénselo dos veces. Los investigadores afirman que los suplementos pueden no tener los mismos efectos.

Dos estudios distintos realizados recientemente con animales demostraron que el aceite de las semillas de calabaza puede mejorar la efectividad de los medicamentos utilizados para tratar la presión arterial alta y los niveles altos de colesterol.

Indicadores en la despensa

Las calabazas frescas abundan en el otoño y a comienzos del invierno — justo a tiempo para Halloween y el Día de Acción de Gracias. Es probable que para Halloween elija una calabaza gigante para poder tallarla, pero, si desea comerlas, las más pequeñas son más tiernas y sabrosas.

Las calabazas enteras pueden almacenarse a temperatura ambiente hasta un mes, o hasta tres meses si las conserva en el refrigerador. Para su comodidad, también puede comprar calabaza enlatada.

Cómo tostar semillas de calabaza

Las semillas de calabaza han sido un bocadillo muy popular en muchos países durante siglos. Puede comprar semillas de calabaza tostadas, pero si desea hacerlo usted mismo, es muy sencillo. Quite las semillas de la calabaza y enjuáguelas en un colador. Séquelas con servilletas de papel y luego cúbralas ligeramente con aceite de oliva o de sésamo. Espárzalas en una placa para horno y espolvoree con sal. Tueste durante 45 minutos aproximadamente a 375 grados. Deje enfriar las semillas y guárdelas en un envase hermético.

Ya sea que la elija fresca o enlatada, no limite este versátil alimento sólo a pasteles. Marsha Weaver, Agente de Extensión del Condado por la Universidad Estatal de Kansas, sostiene: "Los pasteles son sólo una forma de emplear la calabaza. También es deliciosa en sopas frías o calientes o en reemplazo del puré de papas en el pastel de carne. O pruebe rehogar o saltear tiras de calabaza fresca." Weaver recomienda además combinar la calabaza con otros alimentos para obtener el máximo valor nutricional. Estas son algunas ideas inteligentes:

◆ Pruebe agregar entre un cuarto a la mitad de una taza de pulpa de calabaza a dos tazas de puré de papas.

◆ Agregue dos cucharadas de calabaza por porción a la avena caliente o a la sémola. Luego sirva con azúcar morena o espolvoree con azúcar con canela.

◆ Espese las sopas, las salsas, las alubias y el chile con puré de calabaza. Agregue entre un cuarto a media taza de calabaza a aproximadamente 16 onzas de salsa de espaguetis, a las alubias horneadas o al chile.

◆ Agregue un cuarto de taza de calabaza a los ingredientes líquidos de la mezcla de su pan de jengibre favorito (de 14 onzas).

◆ Mezcle un paquete de 3 onzas de caramelo o budín de vainilla y relleno de pastel, dos tazas de leche y media taza de puré de calabaza. Cocine según lo indican las instrucciones del paquete.

◆ Mezcle una taza de yogur descremado de vainilla, media taza de calabaza y un cuarto de cucharadita de canela.

Beneficios

Combate el cáncer

Protege el corazón

Elimina la anemia

Aumenta la energía

Fortalece los huesos

Preserva la vista

Quinoa

• • • • • • • • • • • •

¿Nunca oyó hablar de la quinoa? Probablemente, este "súper grano" sea uno de los alimentos más saludables que pueda encontrar. Era uno de los alimentos básicos en la dieta de los Incas.

La quinoa puede cultivarse a grandes altas y en condiciones adversas. Florece hasta en suelos estériles con escasas precipitaciones y temperaturas frías. Si este grano se asemeja más a una maleza, se debe a que técnicamente no es un grano si no un miembro de la misma familia que la espinaca, la remolacha y la acelga suiza.

No es para sorprenderse que la quinoa sea diferente de otros granos. Tiene más proteína, hierro y grasas insaturadas pero menos carbohidratos. De hecho, se la considera una proteína completa dado que brinda los ocho aminoácidos esenciales. Y está llena de minerales, vitamina B y fibras.

Cuando también se consideran su versatilidad y su interesante textura, cremosa y crujiente, no es de extrañarse que este saludable grano se esté volviendo popular. La quinoa también está apareciendo en nuevos lugares. Antiguamente limitada a países de América Central y del Sur, tales como Perú, Bolivia y Ecuador, la quinoa ahora se cultiva en Colorado, Nuevo Méjico, California y Canadá.

Vaya en busca de la quinoa y descubrirá que este grano duro es resistente a las enfermedades.

Cinco maneras en que la quinoa lo mantiene sano

Previene el cáncer. La fibra puede ser una de las mejores defensas contra el cáncer. Afortunadamente, la quinoa cuenta con 4 gramos de esta valiosa característica por porción.

La quinoa es una buena fuente de fibras solubles e insolubles. Ambas pueden combatir el cáncer de colon de distintas maneras. El tipo de fibra insoluble presente en el salvado de trigo agrega volumen a las heces y diluye las sustancias que allí se encuentran y que producen el cáncer.

El tipo principal de fibra soluble que se encuentra en el salvado de avena y en la cebada puede actuar al reaccionar con los microorganismos, llamados microflora, del intestino grueso para formar compuestos que protegen el colon. Además, ambas aceleran la deposición, lo que ayuda a proteger del cáncer y el estreñimiento.

Ayuda al corazón. Pese al poderío que los Incas ostentaban, no pudieron competir con las armas superiores de los conquistadores españoles. La quinoa, al igual que los conquistadores europeos, cuenta con un importante arsenal — especialmente cuando se trata de cardiopatías.

Con 4 gramos de fibra por porción, la quinoa puede combatir el colesterol alto, las cardiopatías y las apoplejías. En efecto, un estudio determinó que por cada 10 gramos adicionales de fibra consumida por día, las mujeres disminuían en un 19% el riesgo de sufrir cardiopatías.

Además, la quinoa tiene aproximadamente 2 gramos de grasas por porción. Pero antes de decidirse por la quinoa, tenga en cuenta que la mayoría de las grasas son insaturadas, de las que ayudan a disminuir el colesterol. Un exceso de colesterol puede causar obstrucción de las arterias, presión arterial alta, apoplejías y cardiopatías.

Además, la quinoa es una buena fuente de folato, la vitamina B que mantiene la peligrosa sustancia homocisteína inactiva. Y si se le agrega potasio y magnesio, que ayudan a mantener la presión arterial controlada y reducen el riego de sufrir cardiopatías, la quinoa parece ser un arma poderosa.

Incluso, existe evidencia que sugiere que la proteína — generalmente relacionada con un aumento en el riesgo de problemas cardíacos — puede en realidad disminuir levemente las posibilidades de sufrir cardiopatías. Pero eso no significa que deba comer más carne y huevos para obtener más proteína. No necesita todas esas grasas saturadas ni el colesterol. Por otro lado, la quinoa aporta proteína sin las desventajas.

Elimina la anemia. Si alguien le preguntara cuál es la enfermedad crónica más común, es muy probable que usted no mencione la anemia ferropénica. Sin embargo, esta forma de anemia es la que probablemente se lleve todos los créditos. Tan sólo en los Estados Unidos por lo menos 18 millones de personas padecen anemia ferropénica.

La anemia lo vuelve pálido, débil y somnoliento. También puede causar dolores de cabeza, trastornos estomacales y pérdida de la líbido. Se produce cuando usted no tiene suficientes glóbulos rojos o suficiente hemoglobina en esos glóbulos rojos para transportar oxígeno desde los pulmones hacia los tejidos del cuerpo. Puede enfermarse de anemia por distintas razones, que incluye pérdida de sangre o incapacidad para absorber hierro de manera correcta. Pero, el consumo insuficiente de hierro en la dieta puede aumentar el riesgo de anemia.

Es ahí donde la quinoa puede ayudar. Con 4 miligramos de hierro por porción, la quinoa aporta una gran cantidad de hierro para mantener la anemia a raya.

Incluso si no tiene anemia, puede verse afectado por una deficiencia de hierro. Por ejemplo, si no tiene el hierro suficiente, es posible que tenga menos resistencia y emplee más energía para realizar tareas simples. La deficiencia de hierro también puede causar el síndrome de las piernas inquietas. Las personas con esta afección padecen sensaciones extrañas en las piernas y sienten como si tuviesen que moverlas para detener las incómodas sensaciones.

Estimula la energía. No es necesario estar anémico para sentirse inactivo. Muchas personas sienten fatiga y las personas mayores son especialmente vulnerables ya que con frecuencia toman medicamentos que pueden causar fatiga.

Una vez más, la quinoa viene al rescate. Es una buena fuente de proteína, la que puede brindarle una inyección de energía para ayudarlo durante el día. Además de energía, el cuerpo también necesita proteína para formar nuevos tejidos y reparar los tejidos lesionados o desgastados.

Los alimentos ricos en vitaminas B ayudan al cuerpo a utilizar el combustible obtenido de los carbohidratos, las grasas y las proteínas. El resultado logrado es más energía. Por consiguiente, si no está consumiendo suficiente cantidad de vitaminas B, puede sentirse cansado y agotado. La quinoa es una excelente fuente de B1 (tiamina), B2 (riboflavina), B3

> ### Elimine las cataratas con la quinoa
>
> **No mire ahora, pero la quinoa puede incluso proteger sus ojos. Según el estudio australiano Blue Mountains Eye, la proteína y las grasas poliinsaturadas — ambas presentes en la quinoa — pueden ayudar a evitar las cataratas.**
>
> **En el estudio, las personas que consumieron más proteína, cerca de 99 gramos por día, tuvieron sólo la mitad de probabilidad de tener cataratas nucleares en comparación con aquellas que ingirieron la menor cantidad. Con las cataratas nucleares, la luz tiene dificultad para pasar a través del centro de las lentes de los ojos.**
>
> **Mientras tanto, quienes consumieron principalmente grasas poliinsaturadas, aproximadamente 17 gramos por día, mostraron un 30% menos de probabilidad de tener cataratas corticales, que afectan las lentes externas.**

(niacina), B6 y folato. Ya que ningún alimento puede aportar todos los nutrientes que usted necesita, para lograr un poco más de energía, agregue cereales enriquecidos, hígado y alubias a su menú semanal.

Fortalece los huesos, los dientes y los músculos. Los mineros pueden pasar años buscando minerales preciosos. Lo único que usted debe hacer es conseguir un poco de quinoa, que cuenta con todos los minerales que su cuerpo necesita.

Para tener huesos, dientes y músculos fuertes, existen el calcio, el magnesio, el manganeso y el fósforo. La quinoa también le proporciona grandes cantidades de zinc, para agudizar los sentidos, y cobre, que ayuda a formar la hemoglobina que transporta el oxígeno. Todos estos minerales ayudan a que el cuerpo funcione correctamente. Si se compara con minerales preciosos, comer quinoa es como golpear la veta madre.

Indicadores en la despensa

La quinoa puede cocinarse del mismo modo que el arroz y utilizarse en lugar de éste y de otros granos. Si está apurado, es fabulosa ya que lleva la mitad del tiempo que lleva cocinar arroz. Una desventaja que presenta la quinoa es que es más difícil de conseguir (busque en tiendas de alimentos naturales o en la sección de alimentos naturales del supermercado) y es más costosa que otros granos. Sin embargo, dado que al cocinarse aumenta cuatro veces su tamaño, usted ahorra más dinero.

Puede utilizar la quinoa en sopas, ensaladas, guarniciones, platos principales, postres o incluso como cereal para un desayuno caliente, como la avena.

Simplemente asegúrese de enjuagarla muy bien antes de cocinarla ya que está recubierta con saponina, una sustancia amarga que mantiene alejadas a las aves y a los insectos. La mayoría de la saponina se extrae antes de que compre la quinoa, pero puede quedar algún residuo. Es posible que el gusto de la quinoa sea jabonoso si no la enjuaga cuidadosamente.

Coma

Aceite de oliva	Salmón
Caballa	Jengibre
Aceite de semillas de calabaza	Cúrcuma
Linaza	Agua
Uvas	Maníes
Atún	Hongos

Evite

Todos los alimentos que puedan inflamar la artritis

Artritis reumatoidea

Cuando se padece artritis reumatoidea (AR), el cuerpo se vuelve, literalmente, contra sí mismo . Es por este motivo que esta afección devastadora es llamada enfermedad autoinmune. Es como si los glóbulos blancos, que generalmente acechan a las bacterias y virus perjudiciales de la sangre, invadieran y atacaran los tejidos blandos de las articulaciones. Los expertos no están seguros de la razón por la cual los glóbulos blancos se descontrolan, pero saben que los síntomas — causan una inflamación y un dolor punzante en las articulaciones.

Al igual que la artritis ósea, la AR puede causar un daño permanente en los huesos, los cartílagos y las demás articulaciones. Con el tiempo, hasta puede dañar los órganos internos como el corazón y los pulmones.

La AR tiende a atacar las articulaciones de unión al mismo tiempo — ambas rodillas o ambos codos, por ejemplo, o las pequeñas articulaciones de las manos. La mejor manera de evitar que la enfermedad avance tanto es recibir un tratamiento temprano. Mientras más rápido comience la terapia, menor será la posibilidad de que la afección estropee las articulaciones. Los reumatólogos — especialistas en artritis — generalmente recetan antiinflamatorios no esteroideos (AINES) u otros medicamentos fuertes. Estos pueden calmar la AR, pero pueden producir efectos colaterales.

El alivio, sin embargo, se puede lograr de modo tan sencillo como seguir una dieta equilibrada y saludable. "Por supuesto," afirma el Dr. David S. Pisetsky, autor de *El Libro Central sobre Artritis de la Universidad de Ciencias Médicas de Duke,* "un paciente con artritis reumatoidea que no se alimenta bien se beneficiará al seguir una dieta nutritiva y bien equilibrada."

El consumo de alimentos ricos en fibras y reducidos en grasas ayudarán a controlar el peso y a mantener las libras para lograr una mejor salud ósea. Recuerde — que las onzas adicionales equivalen a una mayor tensión en las articulaciones. Tal como afirma Pisetsky: "Los reumatólogos creen que el peso corporal sí influye en la artritis."

El consumo de alimentos adecuados junto con el ejercicio regular pueden facilitar el combate del cuerpo contra la AR. Eso los convierte en el complemento perfecto para el plan de tratamiento del médico.

Nuevos descubrimientos nutricionales que combaten la AR

Omega 3. Según la Fundación para la Artritis, el consumo de pescado al menos dos o tres veces por semana puede calmar la rigidez y el dolor articular. Puede agradecerle a los ácidos grasos omega 3, o linolénicos. Parece que el omega 3 alivia tan efectivamente los síntomas de la AR que algunas personas pueden reducir el consumo de AINES. Continúe consumiendo agua fría, pescados grasosos como el salmón, la caballa, la albacora y el arenque para lograr el mayor estímulo. En las comidas con mariscos, pruebe cocinar con aceite de canola y preparar los aderezos para ensaladas con aceite de linaza.

Reduzca también los ácidos grasos omega 6, o linolénicos. Si bien el omega 3 reduce la cantidad de enzimas del cuerpo que favorecen la inflamación, el omega 3 estimula al cuerpo a producir más. Esta es una batalla en la que usted quiere que gane el omega 3. Para ayudarlo a ganar, limite la ingesta de alimentos ricos en omega 6, tales como la carne, los alimentos procesados y las comidas rápidas y los aceites vegetales como el de cártamo, de maíz y de soja.

Aceite de oliva. Este aceite aromático resultó ser el gran ganador en un estudio reciente realizado en Grecia. Los investigadores entrevistaron sobre los hábitos alimenticios de más de 300 personas en búsqueda de alimentos que puedan beneficiar a las personas que padecen AR. De los más de 100 diferentes tipos de alimentos, el aceite de oliva se posicionó como el ganador.

Los ácidos grasos monoinsaturados del aceite de oliva parecieron funcionar como los ácidos grasos omega 3 al ayudar a reducir la inflamación de las articulaciones en el origen. Es posible que los antioxidantes del aceite también tengan participación.

Pruebe incorporar aceite de oliva a la dieta prácticamente todos los días. Mientras más lo use, mejor. En el estudio, las personas que consumieron la menor cantidad de aceite de oliva tuvieron dos veces y media un mayor riesgo de desarrollar AR en comparación con aquellas que consumían mayor cantidad de aceite de oliva y promediaban tres cucharadas más por día.

Antioxidantes. Hablando de radicales libres combatientes, una nueva e interesante investigación sugiere que todos los antioxidantes pueden aliviar, o incluso prevenir, la AR. Las personas reumáticas suelen tener una sobrecarga de radicales libres y poca cantidad de antioxidantes. Este desequilibrio lleva a los expertos a pensar que los radicales libres colaboran con el daño de las articulaciones. El consumo de alimentos ricos en antioxidantes puede volver a poner en primer lugar a los buenos — los antioxidantes.

El ejército de antioxidantes cuenta con pocos líderes — el selenio, la vitamina E y el resveratrol. En un estudio reciente realizado en Suecia, los bajos niveles de selenio parecieron aumentar el riesgo de un individuo de sufrir un determinado tipo de AR. Algunos expertos creen que el aumento del consumo de selenio puede incluso ayudar a reducir la inflamación y el dolor. Por otra parte, los bajos niveles de vitamina E aumentaron el riesgo de todos los tipos de AR.

Refuerce los niveles de selenio con mariscos, hongos, lácteos y trigo integral. Algunas fuentes ricas en vitamina E incluyen los cereales fortificados, los aceites vegetales, los maníes y el pescado.

El resveratrol se extrae principalmente de las uvas. Muchos investigadores creen que inhibe la inflamación, convirtiéndose en un arma contra la AR, las cardiopatías y el cáncer.

Aceite de semilla de calabaza. Puede obtener beneficios simultáneamente de los poderes de los antioxidantes y de los ácidos grasos cuando cocina con aceite de semillas de calabaza. Este aceite poco común, a veces llamado "oro verde," contiene ácidos grasos omega 3 además de selenio, vitamina E, betacaroteno y otros antioxidantes denominados polifenoles. Al combinar todos estos ingredientes, se obtiene un potente remedio antiinflamatorio. Puede cocinar con este aceite o utilizarlo para preparar el aderezo para su ensalada preferida. Los cocineros valoran el "oro verde" debido a su inigualable sabor a nueces. Si no puede encontrar fácilmente este aceite en la tienda de comestibles, puede pedirlo por correo. (Consulte el capítulo sobre *Calabaza* para obtener más información.)

Jengibre y cúrcuma. Alivie la inflamación y el dolor de su próxima recaída con una tetera de té de jengibre o un plato colmado de curry. Tanto la cúrcuma, la principal especia utilizada en el curry, como el

> ### Ser o no ser vegetariano
>
> Seguir una dieta vegetariana puede ser la clave para una vida sin sufrir AR. Según un estudio europeo, la reducción de carnes en la dieta parece incentivar un equilibrio de bacterias en el sistema digestivo. Eso significa que la sangre absorbe a través de la pared intestinal una menor cantidad de bacterias nocivas. Algunos expertos consideran que sin estas bacterias nocivas, los glóbulos blancos quizás no comiencen el proceso de la AR.
>
> Por otro lado, las dietas vegetarianas estrictas también pueden provocar deficiencias nutricionales. Asegúrese de consultar a su médico antes de convertirse en vegetariano.

Una advertencia

Muchas de las personas que padecen AR señalan a las alergias a los alimentos como responsables de la artritis. Los mayores culpables parecen ser los tomates, las carnes rojas, los cítricos, las legumbres y el café. Sin embargo, no existe aún evidencia científica que pueda demostrar la conexión. Reducir el consumo de un alimento sospechoso de la dieta no hará daño, pero se recomienda consultar al médico antes de realizar cualquier cambio drástico en los alimentos.

---

jengibre contienen curcumina, un antioxidante con poderes que combaten el dolor. En estudios de laboratorio, la curcumina pareció ser tan potente como los AINES, por ejemplo, como el ibuprofeno. Es más, la Fundación para la Artritis menciona a la cúrcuma y al jengibre como terapias alternativas para la AR.

Agua. Aliviar las articulaciones inflamadas puede ser tan simple como beber seis vasos de agua de 8 onzas por día. El agua lubrica y amortigua las articulaciones. Pero evite las bebidas con azúcar. Pueden producir un aumento de peso, lo que puede empeorar la artritis.

Beneficios

Protege el corazón

Lucha contra la diabetes

Ayuda a evitar las apoplejías

Vence los cálculos de riñón

Combate el cáncer

Arroz

• • • • • • • • • •

Usted lo considera sólo una guarnición. Pero para la mitad de los habitantes del planeta, el arroz es el plato principal.

Originario de Asia, los historiadores dan cuenta de que los granjeros cultivaban arroz en China hace más de 6.000 años. Cuando los exploradores occidentales finalmente visitaron el Lejano Oriente, trajeron de regreso este interesante y pequeño grano. Ahora existen arrozales en todos los continentes, excepto en la Antártida.

El arroz viene en realidad en tres variedades básicas — corto, largo y basmati. El arroz de grano corto es pegajoso cuando se cocina y se cultiva principalmente en Asia. El de grano más largo es originario de la

India pero es el tipo más consumido en el mundo. El basmati, proveniente de las llanuras del norte de la India, es extra largo y más difícil de cultivar. No se deje engañar por el arroz salvaje, a pesar de — que no es realmente un arroz, es de la familia de la avena.

Todos los arroces son marrones en un principio. Pero la molienda, o refinado, quita la vaina externa y el salvado con casi toda la fibra y los nutrientes, inclusive una importante vitamina B, la tiamina. Si usted no consume una cantidad suficiente de tiamina, puede desarrollar una enfermedad grave llamada beriberi. Esta enfermedad puede producir la pérdida de tono muscular, daños nerviosos o al corazón — e incluso la muerte. La mayoría de los países modernos enriquecen el arroz refinado con tiamina, lo cual hace que el beriberi sea casi insólito.

Pero por qué no comer arroz de la manera en que la naturaleza lo presenta — integral, natural y rico en fibras. Alice H. Lichtenstein, Doctora en Ciencias, profesora de nutrición en la Universidad Tufts de Boston, sugiere renunciar a los alimentos refinados y optar por granos integrales y más saludables como el arroz integral. "Aumentar el consumo de fibra alimenticia," explica, "es sólo un componente más de un régimen alimenticio saludable que puede ayudar a reducir el riesgo de sufrir cardiopatías y otras enfermedades como el cáncer y la diabetes."

Cuatro maneras en que el arroz lo mantiene sano

Impide las cardiopatías. Los alimentos refinados son como los libros con hojas arrancadas — no se puede obtener mucho de ellos. Pero seguimos insistiendo en procesar y refinar los alimentos quitando la mayoría de los nutrientes. Si usted busca protección adicional contra problemas graves de salud como las cardiopatías, agregue granos integrales y sin refinar a su dieta.

Un estudio de más de 75.000 enfermeras durante 10 años demostró que los granos integrales incluido el salvado de cereal pueden protegerlo contra las cardiopatías. Las enfermeras que ingerían alimentos tales como el pan de harina integral y el arroz integral estaban menos propensas a desarrollar cardiopatías que aquellas que consumían principalmente alimentos refinados como el pan blanco y el arroz blanco.

Protege contra la diabetes. Los granos integrales ricos en fibra y magnesio son una protección adicional contra la diabetes del adulto (tipo 2), especialmente para las mujeres mayores. Con la diabetes, el cuerpo se vuelve cada vez menos sensible a la insulina y el azúcar en la sangre sigue en aumento. Incluso la Asociación Estadounidense del Corazón recomienda consumir más fibra — 25 gramos por día — según un estudio que demuestra que los alimentos ricos en fibras pueden mejorar el control de azúcar en sangre.

Convierta al arroz integral en parte de este plan de tres porciones diarias para reducir el riesgo de desarrollar diabetes. Sin embargo, es mejor consumir seis porciones de alimentos con granos integrales por día.

Elude las apoplejías. Mueren más mujeres que hombres a causa de las apoplejías. Y muchos de los que sobreviven a las apoplejías terminan con una discapacidad permanente. No permita que esto le suceda. Coma tan sólo un poco más de una porción de granos integrales por todos los días y podrá reducir el riesgo de sufrir una apoplejía entre un 30 y un 40%. (Si nunca ha sido fumador, su riesgo es aún menor.) Esto equivale a una taza de arroz integral cocido — lo suficientemente simple como para incorporarlo al menú del almuerzo o de la cena.

Bloquea los cálculos de riñón. Los cálculos de riñón son acumulaciones duras semejantes a piedras que se forman a causa del exceso de calcio en la sangre. Si alguna vez tuvo uno, sabe lo extremadamente dolorosos que pueden ser. Pero una solución indolora es tan simple como agregar salvado de arroz a la dieta.

En un estudio japonés de nuevos cálculos de riñón, menos de dos cucharadas de arroz integral con el desayuno y la cena sirvieron para proteger al 60% de las personas. Y el grupo, en su conjunto, presentó menos formación de cálculos que antes del estudio.

Los médicos consideran que el salvado de arroz reduce la cantidad de calcio que el cuerpo absorbe a través de los intestinos. Puede comprarlo en la mayoría de las tiendas de alimentos naturales e incluso en algunos supermercados.

Indicadores en la despensa

Si está acostumbrado al arroz instantáneo, que tan sólo lleva cinco minutos desde la cocina a la mesa, deberá realizar algunos cambios con el arroz integral de grano largo. Se cocina en aproximadamente 25 minutos y el de grano corto lleva más de media hora de cocción. Pero la espera vale la pena.

Para prepararlo, comience con dos tazas de agua hirviendo. Agregue una taza de arroz, tape y deje hervir a fuego lento. En lugar de una guarnición desabrida a la cual debe cubrir con manteca, servirá un grano fácil de masticar y con gusto a nuez que torna interesante al plato además de agregarle nutrientes.

Vegetales de mar

• • • • • • • • • • •

Beneficios
Combate el cáncer
Colabora con el sistema inmunológico
Protege el corazón
Elimina la anemia
Protege contra los virus

Es probable que piense en algas únicamente cuando va a la playa, pero hace una eternidad que la gente alrededor del mundo come vegetales de mar. En la actualidad, son más populares que nunca como alimentos naturales.

En lugares tales como Islandia, África, Méjico y Japón, los vegetales de mar comparten el plato con papas, ensaladas y otras comidas de agua dulce. De hecho, puede encontrar una variedad de vegetales de mar justo delante de las narices. Revise la etiqueta de la pasta dental, la leche chocolatada, el helado o el budín. Probablemente contengan una fibra de algas llamada carragenano o tal vez agar. Estas sustancias espesan algunos productos y ayudan a que los ingredientes presentes en las mezclas — como el chocolate o la leche — permanezcan unidos.

Pero los vegetales de mar que puede agregar al menú se presentan en una variedad de formas, colores y tamaños. Y no sólo son un sabroso ingrediente en el sushi, las sopas o los bocadillos, también cuentan con muchos minerales tales como el selenio, el yodo, el magnesio, el calcio y el hierro. Además, no olvide el betacaroteno, los antioxidantes, la fibra y la proteína. Todos juntos, estos nutrientes convierten a los vegetales de mar en un arma contra el cáncer, las cardiopatías y determinadas deficiencias nutricionales.

Cuatro maneras en que los vegetales de mar lo mantienen sano

Combate el cáncer de mama. Stephen Cann, investigador asociado de la Universidad de British Columbia, recomienda a las mujeres que desean combatir el cáncer de mama con dieta: "Consuman distintos tipos de algas." Entre estas se encuentran el alga wakame, el alga kombu y el alga nori, la más común de los — vegetales de mar, que pueden combatir el cáncer gracias a que contienen yodo y selenio.

"Consideramos que es muy importante para las mamas," expresa Cann con respecto al yodo. Él cree que este mineral puede evitar e incluso reducir los tumores de mama al combinarse con determinados ácidos grasos y detener la multiplicación de las células cancerosas. Y sin el selenio, el yodo no puede cumplir su función correctamente.

Puede apreciar el poder de esta dinámica combinación en Japón, donde las personas consumen 5 gramos de vegetales de mar prácticamente todos los días. Cann señala que los japoneses tienen una de las expectativas de vida más altas y un índice muy bajo de cáncer de mama.

Para aprovechar la protección de las algas, busque hojas secas de wakame o kombu en la tienda local de alimentos naturales. El alga nori empleada para envolver el sushi contiene estos beneficios, sólo que un poco menos potentes.

Neutraliza las bacterias. Si está listo para atacar los resfríos, gripes y demás virus molestos, averigüe sobre los vegetales de mar. El consumo de wakame y kombu puede impulsar los linfocitos B de su cuerpo,

---

Consumir o no consumir suplementos

En los últimos años, los suplementos de vegetales de mar han causado furor. Las algas espirulina, clorela y verde azulada salvajes y las kelp se presentan en comprimidos y en polvos. Leerá afirmaciones que proclaman que estos productos pueden ayudarlo a perder peso, limpiar las toxinas, incrementar la energía y tratar enfermedades que van desde la diabetes hasta la hepatitis.

Sin embargo, muchos expertos en hierbas no están de acuerdo con esto ya que la mayoría de las afirmaciones no han sido comprobadas. Ciertos suplementos de algas realmente pueden causar más daños que otorgar beneficios. Por ejemplo, los que están hechos con algas verde azuladas salvajes pueden contener algas poco saludables sueltas. Su mejor elección es — consultar a su médico acerca de estos suplementos.

glóbulos blancos que van rápidamente hacia el lugar de la infección. Allí despiden anticuerpos que matan aquello que lo aqueja. A pesar de que la mayoría de las investigaciones provienen de estudios realizados en animales y tubos de ensayo, agregar una o dos cucharadas de vegetales de mar secos a su receta favorita no causará ningún daño.

Cura las cardiopatías. Los expertos afirman que las mujeres posmenopáusicas pueden protegerse de las enfermedades cardiovasculares — uno de los mayores riesgos para su salud — si comen vegetales de mar y otros alimentos ricos en fitoestrógenos. Estos químicos de la planta se asemejan a la verdadera hormona estrógeno, ya que reducen el colesterol, diluyen la sangre y, en general, evitan las cardiopatías. Pero a diferencia de la terapia de reemplazo hormonal (TRH), es posible que los fitoestrógenos no tengan efectos colaterales peligrosos. Si le interesa incorporar los fitoestrógenos al tratamiento para la menopausia, consulte a su médico.

Los vegetales de mar cuentan además con una cantidad de otros nutrientes que refuerzan la salud cardíaca de cualquier persona, entre ellos — el magnesio, el potasio, la fibra y el betacaroteno. El consumo de los mismos puede disminuir la presión arterial, mantener los radicales libres controlados y tratar el colesterol.

Protege contra la deficiencia de vitamina B12. Muchos vegetarianos no consumen la suficiente cantidad de vitamina B12. Sin consumir carne, la fuente principal de este nutriente, corre el riesgo de padecer anemia perniciosa, daños nerviosos e incluso pérdida de la memoria. Agregue nori a su dieta y jamás extrañará esa hamburguesa. Este ingrediente especial para sushi cuenta con gran cantidad de B12. Sólo dos o tres hojas (de 8 pulgadas cuadradas) brindan el aporte para todo un día.

Indicadores en la despensa

Al igual que sus familiares de tierra, los vegetales de mar son naturales y versátiles. Algunos son tan pequeños que no pueden verse, mientras que otros cubren amplias partes del océano. Por supuesto, antes de comenzar a consumirlos, deseará saber qué es exactamente lo que está comiendo. Estas son las cuatro variedades principales de vegetales de mar.

◆ **Algas pardas.** Suelen crecer en las aguas frías y profundas del océano. Entre los tipos comestibles se encuentran el wakame, el kombu y un tipo fibroso llamado espagueti de mar. También es posible encontrar otro tipo de — kelp — como suplemento en la tienda local de alimentos naturales.

◆ **Algas rojas.** Esta variedad es mayormente utilizada para cocinar. Un tipo de algas, el nori, es empleado para preparar sushi, la delicia japonesa. También encontrará algas rojas en muchos alimentos, entre ellos, las papas fritas como bocadillo, en determinadas zonas de Estados Unidos y de Canadá. Pruebe este consejo de cocina de Islandia — incorpore algas rojas al puré de papas.

◆ **Algas verdes.** Probablemente encuentre este tipo la próxima vez que camine por la playa. Pero, en el plato, esté atento a la lechuga de mar, el tipo que más se consume.

◆ **Algas verde azuladas.** A diferencia de las otras tres variedades, estas algas son microscópicas — demasiado pequeñas para poder verlas. Sin embargo, algunos tipos crecen juntos en grupos enormes. Encontrará espirulina y clorela en las tiendas de alimentos naturales, como pastillas o polvos.

Para agregar un poco de plantas submarinas a la dieta, visite la tienda local de alimentos naturales o el mercado asiático. Probablemente allí encontrará hojas secas de nori, algas rojas o cualquier otro vegetal de mar común. Estos pueden hacer que su próxima sopa o ensalada sean una experiencia totalmente diferente.

Una advertencia

A pesar de que los vegetales de mar pueden ser una delicia única, presentan algunas desventajas. La mayoría contiene mucho yodo y sodio. Si sigue una dieta baja en sal, aléjese de ellos. Y, según la Asociación Estadounidense de la Tiroides, las fuentes ricas en yodo, como los vegetales de mar, ponen a los adultos en peligro de desarrollar una disfuncióntiroidea. La clave es la moderación. Si ya está tomando medicamentos para la tiroides, no consuma vegetales de mar ya que el yodo puede interferir con los efectos de los medicamentos recetados.

"La otra complicación," señala Cann, "es el lugar donde se cosecha las algas." En algunas partes del mundo — como Europa — los océanos están más contaminados que en otras. En estas aguas, los vegetales de mar pueden captar químicos tóxicos como el cadmio, el plomo y el mercurio.

Sinusitis

• • • • • • • • • • • • • • •

¿Alguna vez tuvo un resfrío que no se curaba nunca? Es posible que su "resfrío" fuese, en realidad, una infección de los senos nasales.

Esta confusión es común. En un estudio realizado con estudiantes universitarios, el 87% de ellos creía tener resfrío, cuando en realidad tenían sinusitis. La infección de los senos generalmente provoca un resfrío, sin embargo, a veces es difícil determinar cuándo termina uno y comienza la otra.

Los senos nasales son cavidades llenas de aire ubicadas arriba, detrás y debajo de sus ojos. Los senos se conectan con el interior de su nariz mediante unos pasajes de aire muy estrechos. Actúan como filtros de aires y protegen los pulmones mediante la producción de mucosa que evita el paso de bacterias y contaminantes. Cuando tiene un resfrío, el recubrimiento de estas cavidades se inflama.

"Como resultado", dice el Dr. Robert S Ivker, autor del libro*Sinus Survival (Supervivencia de los senos),* "la mucosa que se produce en los senos nasalesno puede salir correctamente, entonces estas cavidades pasan a ser un lugar propicio para el desarrollo de las bacterias". Esto puede provocar una infección en los senos.

Usted se da cuenta de que tiene una infección en los senos porque tiene la nariz tapada y se siente cansado, tiene el rostro sensible e hinchado, y porque el dolor de cabeza y la presión se incrementan cuando se agacha. Otro síntoma de esta afección es la mucosidad espesa y de color amarillo verdoso. En un resfrío común, la mucosidad es, generalmente, cristalina.

El Dr. Ivker ha tratado a personas con problemas de sinusitis durante más de treinta años. Desde entonces, ha visto que la sinusitisha llegado a ser una epidemia y dice que esto se debe a la contaminación del aire.

Respirar el humo o las emisiones de gases puede provocar sinusitis, aun si sus senos nasales están sanos. Pero, si sus membranas ya están debilitadas por la contaminación, es más propenso a contraer infecciones Ivker cree que esta irritación crónica de los pasajes nasales puede provocar alergias, causa principal de la sinusitis.

Otra de las principales causas de los problemas de sinusitis son los hongos. Hace poco, los investigadores de la Clínica Mayo descubrieron que el 96% de las personas del estudio realizado que tenían sinusitis crónica presentaban uno o más tipos de moho u hongos en la mucosa.

Sin embargo, Ivker duda en afirmar que los organismos fúngicos sean los culpables. Dice que es normal tener — cándida u hongos y bacterias — en la nariz, en los senos nasales y en la garganta. "Por lo general, todos ellos coexisten en un equilibrio armonioso", agrega.

La causa del problema, cree Ivker, es el consumo de muchos antibióticos que pueden destruir la bacteria buena, lo que ayuda a dejar el camino libre para que el hongo crezca excesivamente.

"El cuerpo reacciona ante este desequilibrio", dice Ivker, "y envía glóbulos blancos a la nariz y a los senos nasales para que combatan el problema. Esto tiene como resultado la inflamación e hinchazón de las membranas mucosas y la sinusitis".

De todas maneras, Ivker piensa que la dieta correcta puede ayudar a curar sus senos nasales porque con ella protegerá y curará sus membranas mucosas, fortalecerá el sistema inmunológico y reducirá el crecimiento de la cándida. En su sitio web, <www. sinussurvival.com>, aconseja otras formas de combatir la sinusitis.

Nuevos descubrimientos nutricionales que combaten la sinusitis

Vitaminas y minerales. Ivker recomienda las frutas y verduras coloridas — tales como los damascos, cantalupos, fresas, pimientos rojos y verdes, col, perejil, y brócoli. Contienen mucha vitamina C que, según Ivker, sirve para evitar resfríos, alergias e infeccionesen los senos.

También necesita vitamina Apara mantener las membranas mucosas saludables. Si come zanahorias, batatas, mangos y calabaza de invierno obtendrá gran cantidad de betacaroteno, que su cuerpo convierte en vitamina A.

El zinc, que se encuentra en el bistec de hígado, en la carne negra del pavo y en las alubias negras, ayuda a convertir el betacaroteno en vitamina A. También ayuda a fortalecer sus defensas y a reducir el riesgo de sufrir infecciones respiratorias que pueden provocar resfríos.

Ivker también recomienda consumir vitamina E para prevenir alergias y sinusitis. Además, agrega que su poder se duplica cuando se la consume combinada con el selenio. Los granos integrales que crecen en los ricos suelos de los Estados Unidos y Canadá poseen ambos nutrientes.

Agua. Si mantiene la humedad de sus membranas mucosas, aumentará la resistencia a las infecciones y la secreción de sus senos nasalesserá más fácil. Por lo tanto, beba gran cantidad de agua, más de los 6 vasos de 8 onzas que se recomienda tomar a diario. Para aquellos adultos que no sean muy activos, Ivker les recomienda beber media onza de agua por cada libra de peso corporal. Si realiza demasiada actividad física, incremente la cantidad a dos tercios de onza por cada libra.

Por ejemplo, si pesa 130 libras necesita beber entre 8 y 13 vasos de agua de 8 onzas por día. Puede beber menos si come muchas frutas y verduras frescas.

Como otras alternativas, Ivker recomienda consumir té de hierbas, jugos de frutas naturales diluidos en un 50% de agua o caldos. Elija los productos bajos en sodio y sin azúcar.

Evite el café, el té común y las bebidas colas. "La cafeína es un diurético que puede contribuir a la deshidratación y al aumento de la producciónde mucosa", dice Ivker.

Una advertencia

Puede creer que la leche, los dulces y las bebidas alcohólicas son alimentos reconfortantes, pero si desea combatir la sinusitis, puede que estos productos estén contribuyendo a su malestar.

"El cambio que más recomiendo", dice el Dr. Robert Ivker, experto en senos nasales, "es evitar la leche y los productos lácteos. La proteína de la leche tiende a incrementar y a espesar la secreción mucosa".

Espinaca

La espinacaes uno de los secretos mejor guardados en el sector de los productos de granja. Posee muchos nutrientes, incluso muchas fuentes de antioxidantes. Es rico en carotenoides y es una buena fuente de hierro, magnesio, manganeso, folato y vitaminas A, C y K. Además, es el sueño de los que hacen dieta.

Pero no haga como Popeye y recurra a la espinaca cuando no tenga más opciones. Incluya esta excelente verdura en su menú diario y, así podrá obtener mejores beneficios para la salud.

Cuatro maneras en que la espinaca lo mantiene sano

Conserva su visión. Las causas más comunes de la pérdida de visión en la tercera edad son la degeneración macular y las cataratas, la primera afecta la retina y la segunda las lentes. La espinaca puede ayudarlo a prevenir estas dos enfermedades que conducen a la ceguera.

Laretina es altamente rica en carotenoides luteína y zeaxantina. Los expertos creen que estos antioxidantes protegen los ojos del daño causado por la luz y, además, fortalecen los vasos sanguíneos de la retina. Aumentar la cantidad de luteína y zeaxantina en su cuerpo ayuda a mantener su retina fuerte y en buenas condiciones — para combatir el daño que podría causar la degeneración macular. De hecho, las investigaciones demostraron que las personas que consumieron mayor cantidad de carotenoides disminuyeron en un 43% el riesgo de desarrollar degeneración macular relacionada con la edad. La espinaca y las hojas de berza, ambas con grandes cantidades de luteína y zeaxantina, son los alimentos que más ayudan con esta protección.

El daño provocado por los radicales libres también puede causar cataratas, es decir, las lentes se vuelven turbias. Pero, una vez más, la luteína y la zeaxantina pueden ayudar. Un estudio realizado durante 10 años en más de 36.000 personas demostró que aquellos que consumían más espinacas estaban protegidos.

La mejor defensa para la visión es consumir hojas verdes al menos dos veces por semana — si es posible más veces. Además, si desea obtener lo mejor de la luteína, haga lo que los cocineros del sur han estado haciendo por años — agréguele un poco de grasa. Si bien demasiada grasa es perjudicial para la salud, una pequeña cantidad de grasa aumentará notablemente la cantidad de luteína que su cuerpo puede absorber.

Fortalece los huesos. Sólo media taza de espinaca crudapor día lo ayudará a superar ese límite. Si desea mantener sus huesos fuertes y reducir el riesgo de sufrir fracturas de cadera, incorpore más vitamina K en su dieta. Consumir espinaca es una excelente forma de hacerlo.

Sólo tenga cuidado si empieza a consumir verduras de hojas verdes y está tomando el medicamento anticoagulante warfarina. Es posible que su médico le haya recetado este medicamento para evitar que la sangre se coagule si tiene posibilidades de sufrir una apoplejía o si padece ciertos problemas cardíacos. Demasiada vitamina Kpuede afectar seriamente la forma en que funciona la warfarina. Consuma espinaca y otras hojas verdes con moderación y consulte a su médico sobre cualquier cambio importante en su dieta.

> ### La espinaca sabe mejor con el paso del tiempo
>
> **Los vinos finos tienen mejor sabor a medida que envejecen, pero la espinaca sabe mejor a medida que usted envejece.**
>
> **Si cuando era chico pensaba que la espinaca no era buena para usted, déle otra oportunidad. Los nutricionistas han descubierto que mientras más viejo es, más disfruta del amargo sabor de las verduras como la espinaca y el brócoli. Y si necesita más buenas noticias, también es posible que desee comer menos dulces.**

Detenga las cardiopatías. Si presenta elevados niveles en sangre de una sustancia llamada homocisteína usted es más propenso a desarrollar cardiopatías. Por suerte, el folato y la vitamina B pueden ayudarlo a bajar los niveles de homocisteína que dañan el corazón. Los estudios indican que los suplementos y los cereales fortificados con folato funcionan, pero si prefiere fuentes más naturales, la espinaca y

Una advertencia

La espinaca puede ser un alimento espectacular, pero no es perfecto. La espinaca contiene ácido oxálico, que le da ese sabor ligeramente amargo que fascina a algunas personas y que produce rechazo a otras. Además de eso, el ácido oxálico bloquea la absorción de potasio — su cuerpo sólo puede utilizar el 5% del calcio presente en la espinaca. Debería consumir 8 tazas de espinaca por día para igualar la cantidad de calcio que tiene una taza de leche. Por eso, debe comer espinaca por sus otras cualidades nutricionales; pero, cuando se trata de calcio, búsquelo en la góndola de lácteos.

otras verduras de hojas verdes son una buena opción. Cuando se trata del folato, es mejor consumirlo crudo, ya que la cocción y el procesamiento tienden a eliminar este importante nutriente de los alimentos.

Detenga elcáncer. Todo el mundo lo sabe. Consuma frutas y verduras y reducirá el riesgo de cáncer. Por lo general, la espinacaes una excelente guarnición para combatir todo tipo de cáncer, pero los expertos creen que es especialmente beneficiosa contra los siguientes problemas:

◆ **Cáncer de colon.** La espinacaofrece un golpe doble contra el cáncer de colon mediante la luteína, un antioxidante, y el folato, que es una vitamina B. La gente que consume gran cantidad de estos nutrientes es menos propensa a desarrollar cáncer de colon.

◆ **Cáncer de estómago.** Corea tiene un alto índice de cáncer de estómago, por lo que los investigadores realizaron estudios para ver si algunos de los alimentos o métodos de cocción propios de su país son los causantes del cáncer. Descubrieron que las carnes asadas y las comidas saladas aumentan el riesgo de desarrollar cáncer de estómago, mientras que consumir grandes cantidades de espinaca, tofu y repollo reduce el riesgo.

◆ **Cáncer de mama.** Incluya una ensalada de espinaca tres veces por semana y reducirá en un a la mitad el riesgo de sufrir cáncer de mama. Todas las frutas y verduras son beneficiosas, pero las zanahorias y la espinaca son las mejores.

Indicadores de despensa

Puede encontrar espinaca fresca todo el año. Busque aquellas de hojas rizadas y de color verde oscuro y evite las de hojas marchitas o con puntos amarillos.

Podrá conservar la espinacahasta por tres días si la coloca en un recipiente hermético en su refrigerador. De todos modos, antes de consumirla, lávela bien para quitar cualquier suciedad que pueda haber en ella. Hasta la espinaca en bolsa puede tener impureza en las hojas.

Por lo general, las verduras crudas son más nutritivas, pero en este caso, su cuerpo absorberá mejor el betacaroteno y el hierro si la espinaca está cocida. Para sacar el mejor provecho de las hojas verdes, incorpore a su dieta espinaca cruda y cocida.

Fresas

• • • • • • • • • • •

Beneficios

Combaten el cáncer

Protegen su corazón

Estimulan la memoria

Reducen el estrés

Protegen contra el mal de Alzheimer

Una fresa puede ser la baya perfecta. Al menos, eso es lo que la gente ha creído durante siglos. Los albañiles del medioevo tallaban la forma de este fruto en los altares y pilares de las iglesias como símbolo de la perfección y la virtud. La gente la consumía en los festivales con la esperanza de alcanzar un futuro tranquilo y feliz. Los recién casados celebraban con fresas y las reinas se bañaban en ellas.

Si las fresasno son el alimento perfecto, están cerca de serlo. Sólo una taza de bayas partidas por la mitad cubre la dosis diaria recomendada de vitamina C. Además, este delicioso bocadillo le aporta 3 gramos de fibra — casi lo mismo que aporta una manzana. Es más, las fresas tienen gran cantidad de folato y potasio.

Sólo estos nutrientes pueden encaminarlo a mejorar la salud de su corazón y prevenir el cáncer. Pero las fresastambién mejoran su bienestar con antioxidantes, ya que poseen más de estos nutrientes químicos que la mayoría de los otros alimentos, según el Centro de Investigación para la Nutrición Humana en el Envejecimiento del ARS del USDA — lo que las coloca entre las cinco frutas más ricas en antioxidante.

Con todos los ingredientes saludables que tienen, las fresas son, sin lugar a dudas, excelentes para usted.

Cuatro maneras en que las fresas lo mantienen sano

Gánele al cáncer. Según el Dr. Gary Stoner, presidente de la División de las Ciencias de la Salud Ambiental de la Universidad Estatal de Ohio, las investigaciones demuestran que las fresas actúan como antioxidantes y reducen el daño que causan los radicales libres.

"Reducen los niveles de daños genéticos (ADN) provocados por los agentes cancerígenos e inhiben el crecimiento del tumor", explicó Stoner. En otras palabras — las fresas son excelentes en la lucha contra el cáncer.

Mucho de este poder se lo deben al ácido elágico, un químico natural presente sólo en algunas frutas. Pero eso no es todo. Stoner agrega: "Las bayas contienen muchas sustancias potencialmente protectoras, por ejemplo, vitaminas C y E, ácido fólico, y otros fenoles (aparte del ácido elágico), diferentes carotenoides y antocianinas" Todas estas sustancias trabajan en forma conjunta, cree, para cortar el cáncer de raíz.

Cura su corazón. Los mismos antioxidantes que combaten el cáncer, según los descubrimientos de Stoner, hacen que las fresas reduzcan las cardiopatías. "Las bayas reducen los niveles de colesterol en sangre en un 10%, aproximadamente", dice Stoner, "por lo que pueden tener algún efecto protector contra las enfermedades cardiovasculares".

A pesar de que esta conexión venga de estudios realizados en animales, incluir un puñado de fresas en los cereales de su desayuno hará más que sólo animar su mañana — reanimará su corazón también.

Mejore su memoria. Un bol de fresas es el mejor secreto para tener una mente más lúcida. Según una investigación realizada en la Universidad de Tufts, los antioxidantes de las fresas pueden prevenir y hasta revertir problemas, como la pérdida de memoria, el mal de Alzheimer y Parkinson — todas enfermedades en las que el culpable es el daño provocado por los radicales libres.

Alivie el estrés. ¿Se siente ansioso? Coma una fresa y su cerebro producirá más dopamina. Este químico del cerebro es un ingrediente de la norepinefrina, que controla cómo sobrelleva el estrés. Estos descubrimientos se realizaron sólo en animales, pero agregar fresas a su menú antes de una gran reunión en el trabajo o ante una situación estresante no le hará mal alguno.

Indicadores de despensa

Ya sea que compre las fresas en la verdulería o en el supermercado, existen unos simples consejos que pueden ayudarlo a elegir las mejores. Recuerde que el tamaño no importa. Sólo busque las bayas gordas, con la piel roja y brillante y con hojas verdes. Deseche aquellas que estén blandas o descoloridas. Si compra las que vienen en caja, controle el fondo del recipiente. Si está manchado o húmedo, es posible que las fresas del fondo estén podridas o aplastadas.

Al llegar a su hogar, saque las fresas del recipiente y busque las que están demasiado maduras. Y cómalas inmediatamente — no es para nada difícil. Mantenga el resto de las fresas en el refrigerador en un recipiente cerrado o envueltas en servilletas de papel. No las guarde por mucho tiempo porque sólo duran cerca de una semana.

Una advertencia

El título era aterrador — "Fresas congeladas provocan hepatitis en alumnos". Esto no es sólo exageración periodística. Es real. Los productos importados pueden transportar bacterias nocivas, en especial porque las leyes sobre la seguridad alimentaria varían de un país a otro. Pero existen formas simples en las que usted se puede defender.

Si es posible, compre las fresas de una granja cercana y pregunte sobre los métodos de fertilización y de procesamiento. Lávese siempre las manos con agua caliente y jabón antes de manipular cualquier alimento. Después, lave las bayas con abundante agua corriente y utilice un cepillo para verduras para eliminar cualquier suciedad o insecto.

Apoplejía

• • • • • • • • • • • • • • •

A cada minuto, alguien tiene una apoplejía.

Esto significa que un vaso sanguíneo se bloquea (apoplejía isquémica) o estalla (apoplejía hemorrágica), impidiendo que la sangre fluya hacia una parte de su cerebro. Sin oxígeno en la sangre, las células cerebrales mueren — y nunca se recuperan. Según el área del cerebro afectada, alguna parte de su cuerpo puede quedar paralizada, puede perder la sensibilidad, el equilibrio, el control de la vejiga o la visión, o puede presentar problemas para tragar, hablar o recordar. Eso, si sobrevive. La apoplejía es la tercera causa de muerte en los países desarrollados, después de las cardiopatías y del cáncer.

Debido a los graves daños que provoca, se la suele llamar por un nombre que impacta más — ataque cerebral. Si siente un entumecimiento o debilitamiento repentino de un lado de su cuerpo, si tiene dificultades para hablar, comprender, ver, caminar, mantener el equilibrio o si tiene dolores de cabeza repentinos, solicite ayuda de emergencia.

El Dr. Vladimir C. Hachinski, neurólogo canadiense que introdujo el término "ataque cerebral", cree que sólo tendrá posibilidades de limitar el daño si responde a una apoplejía tan rápido como lo hace con una cardiopatía.

Las personas mayores deben tener mucho más cuidado. Dos tercios de las víctimas de apoplejías son mayores de 65 años. De hecho, el riesgo de sufrir una apoplejía se duplica después de los 55 años. Otros factores de riesgo son la presión arterial alta, el colesterol alto, el cigarrillo, la diabetes, la obesidad y los ataques isquémicos transitorios (AIT). Los AIT, generalmente denominados "mini apoplejías", ocurren cuando hay una interrupción temporal en la circulación de la sangre en el cerebro. A pesar de que un AIT no causa daños permanentes, usted queda 10 veces más propenso a sufrir una apoplejía después.

Para combatir la apoplejía hace falta algo más que solicitar ayuda de emergencia rápido. También debe controlar lo que come. Reduzca la cantidad de sal y grasas que consume; incluya frutas, verduras y fibras para reducir el riesgo de sufrir una apoplejía. Agregue a su dieta alimentos que contengan estos nutrientes y combata la apoplejía.

Nuevos descubrimientos nutricionales que combaten la apoplejía

Fibra. La acumulación de colesterol puede bloquear los vasos sanguíneos y causar una apoplejía isquémica. Casi el 80% de las apoplejías entran en esta categoría. La presión arterial alta aumenta el riesgo de sufrir una apoplejía hemorrágica — si estalla un vaso sanguíneo del cerebro o cercano a éste. La fibra reduce la presión arterial y el colesterol, y además el riesgo de sufrir los dos tipos de apoplejías.

Un estudio demostró que los hombres que consumían 29 gramos de fibra por día — aproximadamente tres tazas de cereales Grape Nuts — tenían un 43% menos de posibilidades de sufrir una apoplejía, en comparación con aquellos que sólo consumían la mitad de esa cantidad. La fibra del cereal, el tipo de fibra presente en la avena, la cebada, el trigo y el salvado, es la que brinda mayor protección. Los granos y copos integrales, las frutas, las verduras de hoja, los frutos secos y las ciruelas son todas fuentes ricas en fibras.

Las hierbas y las especias son dos veces mejores

El ajo y el jengibre son dos maneras sabrosas de realzar una comida y, además, levantan sus defensas contra una apoplejía.

Una sustancia presente en el ajo, la ajiína, evita que las plaquetas se amontonen, lo que reduce el riesgo de coágulos. El ajo también reduce el colesterol y la presión sanguínea, dos factores importantes para tener una apoplejía.

El jengibre, gracias a los fitoquímicos naturales denominados gingerol y shogaol, también previene los coágulos sanguíneos. Incluya jengibre fresco y seco en la comida de todos los días y hágale un favor a su salud.

Potasio. Si tiene problemas de presión arterial alta, probablemente debe estar buscando formas de incluir más potasio en su dieta. No se rinda, el potasio también lo protege contra los ataques cerebrales.

Por ejemplo, si la única cantidad de potasio que consume a diario proviene de un cantalupo y banana medianos (un total de 2 gramos). Si duplica esa cantidad, podría reducir en un 41% las posibilidades de sufrir una apoplejía. Consumir grandes cantidades de cantalupo, una taza de ciruelas y una banana por día le aporta más de los 4 gramos que necesita.

Los cereales, las arvejas y alubias, los damascos secos, los higos secos, las naranjas y los duraznos también aportan potasio.

Magnesio Otro mineral que lo ayuda a controlar la presión arterial es el magnesio y puede ser muy valioso si lo agrega a su dieta contra la apoplejía. De hecho, asegúrese de consumir más de 450 miligramos (mg) de este mineral por día para así poder reducir en un tercio el riesgo de sufrir una apoplejía. Todo lo que necesita es una papa al horno con cáscara, dos tazas de cereal instantáneo con germen de trigo y un aguacate.

Las arvejas de cabecita negra, las almendras, la espinaca, el brócoli, la calabaza, la avena, las ostras al vapor, las semillas de girasol y las alubias pintas también tienen magnesio.

Antioxidantes. Una dieta rica en frutas y verduras le aporta muchos antioxidantes. Estos compuestos naturales evitan que los radicales libres oxiden la lipoproteína de baja densidad (LDL) o colesterol "malo". Es decir, el colesterol LDL tiene menos posibilidades de adherirse a las paredes arteriales y formar placas. Sin las placas, que pueden bloquear las arterias o liberarse como coágulos que se desplazan

---

Alcohol + moderación = Menos riego de sufrir una apoplejía

Un trago por día puede evitar una apoplejía. Pero demasiado puede ser mortal.

Un estudio realizado por el Colegio de médicos y cirujanos de la Universidad de Columbia demostró que las personas que bebían hasta dos tragos de alcohol por día redujeron a la mitad el riesgo de sufrir una apoplejía. Sin embargo, beber más de eso puede duplicar — y hasta triplicar — el riesgo. Hubo resultados similares en un estudio realizado en mujeres en Baltimore, Washington D.C.. Dos vasos de vino por días reducen el riesgo de una apoplejía en un 60%.

No consuma alcohol sólo para protegerse de una apoplejía; pero, si ya consume, recuerde decir "basta".

hacia el cerebro, usted es menos propenso a sufrir una apoplejía. Los siguientes nutrientes actúan como antioxidantes en su cuerpo.

◆ Los flavonoides, presentes en gran variedad de frutas y verduras, evitan que las partículas de LDL se oxiden y que las plaquetas se acumulen formando coágulos. Un estudio holandés de 15 años de duración descubrió que aquellos hombres que incluían flavonoides en la dieta — especialmente los flavonoides del té negro — tenían un 73% menos de probabilidades de sufrir una apoplejía que aquellos que consumían pocos flavonoides.

◆ El betacaroteno también es efectivo contra la apoplejía. Se lo encuentra en las frutas y verduras de colores brillantes. Coma una zanahoria por día, en especial si fuma para así disminuir el riesgo de sufrir una apoplejía.

◆ La vitamina C cuenta con el apoyo de prolongados estudios clínicos. Por ejemplo, un estudio británico demostró que las personas que consumen al menos 45 mg de vitamina C todos los días tienen un 60% menos de posibilidades de morir como consecuencia de una apoplejía que aquellos que consumen la mitad de esa cantidad. Una taza de jugo de tomate, media taza de repollitos de Bruselas o medio pomelo le aportan los nutrientes necesarios para marcar esa diferencia.

◆ Debido a que puede frenar la oxidación del LDL, la vitamina E también reduce el riesgo de sufrir una apoplejía. Los aguacates, los frutos secos, las semillas y el germen de trigo son excelentes fuentes de vitamina E.

Grasas no saturadas. Si bien eliminar la grasa de su dieta ayuda a prevenir apoplejías, existen ciertas grasas que actúan como protectoras. Los ácidos grasos omega 3, que se encuentran en los peces de agua fría como el atún, la caballa y el salmón, y las grasas monoinsaturadas, como las que se encuentran en el aceite de oliva, le dan a la apoplejía una oportunidad "gorda".

Los investigadores de los Países Bajos descubrieron que los hombres que consumían sólo 20 gramos (menos de una onza) de pescado por día tenían la mitad de posibilidades de tener una apoplejíaque aquellos que consumían menos. Puede obtener lo mejor del pescado con una porción de salmón por semana.

El aceite de oliva, que reduce el colesterol y la presión arterial, también ayuda a prevenir coágulos. Cocine principalmente con aceite de oliva, y así logrará proteger su corazón y su cerebro.

Folato. Este miembro de la familia de la vitamina B combate una peligrosa sustancia llamada homocisteína, conocida por estimular la formación de coágulos sanguíneos y endurecer las arterias. Si no ingiere la suficiente cantidad de folato, puede tener demasiada homocisteína y, por lo tanto, mayores riesgos de sufrir una cardiopatía o apoplejía.

Póngale freno a este villano, apodado "el colesterol de los '90": para ello, consuma alimentos ricos en folato, tales como las verduras de hojas verdes y las legumbres.

Beneficios
Salva su vista
Combate el cáncer
Protege su corazón
Fortalece los huesos
Levanta el ánimo
Estimula el sistema inmunológico

Batatas

• • • • • • • • • • • • • •

Las batatas son naturalmente deliciosas gracias a su alto contenido de azúcar. Una batata mediana tiene algo más que 100 calorías, casi nada grasa, y absolutamente nada de colesterol. En vez de eso, tiene muchas vitaminas, minerales y fibra.

Con todos los nutrientes, este colorido tubérculo es más que una sabrosa guarnición. Una batata le aporta lo necesario para levantar el ánimo, prevenir el cáncer, curar cardiopatías y mejorar los trastornos oculares.

Cinco maneras en que las batatas lo mantienen sano

Impacto poderoso contra el cáncer. Tres de los mejores combatientes del cáncer en el mundo de los nutrientes, entre ellos — el folato, la vitamina C y el betacaroteno (que se convierte en vitamina A)

— se encuentran en las batatas. Una batata le aporta casi tres veces más de la cantidad diaria recomendada de vitamina A y casi la mitad de la cantidad recomendada de vitamina C. Mucho para prevenir el cáncer en una sola batata.

Y no se olvide del folato. Necesita al menos 400 microgramos (mcg) de vitamina B por día y la batata aporta más de 25 mcg. Su cuerpo necesita folato para producir y reparar el ADN, y si no consume la cantidad suficiente, los expertos creen el riesgo de ciertos tipos de cáncer aumenta.

Evite las cardiopatías. Si desea tener un corazón saludable. disfrute una batata asada y caliente. En el interior de esa delicia hay potasio, betacaroteno, folato y vitaminas C y B6 — cinco elementos claves para reducir la presión arterial y mantener las arterias limpias. Aparte de todos esos nutrientes, la batata aporta más de 3 gramos de fibra. Al incluir frutas y verduras ricas en fibra en su dieta diaria, puede protegerse de las cardiopatías crónicas.

Controle las cataratas. El color naranja de la batata es signo de que tiene mucho betacaroteno, que su cuerpo transforma en vitamina A. Esta vitamina es muy importante para la salud de sus ojos.

"La vitamina A es un antioxidante", explica el Dr. Richard G. Cumming, investigador y director del estudio Blue Mountain Eye en Sydney, Australia. "Nuestro estudio avala la idea de que las vitaminas antioxidantes pueden ayudar a prevenir las cataratas. Sin embargo, otros nutrientes también son importantes". Una buena manera de mantener sus ojos saludables, dice Cummings, es seguir una dieta equilibrada. La batata es un excelente alimento para incluir en la dieta porque es rica en betacaroteno y en otros importantes nutrientes.

Juegue un mano a mano contra la osteoporosis. Nunca es tarde para luchar contra la osteoporosis. Para prevenir o evitar que la enfermedad avance, siga una dieta que incluya estos cinco elementos — potasio, magnesio, fibra, vitamina C y betacaroteno. A diferencia de otros alimentos, la batata contiene los cinco nutrientes y todos, excepto el magnesio en grandes cantidades.

Para fortalecer los huesos aún más, ponga una rodaja de su queso favorito reducido en grasa y un poco de perejil picado encima de una batata asada. El queso aportará calcio, lo mejor para combatir la osteoporosis. El perejil reemplazará la vitamina C en la cocción.

Suavice su humor. Coma una batata como bocadillo y levantará su estado de ánimo. Los expertos dicen que los alimentos ricos en vitamina B6 son esenciales para vencer la melancolía. Su cuerpo necesita nutrientes para equilibrar los químicos del cerebro que controlan su estado de ánimo. Si es vegetariano, las batatas y otras fuentes vegetales ricas en vitamina B6, como las alubias blancas, la espinaca y las bananas — son especialmente importantes. La mayoría de las personas consume vitamina B6 al comer pollo, hígado u otras carnes.

Indicadores de despensa

Algunas personas le dicen "camote" a las batatas, pero en realidad son dos verduras distintas. El camote pertenece a la familia de las plantas liliáceas y se encuentra principalmente en América Latina y el Caribe. La batata que usted conoce viene de la raíz de la correhuela.

Pero más importante que el nombre es el color — amarillo claro o naranja fuerte. Aquellas con la piel más oscura, según los expertos en batatas, tienen el interior de un color naranja intenso y son más suaves y dulces que las otras de piel más clara.

Compre las dos variedades y vea la diferencia usted mismo. Sólo asegúrese de elegir batatas duras y sin marcas en la cáscara. Cuando llegue a su casa, puede dejarlas al aire libre hasta por 10 días. Si desea que duren más tiempo, guárdelas en un lugar fresco y oscuro.

Enfermedad de tiroides

• • • • • • • • • • • • • • • • • •

Si se siente cansado y deprimido y le cuesta dormir o disfrutar de la comida, la edad no es la culpable — puede ser que tenga algún problema con la tiroides. Es difícil creer que la enfermedad de la tiroides afecta a millones de personas y éstas ni siquiera saben dónde está o qué función tiene la tiroides. Aunque algunos desórdenes de la tiroides se pueden controlar, una dieta adecuada puede ayudarlo a usted y a su tiroides a estar seguros y sanos.

Ubicadas en la base del cuello y con la forma de una mariposa, la glándula tiroides ayuda al correcto funcionamiento del metabolismo de su cuerpo. Envía hormonas a los órganos más importantes — trabajo importante para su salud en general. Esto significa que cuando la tiroides no funciona correctamente, repercute en muchas partes de su cuerpo.

Si su tiroides produce más hormonas de las que debería, aumenta su metabolismo. Algunos de los síntomas que puede tener son: ansiedad, ojos saltones, convulsiones, pérdida de peso y taquicardia. Esta afección se llama hipertiroidismo.

Por otra parte, si su glándula no produce suficiente cantidad de hormonas, puede provocar depresión, pérdida de memoria, fatiga, colesterol alto, dolores musculares, pérdida de cabello, aumento de peso y estreñimiento Esto se denomina hipotiroidismo. Una dieta rica en fibra y baja en calorías ayuda a combatir algunos de estos síntomas

La señal de advertencia más obvia de que tiene un problema de tiroides es la inflamación de la glándula tiroides o bocio, que se manifiesta como un bulto en la garganta. La Asociación Americana de Endocrinólogos Clínicos (AACE) sugiere realizar una simple evaluación del bocio en su hogar. Tire la cabeza hacia atrás y mientras bebe un vaso de agua observe la parte anterior del cuello en el espejo. Esté atento al aumento en la zona justo arriba de su clavícula y debajo de la nuez de Adán. Comuníquele a su médico si nota algo diferente Un análisis de sangre le dirá con certeza si tiene una enfermedad de tiroides.

> **Si tiene colesterol alto puede ser que padezca una enfermedad de la tiroides**
>
> **Según el Programa Educativo Nacional del Colesterol (NCEP), el hipotiroidismo es una de las principales causas del colesterol alto.**
>
> **Si no controla su tiroides, es probable que no realice el tratamiento correcto para los problemas de colesterol.**

A pesar de que las personas mayores y las mujeres adultas se encuentran especialmente en riesgo — y que cerca del 20% de las mujeres mayores de 60 años sufren enfermedad de tiroides, puede afectar a cualquier persona. Por eso la Asociación Estadounidense de la Tiroides recomienda a todos los adultos mayores de 35 años que realicen una prueba de tiroides cada cinco años.

Nuevos descubrimientos nutricionales que combaten la enfermedad de tiroides

Yodo. Sin este mineral traza, la tiroides no puede producir hormonas. Nueva y alarmante información sobre el bocio afirma que la deficiencia de yodo está en aumento — y no sólo en países como África y Asia. Es cada vez más popular en los países desarrollados.

La relación de amor y odio con la sal es la causa principal de este problema. La mayoría de los países occidentales incorporan yodo a la sal para prevenir la deficiencia de yodo. Sin embargo, más y más personas están reduciendo el consumo de sal por razones de salud Reducir el consumo de sal es una buena idea. Sólo asegúrese de utilizar la sal enriquecida con yodo en sus comidas.

Si está realizando una dieta en la que no consume sal, incorpore el yodo de los alimentos integrales. Dentro de las buenas fuentes de yodo se encuentran los mariscos, los vegetales de mar, los productos lácteos reducidos en grasas y la espinaca.

No obstante, consuma estos alimentos con moderación, especialmente si utiliza sal. Demasiado yodo puede ser perjudicial, en especial para las personas sensibles al yodo. El exceso de yodo puede provocar hipotiroidismo, hipertiroidismo, bocio o incluso, puede inhibir la tiroides completamente.

Selenio. Si consume la cantidad correcta de yodo, pero no consume la cantidad suficiente de selenio, la tiroides puede tener problemas a la hora de producir hormonas. Los expertos recomiendan ingerir la cantidad correcta de selenio porque también protege a la tiroides de los radicales libres.

Por suerte, muchos alimentos ricos en yodo, tal como los mariscos y la leche, también son buenas fuentes de selenio. Además, para cuidar la tiroides consuma productos de harina integral y carne.

Vitamina A. La vitamina A es esencial para la salud de la tiroides ya que ayuda en la correcta absorción del yodo. La falta de vitamina A puede provocar bocio, aun cuando los niveles de yodo que tenga sean correctos. Consuma zanahorias o batatas, hígado, damascos, espinaca u otros alimentos ricos en betacaroteno que su cuerpo transforma en vitamina A.

Hierro. Si presenta bajos niveles de hierro, es posible que la tiroides no funcione como debería. La carne es una de las mejores fuentes de hierro, pero si es vegetariano o está controlando la ingesta de grasas, puede obtener el hierro de otros alimentos. Las verduras de hojas verdes, las legumbres y otros granos como la quinoa son algunas alternativas. Condimente estos alimentos con jugo de limón o beba un vaso de jugo de naranja con sus comidas. La vitamina C ayuda al cuerpo a digerir el hierro proveniente de las plantas. Además, necesita la vitamina C para producir tiroxina, hormona segregada por la tiroides.

Zinc. Los niveles de este mineral afectan el funcionamiento de la tiroides y la mejor manera de obtener el zinc es mediante el consumo de almejas. Si no le gustan los mariscos, coma carnes magras, alubias lima y granos integrales.

Vitamina E. Incluya aceite de girasol o de oliva para mejorar la salud de la tiroides. Estos aceites vegetales — y las semillas, el germen de trigo, algunos frutos secos y los aguacates — son excelentes fuentes de vitamina E.

Vitamina D. La deficiencia crónica de "la vitamina del sol" puede provocar hipertiroidismo. Para los días lluviosos, planifique con anticipación consumir productos lácteos fortificados y mariscos.

Una advertencia

Todos los productos a base de soja contienen goitrógenos, químicos naturales que interfieren en las hormonas de la tiroides. Los ancianos y las mujeres — son los principales blancos para el hipotiroidismo, por lo que deben prestar especial atención y consumir soja a diario.

Los duraznos, las almendras, los maníes y las crucíferas, tales como las hojas de nabo, el nabo y el repollo, también tienen goitrógenos en pequeñas cantidades. Mientras consuma estos alimentos en una dieta equilibrada, no debería tener problemas. Recuerde que la clave está en la moderación. La cocción también ayuda a destruir estos compuestos potencialmente nocivos.

Cobre. La tiroides necesita este mineral traza, aunque los expertos no están seguros del porqué. Pero no se preocupe, seguramente obtendrá todo el cobre que necesita si sigue una dieta normal — especialmente, si le gustan los mariscos, las papas asadas, las alubias lima y los hongos.

Beneficios

Protege la próstata

Combate el cáncer

Reduce el colesterol

Ayuda al sistema inmunológico

Protege su corazón

Tomates

• • • • • • • • • • • • • •

A la mayoría de la gente no le importa saber si el tomate es una fruta o una verdura — siempre que sea rico y jugoso. Es uno de los cultivos caseros más populares de los Estados Unidos ya que no sólo es muy fresco, sino que además realza una salsa, una sopa o un guiso caseros.

Sin embargo, los tomates no han sido siempre tan bien ponderados. Cuando los exploradores europeos llevaron a su madre patria el tomate proveniente del Nuevo Mundo, la gente no lo miraba con buenos ojos. Muchos pensaban que los tomates eran venenosos por estar relacionados con la belladona y la dulcamara, dos plantas mortales. De hecho, las raíces y las hojas de la planta de tomate son venenosas.

No fue sino hasta el siglo XX que los habitantes de América del Norte descubrieron que los sabrosos tomates son excelentes alimentos naturales. Los tomates contienen licopeno, un nutriente exclusivo que combate el cáncer. Además, contienen mucha vitamina C, folato y potasio. Esto significa que los tomates son excelentes contra las cardiopatías y hasta pueden estimular el sistema inmunológico.

Y, dicho sea de paso, el tomate es una fruta.

Tres maneras en que los tomates lo mantienen sano

Vencen el cáncer. Si tuviera que elegir un alimento estrella que combata el cáncer, ¿elegiría el tomate? Si no lo hace, se estará perdiendo del maravilloso carotenoide licopeno. El licopeno, presente sólo en algunas plantas, le da al tomate el aspecto brillante. Además, también reduce el riesgo de desarrollar cáncer, según una publicación de 72 estudios diferentes realizados por la Facultad de Medicina de Harvard.

Ya sabe cuán efectivos pueden ser los tomates contra el cáncer de próstata — si consume 10 porciones o más por semana, el licopeno reducirá a la mitad el riesgo de sufrir cáncer de próstata. Además, mientras más tomates y productos a base de tomate consuma, menos posibilidades tendrá de desarrollar cáncer de estómago, de pulmón, de mama, de colon, de boca y de garganta.

Si lo desalienta tener que consumir 10 porciones de tomates, recuerde que el ketchup y la salsa para pizza y espaguetis también cuentan, incluso más que el tomate fresco. El calor de la cocción del tomate libera licopeno y el aceite agregado aporta grasa. Estos dos pasos ayudan a su cuerpo a absorber el licopeno.

Cura su corazón. Los tomates tampoco se detienen ante el cáncer. Un ejército de nutrientes trabaja para evitar una cardiopatía tras otra. El licopeno destruye el colesterol para mantener las arterias limpias. El folato elimina la homocisteína, un aminoácido que se combina con el colesterol para darle el doble de trabajo a su corazón. Un estudio europeo demostró que beber 11 onzas de jugo de tomate por día, casi una lata de refresco — puede aplastar al LDL o colesterol "malo". Si eso no alcanza, los tomatesestán repletos de potasio, un mineral

Guía del jardinero

No hay nada mejor que un tomate que madura en la planta. Y si usted cultiva los propios, seguramente tendrá todo lo que necesita — y más.

- **Elija las semillas correctas. Las "determinantes" son buenas para los jardines pequeños. Las "indeterminantes" crecerán hasta que usted las deje.**

- **Si las siembra en un lugar soleado con un buen drenaje — tendrá más tomates.**

- **Cultive repollo, zanahorias, apio, cebollas y borraja cerca de los tomates para evitar que contraigan plagas, para darle más sabor a sus tomates y devolverle los nutrientes al suelo.**

- **Utilice varillas de 6 pies para sostener las plantas. Átelas cada 12 pulgadas**

- **Enriquezca el suelo con fertilizantes y abonos naturales. También mezcle un poco de cal, el calcio ayuda a evitar deformidades en la fruta.**

indispensable para reducir la presión arterial. Por lo tanto, corte un tomate y reducirá el riesgo de sufrir una cardiopatía o un ataque cardíaco.

Derrota las bacterias. Los expertos dicen que sólo una lata de jugo de tomate de 11 onzas estimula el sistema inmunológico más que los alimentos como la espinaca o las zanahorias. Los nutrientes que se encuentran en los tomates estimulan la producción de células T, que son los glóbulos blancos que atacan a las sustancias extrañas como las bacterias y los virus. Los antioxidantes del tomate protegen estos glóbulos blancos de los radicales libres. Finalmente, los — tomates le dan un doble golpe a cualquier cosa que pueda hacer que usted se deprima.

Indicadores de despensa

El tomate de su tienda de comestibles puede tener un aspecto agradable y un color rojo intenso, pero generalmente no están maduros — es decir, son duros y sin sabor. Puede comprarlos en ese estado, pero no es necesario que los coma así.

Si guarda los tomates en el refrigerador, no madurarán ni se volverán sabrosos. Pero, guárdelos en una bolsa de papel y liberarán una gas natural que acelera el proceso de maduración. Y antes de que pueda decir "salsa", tendrá unos tomates blandos y jugosos.

Una advertencia

Acidez Si después de cada comida presenta una tos crónica, un dolor de garganta, una ronquera — eso indicará que padece un trastorno de reflujo ácido, una incómoda afección en la que el ácido estomacal sube a la garganta.

Si tiene estos problemas, consulte a su médico. Pero mientras tanto, el Centro Médico Nacional Naval recomienda no consumir tomates ni productos a base de tomate. El cigarrillo, el alcohol, la cafeína y las comidas suculentas, junto con el tomate empeorarán su malestar aún más.

Cúrcuma

• • • • • • • • • • • • • •

Desde la época de Marco Polo, la gente en Europa sólo recurría a la cúrcuma cuando no podían utilizar azafrán, una especie mucho más sabrosa y costosa. A veces la gente ni siquiera consumía cúrcuma con las comidas. En su lugar, la utilizaban para teñir ropa.

Beneficios
Reduce la inflamación
Combate el cáncer
Favorece la digestión
Protege de las enfermedades hepáticas
Alivia la artritis

En Asia, en cambio, la gente siempre ha apreciado la cúrcuma. El curry, condimento picante de la cocina india y tailandesa, no sería lo mismo sin ella. La gente también utilizaba la cúrcuma como medicamento — para los resfríos, las infecciones y la indigestión. Algunos la usaban hasta para ahuyentar a los cocodrilos, alimentar a los elefantes enfermos o como maquillaje o perfume.

En realidad, la cúrcuma no ahuyentaba a los cocodrilos, pero debe de haber frenado las enfermedades — debido a la curcumina, un poderoso antioxidante. Según una reciente investigación, la curcumina y otros fitoquímicos de la cúrcuma ayudan a combatir los tumores cancerígenos, a reducir la inflamación, a combatir cardiopatías, a mejorar los problemas hepáticos y a aliviar la indigestión. ¿Quién necesita el azafrán entonces?

Cuatro maneras en que la cúrcuma lo mantiene sano

Reduce la inflamación. Los expertos dicen que para aliviar el dolor y reducir la hinchazón debe consumir cúrcuma. Tiene los mismos efectos que el ibuprofeno y otros antiinflamatorios no esteroideos (AINES), pero sin efectos secundarios. La cúrcuma puede ser lo suficientemente poderosa como para combatir la rigidez e hinchazón tanto de la artritis reumatoide como de la artritis ósea, según la Fundación para la Artritis.

Hágale la guerra al cáncer. Es escalofriante pensar que el cáncer puede crecer dentro suyo durante meses o incluso años — sin que usted siquiera lo note. Tranquilícese, puede hacer algo para combatir los tumores ocultos.

En un exitoso y nuevo estudio realizado en 30.000 mujeres canadienses, las sustancias antiinflamatorias, tales como la cúrcuma, demostraron que éstas detienen el crecimiento de los tumores de mama no detectados Cuando finalmente se detectaba el cáncer, los tumores eran más pequeños y fáciles de tratar.

También puede prevenir el cáncer si condimenta su comida con cúrcuma — y esto gracias, nuevamente, a la curcumina. Este oxidante, según los investigadores, detiene el avance del cáncer de piel, de estómago, de colon, de hígado y de boca. Hasta ahora, la evidencia surge sólo de estudios realizados

Miembro del equipo

Si desea aumentar el poder de la cúrcuma para combatir enfermedades, no la deje sola en su plato. Los expertos sugieren combinarla con un poco de pimienta negra. La piperina, el fitonutriente más importante de la pimienta, puede aumentar la cantidad de cúrcuma que su cuerpo absorbe en un sorprendente 2.000%.

Y aún hay más — después de comer un plato condimentado con pimienta y cúrcuma, disfrute de una taza de té verde. El té verde y la curcumina, según los descubrimientos de los investigadores del Centro de Cáncer Memorial Sloan-Kettering de Nueva York, se asocian para combatir el cáncer.

en animales, pero se están realizando estudios con la curcumina en seres humanos. Manténgase en sintonía.

Proteja su hígado. Este increíble órgano pasa toda la vida depurando su sangre. Durante todo ese tiempo, ¿cómo mantiene limpio su hígado? Una respuesta podría ser la cúrcuma y sus antioxidantes. Se concentran en los radicales libres y en otros químicos tóxicos antes de que puedan dañar el hígado.

Aumente el flujo de la bilis. Si tiene dolores de estómago después de comer alimentos grasosos, la cúrcuma lo puede ayudar a aliviar el dolor. Este tipo de indigestión es el resultado de una disminución del flujo biliar desde el hígado a la vesícula biliar. Además del dolor estomacal puede tener otros síntomas, por ejemplo, acidez, hinchazón, náuseas y heces de color claro. La cúrcuma hace que la bilis fluya y esto alivia el dolor. Da tan buenos resultados que la Comisión E de Alemania, expertos en el campo de las hierbas medicinales, recomienda tomar media cucharada (cerca de 3 gramos) por día si tiene este tipo de indigestión.

Sin embargo, si los síntomas son más graves, puede ser señal de una afección más grave, como cálculos biliares. Antes de automedicarse con cúrcuma, consulte a su médico

Indicadores de despensa

La forma más fácil de incluir cúrcuma en su dieta es mediante el curry. Pídalo en un restaurante hindú. Para los cocineros que quieran utilizar cúrcuma, les será fácil encontrarla. La mayoría de las cadenas de supermercados tienen cúrcuma en polvo en la sección de especias. También puede acercarse a un tienda local de alimentos naturales o a una tienda hindú. Allí, las especias son más frescas debido a la mayor circulación del producto.

Disfrute de utilizar la cúrcuma en sus comidas, pero recuerde que — un poquito es suficiente. Y no existe la posibilidad de incluir esta especia — en su tetera. La curcumina y los otros ingredientes de la cúrcuma no se disuelven en agua, así que no intente preparar una bebida amarillenta.

Una advertencia

Si tiene antecedentes de cálculos biliares, piense dos veces antes de pedir curry. Hasta una pequeña cantidad de cúrcuma puede empeorar los cálculo biliares o bloquear el conducto biliar. Eso es más real para la cúrcuma pura.

Úlceras

• • • • • • • • • • • • •

Coma

Miel	Yogur
Ajo	Aceite de oliva
Arándanos	Aceite de girasol
Vino	Brócoli
Manzanas	Cantalupo
Ciruelas secas	Cebada

Evite

Comidas picantes si provocan dolor de úlcera

¿Qué lo está comiendo? Si con frecuencia tiene un dolor de estómago persistente, es posible que tenga una úlcera péptica — un dolor en el recubrimiento de su estómago o en el intestino delgado.

La gente alguna vez creyó que las úlceras eran producto del estrés o de las comidas picantes. Pero a finales de los ochenta, las investigaciones descubrieron una causa más tratable — *Helicobacter pylori (H. pylori),* una bacteria en forma de espiral. El recubrimiento del estómago lo protege de la pepsina y otros ácidos digestivos. Pero cuando la *H. pylori* taladra el recubrimiento del estómago, deja que los ácidos digestivos devoren su estómago, y se produce una úlcera dolorosa.

Pero no todas las úlceras son causadas por las bacterias, algunas pueden tratarse con antibióticos — y es un tratamiento mucho más efectivo que utilizar los antiácidos masticables de venta libre. Su médico puede realizar un simple análisis de sangre o una prueba de respiración para ver si usted tiene *H. pylori.*

Esta noticia es buena para aquellas personas que creían que iban a tener que vivir con esos dolores. Y es posible que haya más noticias en un futuro. Las investigaciones demuestran que ciertos alimentos pueden incidir o no en el desarrollo de las úlceras.

Nuevos descubrimientos nutricionales que combaten las úlceras

Miel. Si quiere encontrar un dulce alivio para el dolor de úlcera, pruebe con una cucharada de miel. El "oro líquido" actúa como un antibacteriano y las investigaciones demuestran que ataca directamente la *H. pylori* Estudios anteriores sugieren que sólo la miel de Manuka, Nueva Zelanda, actúa contra la *H. pylori*; pero estudios más recientes descubrieron que las mieles estadounidenses también eran efectivas. Pruebe con una cucharada de miel una hora antes de las comidas y una cucharada antes de dormir para aliviar el dolor.

Ajo. Este bulbo "aromático" también actúa como un agente antibacteriano. Un estudio holandés demostró que el ajo detiene el crecimiento de las diferentes variedades de *H. pylori* en laboratorio. Para este estudio, los investigadores utilizaron pequeñas cantidades de ajo, lo que significa que el ajo que consuma lo protegerá de las úlceras de alguna manera. Aún es necesario realizar más estudios, pero si es amante del pan de ajo y de los espaguetis al ajo, le está haciendo un favor a su estómago.

Grasas poliinsaturadas. Reemplace la manteca por aceite de oliva en el pan de ajo; de esta manera, le dará un doble golpe a la *H. pylori*. Las grasas poliinsaturadas, tales como el aceite de oliva, de pescado y de girasol, previenen el crecimiento de la *H. pylori* en laboratorio. A pesar de que los efectos de las grasas poliinsaturadas no han sido analizados en úlceras humanas, el consumo de estas grasas es siempre una opción más saludable que las grasas saturadas como la manteca. Y, en este caso, le darán a su estómago una protección adicional contra las úlceras.

Arándanos rojos. Se cree que estas bayas ácidas previenen la infección del tracto urinario ya que evitan que las bacterias se adhieran a las células. También evitan que la *H. pylori* se instale en su estómago, según el Dr. Ted Wilson, profesor de la Universidad de Wisconsin-La Crosse e investigador líder sobre los beneficios para la salud que tienen los arándano rojos. Si todos los días toma un vaso de jugo de arándanos rojos, eliminará la *H. pylori* de su estómago y evitará la formación de una úlcera.

Yogur. La "bacteria buena" que se encuentra en el yogur y en otros productos lácteos fermentados lo protege de la *H. pylori*. *El lactobacillus casei,* uno de los caballeros con armadura, destruyó la *H. pylori* en los estudios realizados en tubos de ensayo. Esta útil bacteria también combate los efectos secundarios de los antibióticos recetados por los médicos para tratar una infección de *H. pylori*. El yogur ayuda a controlar uno de los efectos secundarios más comunes: la diarrea. Si tiene una úlcera, pruebe con varias tazas de este cremoso alimento para acelerar el alivio.

Fibra. Consuma frutas y verduras ricas en fibra y reducirá el riesgo de úlceras. Las personas que consumen gran cantidad de frutas y verduras son menos propensas a desarrollar úlceras. Los investigadores creen que el motivo es la fibra. Parece que la fibra estimula el crecimiento de la capa de mucosa que protege al estómago de los ácidos digestivos.

Vino. Si ya tiene una úlcera, el consumo de alcohol está totalmente prohibido porque irrita el estómago. Sin embargo, un vaso de vino esporádicamente puede prevenir una infección causada por *H. pylori*.

Un estudio realizado en Alemania descubrió que las personas que bebían alcohol en cantidades moderadas eran menos propensas a infectarse con *H.pylori* El vino brinda más protección que la cerveza. A diferencia de las personas que no consumieron alcohol, aquellas que bebieron a diario tres onzas y media o menos de vino, tenían un 53% menos de posibilidades de sufrir una *infección* de H.pylori activa.

Una advertencia

A pesar de que el estrés y las comidas no son los causantes de las úlceras, pueden provocar dolor si tiene una úlcera. El cigarrillo y las aspirinas u otros analgésicos también pueden agravar una úlcera. Trate de controlar el estrés y evitar las cosas que desencadenan úlceras hasta que se cure.

Infecciones del tracto urinario

· · · · · · · · · · · · · ·

Ir al baño es parte de la rutina diaria. Y probablemente no repara en ello — hasta que siente algún dolor. Si siente ardor y picazón al orinar, es posible que tenga una infección del tracto urinario (ITU).

Las mujeres son más propensas a tener infecciones del tracto urinario — una de cada cinco padece una infección urinaria alguna vez en su vida. Sin embargo, los hombres mayores de 50 años pueden tener una ITU como resultado de la hipertrofia prostática. Cualquier cosa que interfiera con el flujo de orina hace que la orina permanezca en el tracto urinario por más tiempo. De esta manera, las bacterias tienen más tiempo para afianzarse y multiplicarse.

La mayoría de las infecciones del tracto urinario provocan molestias temporales. Pero, si la infección avanza hacia los riñones, puede producir daños permanentes en los riñones o provocar un envenenamiento de la sangre, que a veces es mortal. Por lo tanto, si cree que tiene una infección del tracto urinario, consulte a su médico inmediatamente — si estaba en lo cierto, le recetará antibióticos.

Después de tener una infección urinaria, es más propenso a padecer otras. Le damos algunos consejos nutricionales naturales que lo ayudarán a prevenir una dolorosa infección.

Nuevos descubrimientos nutricionales que combaten las infecciones del tracto urinario

Arándanos rojos. Las últimas investigaciones médicas confirman los poderes curativos de muchos remedios caseros, como los arándanos rojos. Los estudios demuestran que el jugo de arándanos rojos puede realmente prevenir las infecciones del tracto urinario. Alguno médicos creen que estas pequeñas y ácidas bayas hacen que la orina sea más ácida, lo que detiene el desarrollo de las bacterias. Otras pruebas demuestran que los arándanos rojos evitan que las bacterias se adhiera al tracto urinario.

Para aprovechar los poderes protectores de los arándanos rojos, beba cerca de 3 onzas de jugo de arándano por día. Un estudio descubrió que los efectos beneficiosos se podían percibir sólo después de entre cuatro y ocho semanas. Por eso, para obtener mayor protección, consuma jugo de arándanos rojos regularmente.

Vitamina C. Tenga siempre en su refrigerador un refrescante jugo de naranja o de pomelo y mantendrá las ITU alejadas. Al igual que los elementos del jugo de arándanos rojos, la vitamina C y los ácidos cítricos que se encuentran en las frutas hacen que su orina sea más ácida; de esta forma, el desarrollo de las bacterias es más difícil.

Agua. El agua corriente es excelente para eliminar las bacterias de su cuerpo antes de que éstas puedan multiplicarse. Beba por lo menos entre seis y ocho vasos de agua por día. La orina de color claro es un buen signo de que está tomando suficiente agua. Si la orina es oscura, beba agua más seguido.

Perejil. Un ramito verde de perejil en su plato no es sólo un elemento decorativo. El perejil es una excelente fuente de vitamina C. Es más, actúa como diurético, es decir, aumenta el flujo de orina. Y todo lo que aumente el flujo de orina lo ayudará a reducir las posibilidades de tener una infección del tracto urinario. Por eso, la próxima vez que vaya a un restaurante y tenga perejil en el plato, no se quede mirándolo — cómalo para obtener mayor protección contra las infecciones urinarias.

Una advertencia

Si es propenso a las ITU, evite los alimentos que irritan su vejiga. Entre los más comunes se encuentran el café, el té, el alcohol, las bebidas carbonatadas y las comidas picantes.

Nueces

● ● ● ● ● ● ● ● ● ● ● ● ●

No tiene que ser Sherlock Holmes para descifrar este caso. Hasta Watson sabe que las nueces son buenas para usted.

Desde los antiguos chinos hasta los colonos estadounidenses han disfrutado durante siglos de estas protagonistas de cáscara dura. Los novios romanos les arrojaban nueces a los invitados como símbolo de buena salud y fertilidad. Durante la Edad Media, los europeos creyeron que las nueces podían prevenir la fiebre, la epilepsia, ahuyentar los rayos y hasta protegerlos de la brujería. En tiempos difíciles, especialmente durante la colonización de América, los conquistadores sobrevivieron gracias a las nueces.

Probablemente por eso eran bastante sanos. Llenas de grasa no saturada, vitamina E y ácido elágico, las nueces pueden reducir el colesterol, combatir el cáncer y aumentar la capacidad mental. Utilice las nueces en comidas horneadas o para cocinar, inclúyalas en una ensalada para comer algo crujiente o cómalas como un sabroso bocadillo.

Abra una nuez y será como abrir el maletín de la buena salud.

Cuatro maneras en que las nueces lo mantienen sano

Vencen el colesterol. Si a usted no le importa el colesterol, debe estar loco. Si desea disminuir el colesterol, debe consumir frutos secos.

En un estudio realizado en España durante seis semanas, los pacientes reemplazaron el aceite de oliva y otros alimentos grasosos típicos de su dieta mediterránea con nueces. Este simple cambio hizo que el LDL o colesterol "malo" disminuyera considerablemente. Esta investigación demostró que las mujeres, las personas mayores, y las que tenían colesterol alto y estaban a punto de sufrir una cardiopatía se beneficiaban tanto como los hombres jóvenes y sanos si consumían nueces.

"Las nueces disminuyeron el riesgo de una cardiopatía en un 11%", dijo el Dr. Emilio Ros, investigador del Hospital Clínico de Barcelona y director del estudio. "Es así de simple: si consume un puñado de nueces todos los días, disminuirá el colesterol en sangre y, por lo tanto, reducirá el riesgo cardiovascular".

> ### El aceite de nueces tiene un impacto poderoso
>
> **Si está cansado de cocinar y usar el mismo aceite de siempre, haga un cambio en sus comidas y utilice aceite de nuez. Tiene un sabor agradable y es especial para condimentar ensaladas, para cocinar, hornear y saltear. A pesar de que lo puede encontrar en algunos supermercados y tiendas de gastronomía, es un poco más caro que los aceites comunes, pero vale la pena utilizarlo en un plato especial. Al igual que los frutos secos, el aceite de nuez tiene muchos ácidos grasos omega 3, una opción saludable en comparación con el aceite de soja o de maíz.**

Una de las cosas que hace que las nueces sean tan efectivas es su alto contenido de grasa. Una onza de nueces inglesas (aproximadamente un puñado) contiene más de 18 gramos de grasa. Las nueces tienen, en gran parte, grasa poliinsaturada, que incluye una forma de ácido graso omega 3 llamado ácido alfa linolénico. Pero también tienen grasa monoinsaturada. Ambas reducen el colesterol.

Además, las nueces aportan vitamina E, un poderoso antioxidante que evita que las partículas de LDL se oxiden y dañen sus arterias.

Aplastan los coágulos sanguíneos. Si alguien le pregunta qué alimento reduce el riesgo de sufrir una cardiopatía, su respuesta debería ser "las nueces". Y tendrá razón. Ese mismo ácido alfa linolénico evita que las plaquetas de la sangre se amontonen. La sangre viscosa y densa puede causar toda clase de problemas, tales como ateroesclerosis, presión arterial alta, coágulos sanguíneos, cardiopatías y apoplejía. De hecho, cuatro estudios importantes demostraron que el consumo regular de nueces reduce el riesgo de sufrir cardiopatías en un 30% a un 50%.

Ponen un freno al cáncer. Las nueces son una de las fuentes naturales más ricas en ácido elágico, un flavonoide que combate los tumores cancerígenos, especialmente los de pulmón, hígado, piel y esófago.

Además, el hombre sabe que unas cuantas nueces por día protegerán la próstata. La Facultad de Medicina de la Universidad de Massachusetts recolectó información relacionada con la dieta y el cáncer de próstata de 59 países. Y descubrieron que las nueces, junto con los granos y cereales, brindan mucha protección. Es más, gracias a la antioxidante vitamina E que reduce los peligrosos radicales libres, las nueces aportan más beneficios anticancerígenos.

Estimulan su cerebro. En el pasado, la gente creía que las nueces, al tener una forma parecida a la del cerebro, eran buenas para el cerebro. Resulta que tenían razón. El ácido graso omega 3 presente en estos deliciosos frutos secos puede mejorar la función cerebral, estimular la memoria y hasta levantarle el ánimo.

Indicadores de despensa

Puede encontrar nueces inglesas en la mayoría de los supermercados. Vienen en todos los tamaños, grandes, medianas y chicas, con o sin cáscara. Las nueces con cáscara no deben tener grietas ni agujeros. Almacénelas en un lugar fresco y seco durante tres meses. Cuando compre nueces, busque las nueces de mayor tamaño que estén crujientes. Guárdelas en el refrigerador, siempre cubiertas, durante seis meses o en el freezer hasta durante un año.

Una advertencia

A pesas de ser tan sabrosas y nutritivas, las nueces no son el alimento perfecto. Debido a ciertas proteínas que tienen, las nueces son una las fuentes más comunes de alergia a los alimentos. Si es alérgico a las nueces, puede tener problemas respiratorios y de estómago o irritación de la piel.

Otro problema con las nueces, y con todos los frutos secos, es que limitan la cantidad de hierro que su cuerpo absorbe. De todas maneras, puede arreglar esto fácilmente si agrega 50 miligramos adicionales de vitamina C, la cantidad que hay en media taza de jugo de naranja.

Por último, si intenta bajar de peso, no se exceda con las nueces. Las nueces tienen un montón de grasa, aunque sea de la buena.

Beneficios

Estimula la pérdida de peso

Combate el cáncer

Suaviza la piel

Alivia la artritis

Vence los cálculos de riñón.

Agua

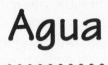

Es posible que pueda sobrevivir sin comida durante más de un mes, pero si está 10 días sin tomar agua, es hombre muerto.

¿Por qué el agua es tan importante? Por una sola razón, casi el 75% de su cuerpo está compuesto por agua. La sangre tiene un 83% de agua, las 15 mil millones de células cerebrales son en su mayoría agua y la frase "más seco que un hueso" es relativa — ya que el 22% de su esqueleto está compuesto por agua.

Incluso si es totalmente sedentario, usted pierde hasta 10 tazas de agua por día — al transpirar, al orinar y hasta cuando respira. Y si es una persona activa, pierde mucho más. Para mantenerse sano, debe reponer constantemente el agua que pierde.

Beba como mínimo seis vasos llenos de agua por día — Las bebidas alcohólicas o cafeinadas, como el café o las gaseosas, no cuentan. Este tipo de bebidas en realidad aumenta el agua que elimina su cuerpo. Y no espere hasta tener sed para tomar agua, ya que la sed no es un indicador confiable de las necesidades que tiene su cuerpo. Puede perder el 2% del peso corporal en fluidos antes de sentir sed.

Seis maneras en que el agua lo mantiene sano

Elimina el cáncer. La solución para el cáncer de vejiga o para el cáncer colorrectal puede ser tan simple como — beber agua en grandes cantidades. Las investigaciones lo demuestran. Un estudio descubrió que beber seis vasos de agua de 8 onzas por día reducen el riesgo de cáncer de vejiga en un 50%. En resumidas cuentas, mientras más agua corra por el tracto urinario, más saludable estará. Los agentes cancerígenos y otras toxinas simplemente se eliminan o diluyen.

Lo ayuda a estar esbelto. En lugar de tomar bebidas cola endulzadas, té o jugo, beba agua libre de calorías, que es una forma fácil de eliminar calorías de su dieta. Muchos de los que cuidan su cintura creen que beber un vaso grande de agua helada justo antes de las comidas quita el apetito, llena el estómago y lo ayuda a comer menos.

Si bien en un programa de control del peso reducir la cantidad de calorías es importante, también lo es la actividad física. Beba agua antes y durante la actividad física para evitar deshidratarse y aprovechar más los ejercicios.

Protege sus articulaciones. Si alguna vez ha dormido en un cama de agua, sabrá que el agua puede ser una buena protección entre su cuerpo y el piso duro. El agua también ofrece una especie de acolchado y de lubricación para sus articulaciones — que de esta forma están más cómodas. Si tiene artritis, en especial gota, bebe mucha agua. No sólo le proporciona una capa acolchada para las articulaciones, sino también ayuda a disolver y eliminar el ácido úrico que provoca la gota.

Previene los cálculos de riñón. Si necesita un incentivo para tomar más agua, una vez que padezca los dolores que provocan los cálculos de riñón no demorará ni un segundo en ir a beber agua. Un estudio italiano dividió a las personas con cálculos de riñón en dos grupos. Los investigadores le indicaron a uno de los grupos que tomara mucha agua, mientras que al otro grupo no le dijeron nada. Durante los cinco años del estudio, el grupo que tomó más agua tenía la mitad de cálculos de riñón que el otro grupo. Si está en riesgo de tener cálculos de riñones, el agua debería ser la primera línea de defensa.

Si está embotellada es mejor

No es necesario que guarde el agua embotellada en el refrigerador si está en su casa, pero si está planeando viajar a México, a África o a América del Sur, el agua embotellada puede ser importantísima para su salud.

El suministro de agua en los países del tercer mundo generalmente está contaminado con bacterias. Y beberla podría hacer que sus vacaciones sean inolvidables — aunque quisiera olvidarlas.

Para que sus vacaciones sean placenteras, beba agua embotellada y utilícela para cepillarse los dientes. No utilice hielo a menos que sepa que proviene de agua hervida o filtrada, y no consuma frutas ni verduras crudas.

Refresca su cuerpo. Una de las funciones más importantes del agua es mantener la temperatura corporal dentro de los parámetros seguros. Si es una persona mayor, es más vulnerable a sufrir una afección riesgosa como la cardiopatía debido a los peligros del calor. También es más probable que le receten medicamentos que harán que su cuerpo no transpire correctamente — lo cual constituye otro factor de riesgo.

Los calambres y el agotamiento causados por el calor son formas leves de las enfermedades causadas por calor, pero una insolación es una emergencia que pone en riesgo su vida. Entre los síntomas se encuentran el dolor de cabeza, la dificultad para hablar, los mareos, los desmayos y las alucinaciones. Si usted sospecha que alguien está insolado, actúe rápidamente para refrescarlo.

Para prevenir las enfermedades provocadas por el calor, trate de estar fresco y asegúrese de beber más agua durante la época de calor o cuando realiza actividad física.

Humecta su piel. No sólo en verano debe tomar mucha agua. Durante los meses de invierno, su piel puede secarse y los labios resquebrajarse. Beber mucha agua hace que los labios y las células de la piel estén humectadas y en buenas condiciones.

El agua sube la presión arterial

Si quiere conocer su presión arterial con certeza, antes de la próxima consulta con el médico, elimine la cafeína, los cigarrillos, el alcohol — y el agua. Un estudio reciente descubrió que las personas mayores tuvieron un aumento de la presión arterial después de beber sólo dos tazas de agua corriente. El aumento fue similar al que provoca fumar dos cigarrillos sin filtro o al ingerir 250 miligramos de cafeína. El aumento fue mayor en las personas que tenían un trastorno del sistema nervioso autónomo (un problema con las respuestas involuntarias de ciertos músculos y glándulas). El efecto más importante fue después de 30 ó 35 minutos. Pero el efecto comenzó a disminuir luego de aproximadamente una hora.

Indicadores de despensa

Agua, agua en todos lados ..., pero, ¿qué tipo de agua debo beber? Cientos de años atrás hubiera sido tonto hacer esa pregunta, pero hoy hay tantas opciones diferentes para beber agua que son apabullantes. El mercado está repleto de productos — agua destilada, agua mineral, agua saborizada y hasta puede encontrar agua fortificada con fibras o vitaminas adicionales. Actualmente, beber agua potable del grifo puede ser un poco anticuado.

Afortunadamente para su bolsillo, no hay buenas razones que justifiquen la compra de esas novedosas botellas de agua, a menos que usted quiera hacerlo. Las investigaciones demuestran que no son más puras que el agua corriente y, además, usted puede obtener las vitaminas y nutrientes de los alimentos que consume.

Sandía

• • • • • • • • • • • •

Beneficios
Protege la próstata
Estimula la pérdida de peso
Reduce el colesterol
Controla la presión arterial
Ayuda a evitar las apoplejías

No hay nada más refrescante en un caluroso día de verano que comer una rodaja bien helada de sandía. La mayoría está de acuerdo en que es el alimento perfecto para un día de picnic: es jugosa, dulce y sabe a verano. Cultivada en 96 países, desde China, el productor líder más grande, hasta África, Egipto y los Estados Unidos, esta fruta es la favorita del clima cálido.

La sandía también es una opción saludable sin importar dónde viva usted. Es baja en calorías — sólo cerca de 51 calorías por taza — y le aporta una nutritiva dosis de vitaminas A y C, potasio y el antioxidante licopeno.

Tres maneras en que la sandía lo mantiene sano

Protege la próstata. La sandía es la ganadora de las frutas frescas en lo que respecta al licopeno — es incluso mejor que los tomates. Este químico natural es el que le da el color rojo a muchas frutas y verduras y es conocido por combatir el cáncer de próstata. Pero la mayoría de las personas lo asocia con los tomates. A pesar de que los niveles de licopeno presentes en los productos de tomate envasado es alto, la sandía le gana a todas las frutas y verduras. Por eso, coma una rodaja cada vez que pueda para proteger la próstata un poco más.

Mejora la salud del corazón. La sandía ha ganado el sello de aprobación del programa "heart check" patrocinado por la Asociación Estadounidense del Corazón Este programa de certificación fue desarrollado para ayudar a los consumidores a identificar rápidamente aquellos productos que son parte de una dieta saludable para el corazón. Para que califique, el alimento debe ser bajo en grasas saturadas, en colesterol y sodio. También debe tener al menos 10% del valor diario recomendado de uno o más nutrientes claves — por ejemplo, proteína, vitamina A, calcio, hierro o fibras alimenticias.

La sandía no sólo cumple esos requisitos, sino que los supera. También contiene licopeno, que ayuda a combatir el colesterol, y potasio, un mineral que combate la presión arterial alta y las apoplejías. Todo eso suma para ocupar el primer lugar en lo que respecta a la protección al corazón.

Controla su peso. Si desea calmar la tentación por los dulces, llenarse y seguir con su dieta, coma una rodaja de sandía. Los expertos saben que los alimentos con un alto contenido de agua lo ayudan a perder peso y la sandía, asombrosamente, está compuesta en un 92% de agua. Además, una rodaja tiene sólo un gramo de grasa. Por lo tanto, no deje de comer postre sólo porque está cuidando su peso — coma sandía.

Indicadores de despensa

Existen más de 50 tipos diferentes de sandías, pero hay dos variedades principales: las de picnic y las de nevera. Las sandías de picnic tienen una forma oblonga y pesan entre 12 y 50 libras. Las sandías de nevera son más pequeñas porque están diseñadas para que quepan en una nevera.

Elegir la sandía perfecta es fácil, según la Junta Nacional de Promoción de la Sandía. En primer lugar, elija una sandía simétrica, firme, sin magulladuras, cortes o mellas. A continuación, levántela. Busque una que sea pesada para su tamaño. Por último, rótela. Si encuentra un área amarilla, significa que la sandía estuvo en contacto con la tierra mientras maduraba al sol y esto hace que la sandía sea más dulce y jugosa. A diferencia de la creencia popular, no hay golpear la sandía con el puño, hay que darle palmadas. Si suena a hueco, significa que está madura.

Una vez en su casa, guarde la sandía en el refrigerador hasta por una semana. Después de cortarla, envuélvala en un plástico, que quede bien cerrado y vuelva a comerla en un día o dos.

Control del peso

● ● ● ● ● ● ● ● ● ● ● ● ● ●

Coma

Arroz integral   Batatas
Alubias   Manzanas
Apio   Pepinos
Atún   Salmón
Pomelo

Evite

Alimentos que contengan un elevado nivel de grasas saturadas, tales como las carnes rojas

Alimentos ricos en azúcar refinada, tales como las confituras.

Cuando se mire al espejo, observará una figura más delgada. Pero la mejor razón para perder peso es su salud. Tener sobrepeso aumenta el riesgo de tener diabetes, presión arterial alta y cardiopatías. De hecho, lo pone en riesgo de tener pie plano e incluso de sufrir algunos tipos de cáncer.

Si está pensando en seguir una dieta para perder peso rápido, cálmese. Un "arreglo rápido" no sirve a largo plazo. Después de eso, comerá en exceso y volverá al principio.

El mejor plan de acción es realizar cambios moderados en su dieta con el objetivo de perder una o dos libras por semana. Determine cuántas calorías come en promedio por día. El siguiente paso es reducir esa cantidad, entre 500 y 1.000 calorías.

Como regla general, los expertos en pérdida de peso no recomiendan consumir menos de 1.200 calorías. "Sin embargo", dice la dietista matriculada Kimberly Gaddy, "las personas que necesitan perder peso rápidamente por razones de salud o por decisión propia —quienes generalmente necesitan perder 60 libras o más, deben estar en un nivel inferior a 1.200 calorías para que la pérdida de peso inicial sea más rápida".

Consumir menos de 800 calorías puede ser peligroso — especialmente para las personas mayores de 50 años. ¿Su médico ha evaluado los riesgos y beneficios de una dieta muy baja en calorías antes de que empezar a jugar? No importa qué edad tenga, necesita de supervisión médica si está siguiendo una dieta tan estricta.

"Es importante concentrarse en los cambios de conducta a largo plazo", dice Gaddy. Si no quiere recuperar el peso que ha perdido, debe incorporar nuevos hábitos. La clave está en seguir una dieta saludable, realizar actividad física y no consumir más calorías de las que quema. Una cosa es segura — tener una actitud positiva también ayuda.

¿Qué pasa si, después de estar unos meses siguiendo un plan alimentario saludable, no pierde peso? Pregúntese si de verdad está ejercitando su cuerpo lo suficiente. Es difícil modificar los hábitos de un estilo de vida sedentario — que pueden haber sido la causa número uno de su aumento de peso.

Pero si está seguro de que la falta de ejercicio no es la causa por la que no pierde peso, consulte a su médico. Es posible que una afección de la tiroides le esté causando problemas.

Nuevos descubrimientos nutricionales que ayudan a controlar el peso

Carbohidratos. ¿Es necesario reducir los alimentos con almidón, tales como el arroz y las papas, si quiero perder peso? En realidad, es todo lo opuesto. Cada gramo de carbohidratos tiene menos de la mitad de las calorías que un gramo de grasa. Además, su cuerpo no puede quemar la grasa que consume sin los carbohidratos. Los carbohidratos también aportan energía y ayudan a mejorar su metabolismo, y logran que queme más calorías.

Algunos expertos en dietas dicen que su metabolismo se acelera lo suficiente y llega a utilizar la mayoría, sino todas, las calorías que consume de los carbohidratos. Pero todo lo que usted no quema, su cuerpo lo sintetiza y lo almacena como grasa. Afortunadamente, cerca de un cuarto de esas calorías se utilizan en el proceso.

Por otro lado, mientras se almacena la grasa que consumió, el cuerpo casi no quema calorías. Si come en exceso, usted aumenta más de peso por las calorías provenientes de las grasas que por la misma cantidad de calorías provenientes de los carbohidratos.

Ya sea que esté siguiendo una dieta o no, la mayoría de los nutricionistas sugieren consumir al menos un 55% del total de calorías recomendadas de los carbohidratos. No es difícil de lograr. Los carbohidratos provienen principalmente de las plantas — la leche es la única fuente de origen animal.

Los granos sin procesar, como el arroz integral — son una de las mejores fuentes de carbohidratos. Estos granos no han perdido ninguno de los nutrientes ni fibras que se pierden en el procesamiento. Y como están enteros y son firmes, su cuerpo demora más en sintetizarlos. Esto significa que se absorbe menos almidón — y calorías — durante la digestión.

Otros carbohidratos "estrellas" son las verduras, como por ejemplo, las batatas, las alubias secas, el maíz, las arvejas y la calabaza de invierno.

Y, mientras se mantenga dentro de los límites de calorías, las frutas son otra buena alternativa. Las manzanas, bananas y fresas picadas son una buena opción de carbohidratos saludables. Pero no les agregue coco rallado. El coco rallado tiene un nivel altísimo de grasa saturada, que es mala tanto para su corazón como para su figura.

"Un poco de eso y listo", dicen los Dr. Ron y Nancy Goor, en su libro *Choose to Lose (Elegir para perder)*. "Los científicos alimentan a las ratas con coco para provocarles cardiopatías".

Los escritores de libros de dietas dicen que se queman más calorías durante la digestión de algunos carbohidratos que si las incorporara comiéndolas. Dicen que los alimentos, como por ejemplo el apio, el pepino y la lechuga repollada, tienen calorías negativas. Otros no están seguros de que esto sea posible. No obstante, consumir estos alimentos bajos en calorías, sin calorías o de calorías negativas — sin importar cómo los llame — puede ayudarlo de verdad a alcanzar su objetivo de perder peso.

El azúcar también es un carbohidrato y no ayuda a estilizar la cintura. El azúcar aporta calorías pero no nutre. Los postres ricos en azúcar y grasa son doblemente peligrosos para sus sueños de estar saludable y tener una figura delgada.

Grasas. La clase correcta de grasa, aunque usted no lo crea, puede ayudarlo a perder peso. Eso es lo que descubrieron los investigadores en Australia cuando compararon los resultados de dos dietas para perder peso. Algunas personas consumían a diario una porción de pescado que contenía ácidos grasos omega 3 — como el atún o el salmón. Y, a diferencia de los que no incluyeron pescado en su dieta, perdieron casi cuatro libras más de peso durante el estudio de 16 semanas.

La pérdida de peso no es la única recompensa que se obtiene por comer pescado. Otros estudios demuestran que esta saludable grasa lo protege de la diabetes, de la depresión, de las cardiopatías y del cáncer.

Las grasas provenientes de las plantas — por ejemplo el aceite de oliva o de canola, el aguacate y los frutos secos — son mejores que las grasas provenientes de las carnes y los productos lácteos. Pero recuerde que si consume grasa de cualquier clase en grandes cantidades puede arruinar las posibilidades de deshacerse de esas libras extras. Independientemente del origen de la grasa, un gramo de grasa aporta la misma cantidad de calorías.

Proteína. Su cuerpo necesita todas las proteínas que se obtienen de la carne, del pescado y de los productos lácteos. Algunos alimentos vegetales, tales como las alubias y los granos integrales, aportan proteínas incompletas. Sin embargo, si las combina, como por ejemplo en un plato de alubias rojas y arroz, obtendrá proteínas completas.

Últimamente, las dietas ricas en proteínasson muy populares, pero no desarrollan músculos ni queman grasas, como dicen algunos. De hecho, pueden ser peligrosas.

Estas dietas exigen demasiado al hígado y a los riñones y contribuyen a enfermedades en las arterias y a la pérdida ósea. Además, carecen de otros nutrientes que usted necesita. La mayoría de las organizaciones de la salud, incluso la Asociación Estadounidense del Corazón y la Asociación Americana de Dietética, recomiendan evitar las dietas ricas en proteínas.

Una advertencia

No deje que las preocupaciones por su pesolo hagan beber alcohol — porque es rico en calorías. En realidad, una onza de alcohol, la cantidad promedio en una bebida, tiene cerca de 130 calorías, casi lo mismo que media onza de grasa.

El alcohol también disminuye su capacidad para quemar la grasa acumulada en su cuerpo. Y hasta puede ayudar a que la grasa se deposite en la zona de la "barriga de cerveza" donde es más peligroso.

Fibra. Consumir frutas, verduras y granos integrales ricos en fibra puede ser de gran ayuda para eliminar esas libras de más. Sólo asegúrese de beber mucha agua. Los líquidos hacen que las fibras se hinchen y usted se sienta lleno. Y, como la fibra demora en pasar por el intestino grueso, no tendrá hambre inmediatamente. Además, la mayor parte de la fibra no se digiere, por lo que no aporta muchas calorías.

Germen de trigo y salvado de trigo

• • • • • • • • • • • •

Beneficios

Reduce el colesterol

Combate el cáncer de colon

Previene el estreñimiento

Ayuda a detener las apoplejías

Protege contra las cardiopatías

Mejora la digestión.

Es probable que asocie la palabra "germen" con afecciones y enfermedades. Pero, si la utiliza con la palabra "trigo", tendrá un nuevo y completo juego de palabras.

El germen de trigo, el centro del grano del trigo, aporta proteínas, fibra, grasa poliinsaturada, vitaminas y minerales. Es la parte más nutritiva del grano de trigo, que, además, incluye el endospermo y el salvado o la cáscara.

En segundo lugar después del arroz como alimento básico, los antiguos chinos, egipcios y griegos cultivaban el trigo hace miles de años. Actualmente, se cultiva más trigo en el mundo que cualquier otro cereal.

Es muy probable que consuma mucho trigo en su dieta, ya que la mayoría de los panes están elaborados con este grano. Pero es posible que usted no consuma mucho germen de trigo o salvado, dos de las partes más saludables del grano, ya que las retiran en la molienda. El germen de trigo reduce el colesterol y ayuda a su corazón, mientras que el salvado, que tiene mucha fibra, ayuda a combatir el estreñimiento y el cáncer de colon.

Tres maneras en que el germen de trigo y el salvado de trigo lo mantienen sano

Disuelve el colesterol. El colesterol tiene el poder de obstruir y bloquear sus arterias, desencadenar cardiopatías y provocar apoplejías. Pero el germen de trigo tiene el verdadero poder para detenerlo.

Un estudio francés descubrió que consumir 30 gramos, o casi un cuarto de taza, de germen de trigo crudo todos los días durante 14 días redujo el colesterol total en un 7,2%. También redujo el LDL o colesterol "malo" en un 15,4% y los triglicéridos, un tipo de grasa presente en la sangre, en un 11,3%.

Esto es importante porque, según otro estudio, reducir el colesterol en un 7% reduce el riesgo de cardiopatías en un 15%.

El éxito del germen de trigo contra el colesterol LDL podría contrarrestar los poderes antioxidantes de la vitamina E. La Dra. Lori J. Mosca de la Universidad de Michigan, dirigió un estudio en el que sugiere que la vitamina E proveniente de los alimentos, pero no la de los suplementos, evita que se oxiden las partículas de LDL. Un LDL oxidado es mucho más peligroso para su salud.

"Cuando una grasa, como el LDL, se oxida, es más propensa a acumularse en los vasos sanguíneos y formar placas", dice Mosca, en cuyo estudio incluyó a mujeres posmenopáusicas. "Con el tiempo, las placas reducen los vasos sanguíneos o desprenden un coágulo, lo que puede provocar una cardiopatía o una apoplejía. Cuando el LDL no se oxida, no causa problemas aparentemente".

Debido a que la vitamina E en suplementos no ofrece la misma protección, su mejor opción es incluir vitamina E en su dieta.

"Nunca podemos saber con exactitud cuál de los nutrientes es el que brinda los beneficios, además, es posible que se incluyan diferentes nutrientes", explica Mosca. "Por eso, sugerimos consumir la vitamina E que se encuentra en los alimentos."

Combata las cardiopatías El mensaje de que los alimentos integrales son mejores que los suplementos ya lo había divulgado la *revista New England Journal of Medicine* en un estudio sobre el riesgo que tienen las mujeres posmenopáusicas de sufrir cardiopatías.

En ese estudio, las mujeres que consumieron casi todas las vitaminas E provenientes de los alimentos eran menos propensas a desarrollar cardiopatías que aquellas mujeres que comieron menos. Sin embargo, no existía la misma relación con la vitamina E suplementaria. Otro estudio reciente sugirió que, aún después de cuatro o seis años, los suplementos de vitamina E no tenían efecto alguno sobre el riesgo de sufrir una cardiopatía. Una vez más, la mejor opción es consumir vitamina E proveniente de las comidas, no de pastillas.

Cuando se trata de alimentos, los granos integrales son los que brindan mayor protección. Un estudio de 75.521 enfermeras realizado por la Facultad de Medicina de Harvard demostró que consumir cerca de 2,5 porciones de granos integrales por día reduce el riesgo de padecer cardiopatías en un 30%, aproximadamente, un cálculo que, según los investigadores, es "conservador".

Los alimentos a base de granos integrales que estudiaron tenían germen de trigo y salvado. Los datos de la investigación demuestran que consumir una porción diaria de cada uno reduce considerablemente el riesgo de sufrir una cardiopatía. A diferencia de las personas que consumían germen de trigo ocasionalmente, las que consumieron un poco menos de una porción de germen de trigo por día, tenían un 59% menos de posibilidades de desarrollar una cardiopatía. Una porción de salvado por día redujo el riesgo de desarrollar cardiopatías en un 37%.

Por supuesto que los alimentos a base de granos integrales aportan muchas cosas buenas para el corazón, como por ejemplo, fibra, folato, vitamina E y potasio. Pero lo bueno de consumir alimentos integrales es que usted no tiene que descifrar cómo lo ayuda cada nutriente — porque al consumirlos obtiene una combinación de beneficios.

Protege contra el cáncer. Cuando hablamos de bateadores contra el cáncer de colon, el salvado de trigo es un Babe Ruth. Una y otra vez, el salvado de trigo ha eliminado al cáncer de colon de la cancha de juego.

Una taza de salvado de trigo aporta la enorme cantidad de 25 gramos de fibra. Este tipo de fibra, la fibra insoluble, agrega volúmenes a las heces y diluye los agentes cancerígenos. También acelera el paso de las heces a lo largo del tracto gastrointestinal, por lo que no van a estar dando vueltas por ahí y causando problemas. El salvado de trigo es bueno para curar el estreñimiento, mantener su intestino saludable y protegerlo contra el cáncer.

Pero la fibra no es la única protagonista. El salvado de trigo también tiene mucho ácido fítico, sustancia con propiedades antioxidantes que previene los tumores. Para aquellos que dudan de los poderes anticancerígenos de la fibra deberían informarse sobre el ácido fítico para obtener una explicación sobre la efectividad del salvado de trigo contra el cáncer de colon.

Ya sea la fibra o el ácido fítico, el salvado de trigo funciona. Los estudios demuestran que el salvado de trigo inhibe los tumores de colon y de intestino mejor que otros salvados, tales como la avena o cebada.

Una advertencia

El trigo contiene gluten, una proteína densa ideal para el pan horneado. Sin embargo, el gluten también hace que el trigo sea peligroso para las personas celíacas o alérgicas al gluten.

Si es alérgico al gluten, los productos a base de gluten pueden provocarle calambres, diarrea y otros problemas. La enfermedad celíaca es más grave y consumir trigo podría dañar gravemente el revestimiento de los intestinos. Por lo general, las personas con estas enfermedades deben evitar todos los productos que contengan trigo, arroz, avena o cebada.

Indicadores de despensa

Puede encontrar el germen de trigo, tanto tostado como natural. Sin embargo, hay que utilizarlo rápido una vez que se compra porque su oleosidad hace que se vuelva rancio rápidamente. También puede comprar aceite de germen de trigo, pero el sabor es más fuerte y es bastante caro.

La mayoría de las harinas de trigo utilizan el endosperma, parte principal del grano de trigo que contiene almidón, proteína y hierro. También puede conseguir trigo integral (granos integrales), trigo partido y trigo burgol. Puede encontrarlos en las tiendas de alimentos naturales.

Candidiasis

· · · · · · · · · · · · · · · ·

Coma	
Yogur	Espárragos
Cantalupo	Espinaca
Hojas del nabo	Hígado
Damascos	Brócoli

Evite

Alimentos ricos en azúcar refinada, tales como las confituras.

Los alimentos que tienen levadura, tales como el pan y el queso maduro

Si es mujer, es posible que tenga candidiasis al menos una vez en su vida. La candidiasis es un tipo de vaginitis, una inflamación de la vagina. Siempre hay una pequeña cantidad de cándidas en esta área, pero cuando se multiplican producen picazón, ardor e irritación. El embarazo, la diabetes y el uso de pastillas anticonceptivas o antibióticos aumentan el riesgo de sufrir esta afección. Afortunadamente, existen varios nutrientes básicos para combatir la bacteria específica que causa esta molesta infección.

Nuevos descubrimientos
nutricionales que combaten la candidiasis

Ácido fólico. Esta vitamina B la protege de tener vaginitis y ayuda también a reducir el riesgo de desarrollar cáncer de cuello uterino. Los investigadores creen que los bajos niveles de ácido fólico ayudan a las sustancias que producen cáncer a atacar sus tejidos. Por eso, protéjase. Consuma más cantalupo, espárragos, remolachas, hígado y verduras de hojas verdes, tales como la espinaca y las hojas del nabo. De ser posible, consuma estas frutas y verduras crudas, ya que la cocción destruye hasta la mitad de esta importante vitamina.

Hierro. Este mineral es muy importante para la salud de una mujer antes de la menopausia Entre los alimentos ricos en hierro, podemos encontrar mariscos, carne roja, frutas secas y espinaca. Agregar alimentos ricos en vitamina C a su dieta ayudará a que su cuerpo absorba mejor el hierro. Por ejemplo, saltée el brócoli, rico en vitamina C, con camarones, o acompañe la espinaca con rodajas de naranjas.

Magnesio. Las investigaciones demuestran que las mujeres que tienen candidiasis recurrente son más propensas a tener bajos niveles de magnesio. Para asegurarse de que consume mucho de este mineral, coma frutos secos, alimentos a base de granos integrales y verduras de color verde oscuro, como la espinaca y el brócoli.

Zinc. Casi la mitad de las mujeres adultas de los Estados Unidos consumen mucho menos de la cantidad diaria recomendada de zinc. Ésta es una mala noticia porque este mineral las ayuda a combatir la candidiasis. Los alimentos ricos en zinc incluyen mariscos, carnes rojas, aves, legumbres y granos integrales.

Selenio. Los científicos no conocen cómo combate el selenio las infecciones vaginales, pero saben que las mujeres con vaginitis crónica tienen bajos niveles de selenio. Para consumir mucho selenio, asegúrese de comer alimentos sin procesar, tales como granos y frutas y verduras frescas.

Vitamina A. El revestimiento de su vagina actúa como una barrera protectora contra las bacterias. Si las células mueren, las bacterias puede invadir la vagina y provocar una infección. La vitamina A mantiene estas células vivas y en buen estado, y es, por eso, su primera línea de defensa contra las infecciones vaginales.

Entre los alimentos ricos en vitamina A, podemos mencionar el hígado, los productos lácteos fortificados y los huevos. También puede consumir alimentos ricos en betacaroteno, que su cuerpo convierte en vitamina A, tales como la espinaca, las batatas, las zanahorias y la papaya.

Ácidos fólicos. Por lo general, la inflamación va de la mano con las candidiasis. Para combatirla, necesita consumir más de estos importantes ácidos grasos omega 3 y omega 6. Coma pescado dos o tres veces por semana y un poco de aceites vegetales, tales como aceite de canola, de maíz, de girasol o de oliva. Las semillas, los frutos secos, la carne de ave y los huevos también contienen buena cantidad de ácidos grasos.

Yogur. Consumir una taza de yogur por día es una manera fácil y rica de evitar la candidiasis. *El Lactobacillus acidophilus* es una bacteria buena que se encuentra en la vagina. Los científicos creen que ayuda a combatir la bacteria nociva que provoca la candidiasis. Muchos yogures también tienen cultivos de *L. acidophilus*. En muchos estudios, los investigadores pidieron a las mujeres que consumieran 8 onzas de yogur rico en bacterias diariamente durante varios meses. Durante ese periodo, la mayoría de las mujeres tuvo menos infecciones vaginales.

Una advertencia

Las bacterias que provocan infecciones vaginales proliferan en un ambiente rico en azúcar. Es por eso que las mujeres diabéticas son más propensas a tener candidiasis. Usted sabe que debe reducir el consumo de dulces y postres, pero es posible que no sepa que muchos alimentos procesados tienen azúcar "oculta". Lea las etiquetas de las cajas de los cereales, de las frutas enlatadas, de las salsas para espaguetis y de los productos dietéticos. Y se sorprenderá.

No todos los médicos están de acuerdo, pero algunos recomiendan eliminar los alimentos que tengan levadura si usted es propensa a sufrir candidiasis. El pan, el queso maduro, el vinagre y la cerveza tienen un alto contenido de levadura.

Yogur

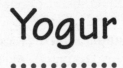

<table>
<tr><td>

Beneficios

Favorece la digestión

Protege contra las
úlceras

Fortalece los huesos

Ayuda al sistema
inmunológico

Reduce el colesterol

</td></tr>
</table>

Se dice que el yogur se creó de casualidad. En algún lugar de Turquía, la leche que se encontraba en un bolso de cuero de cabra se cortó — o fermentó — durante un viaje en el desierto. Ese valiente nómada debe de haberse sorprendido gratamente al probar el resultado final. Turquía es famosa por sus yogures, pero los yogures que usted compra en el supermercado son diferentes.

Para producir yogur comercial, tiene que agregar a la leche pasteurizada las bacterias *Lactobacillus bulgaris* y la *Streptococcus thermophilusy* después calentar la leche. Estas bacterias son las responsables de la fama que tiene el yogur de ser bueno para la salud. Desafortunadamente, algunos pasos del proceso destruyen las bacterias. Por eso, para obtener los mejores beneficios nutricionales, controle que la etiqueta de su yogur diga "yogur con cultivo activo"

El yogur es también una excelente fuente de calcio, riboflavina, proteína, vitamina B12 y potasio.

Seis maneras en que el yogur lo mantiene sano

Contribuye con la salud digestiva. Consuma regularmente un yogur cremoso y podrá evitar problemas intestinales desagradables.

Existen más de 400 tipos de bacterias en el intestino. Algunas son buenas, denominadas probióticas, y ayudan a tener bajo control las bacterias nocivas. Sin embargo, una ronda de antibióticos, una intoxicación con comida o diferentes enfermedades generalmente matan la bacteria buena. El resultado puede ser desde una descompostura intestinal hasta una diarrea. Para que su cuerpo mantenga el delicado equilibrio entre las bacterias buenas y malas, coma yogur. Gracias a su riqueza de probióticos, el yogur es una forma natural de reabastecer las bacterias buenas.

Las investigaciones realizadas durante los últimos 40 años lo confirman. El yogur puede ayudar a tratar, e incluso prevenir, infecciones intestinales o diarreas bacterianas, tales como la *Salmonella* y la *E.coli.*

Bloquea las úlceras. Uno de los avances médicos más importantes fue descubrir que la bacteria *Helicobacter pylori* provoca úlceras. El Dr. C. N. Wenda-koon de la Universidad de Alberta dice, "La *H. pylori* es un pequeño virus que vive en el estómago y que provoca gastritis crónica y úlceras pépticas en los humanos. A veces, está involucrada en algunas formas de cáncer gástrico". Desde este descubrimiento, los antibióticos son el tratamiento estándar. Sin embargo, los antibióticos provocan efectos secundarios y la *H. pylori* se vuelve resistente a los medicamentos. Wendakoon agrega, "la *H. pylori* se adapta de diferentes maneras para sobrevivir y es difícil eliminarla del estómago." Actualmente, muchos expertos creen que el yogur puede ser una solución natural.

La investigación de Wendakoon determinó que la leche descremada con *Lactobacillus casei,* una bacteria láctica iniciadora, destruye las células de la *H. pylori* — al menos en el laboratorio. "Los resultados", dice, "ayudarán al desarrollo de un tratamiento terapéutico efectivo, nuevo y seguro (como el consumo de yogur) contra la infección de *Helicobacter*".

Debido a los diferentes procesos, su yogur puede o no combatir la *H. pylori,* pero por ahora es una manera natural y sabrosa de intentarlo.

Fortalece los huesos. Una porción de 8 onzas de yogur aporta casi un tercio del calcio que necesita a diario para fortalecer sus huesos. Y, si no tolera la lactosa, probablemente digerirá el yogur mucho más rápido que la leche y que otros productos lácteos.

Estimula el sistema inmunológico. Si tiene un sistema inmunológico saludable significa que puede combatir mejor muchas enfermedades, incluso el cáncer. Y el yogur puede ser uno de los alimentos que ayude. Un estudio de la Universidad de California descubrió que consumir dos tazas de yogur por día aumenta una importante sustancia del sistema inmunológico llamada gamma-interferón. Los investigadores han probado otros probióticos específicos en el yogur y descubrieron que la mayoría de ellos ayudan a que el sistema de defensa del cuerpo ataque. Para obtener este beneficio, asegúrese de que su yogur tenga cultivos vivos y activos.

Puede reducir el colesterol. Gracias a una remota tribu de África se generó interés científico sobre el efecto del yogur para reducir el colesterol. A pesar del tipo de dieta que aumentaría generalmente los niveles de colesterol, como por ejemplo consumir grandes cantidades de carne, los índices de cardiopatías del pueblo Maasai son bajos. Otras investigaciones descubrieron que un alimento básico en su dieta, responsable de estos descubrimientos poco comunes, es la — leche fermentada. A pesar de que existen diversas maneras en que esto puede suceder, los expertos creen que consumir más yogur equivale a tener menos colesterol circulando en su cuerpo.

Los estudios clínicos arrojaron resultados variados, pero la mayoría indica que el yogur podría incidir en la reducción del colesterol. La clave parece ser el consumo diario de yogur con cultivos activos. Y, como el yogur es una buena fuente de tantos nutrientes importantes, no tiene nada que perder si lo incluye en su dieta diaria.

> ## Brinde por su buena salud
>
> Si el yogur no es su alimento preferido, aún puede disfrutar de los beneficios de los probióticos con leche acidófila. Las beneficiosas bacterias *lactobacilo acidófilo* se agregan a la leche cuando se produce el ácido láctico en la fermentación de las azúcares de la leche.
>
> Esto significa que su digestión será mejor y tendrá una fuente de antibióticos más natural para controlar las bacterias nocivas de su estómago, de sus intestinos, del tracto urinario y de la vagina.
>
> Tome un vaso de leche acidófila todos los días, en especial si ha tomado medicamentos para tratar una infección bacteriana.

Combate la candidiasis. Las mujeres parecen ser más propensas que los hombres a comer yogur y se debe, quizás, a una buena razón. Una o dos tazas por día aportan la cantidad necesaria de bacterias buenas para prevenir o tratar infecciones vaginales. Por lo tanto, si es propensa a tener este tipo de problemas o si está tomando antibióticos, disfrute de este cremoso tratamiento.

Indicadores de despensa

Si desea obtener los mejores beneficios para la salud del yogur comercial, lea la etiqueta. Elija los tipos que contienen cultivos activos vivos y que no hayan sido tratados mediante calor, ya que el calor mata la bacteria buena. También controle la fecha de vencimiento, los probióticos del yogur se debilitan con el paso del tiempo.

En la etiqueta también podrá leer cuánta azúcar contiene el yogur. Algunos yogures tienen hasta siete cucharadas de azúcar agregada, calorías vacías que no necesita

Puede guardar el yogur en su envase original hasta por 10 días en el refrigerador. La mayoría de las personas come el yogur desde el pote, pero también es útil para cocinar. Utilícelo como un sustituto reducido en grasas de la crema o la mayonesa. Pero recuerde que el calor mata las bacterias buenas, por lo que tiene que usarlo en la cocina por sus otras cualidades nutricionales.

Índice

• • • • • • • • • • •